MOEWIG
SCIENCE FICTION

Benford · Eklund

DIE MASKEN DES ALIEN

Herausgegeben und mit einem Nachwort
von Hans Joachim Alpers

Deutsche Erstausgabe

Titel der Originalausgabe: Find the Changeling
Aus dem Amerikanischen von Rainer Schmidt

Umschlagillustration: Schlück / Rowena Morrill
Umschlagentwurf und -gestaltung: Franz Wöllzenmüller, München
Redaktion: Hans Joachim Alpers
Verkaufspreis inkl. gesetzl. Mehrwertsteuer
Auslieferung in Österreich:
Pressegroßvertrieb Salzburg, Niederalm 300, A-5081 Anif
Printed in Germany 1982
Druck und Bindung: Mohndruck Graphische Betriebe GmbH, Gütersloh
ISBN 3-8118-3582-3

Erster Teil

1

Es klang wie wenn Fingernägel kreischend durch eine Blechschüssel kratzen, und das Geräusch erfüllte die Kabine mit schrillen Harmonien. Fain verzog das Gesicht.

Er blickte zur Seite. Auch Skallon saß mit verzerrtem Gesicht da, und Linien der Anspannung schnitten sich durch seine jungen Züge.

Wenn das so weiterging ...

Fain zündete die Retros. Der plötzliche Stoß ließ seine Zähne aufeinanderschlagen. Er spürte den erneuten Anprall der Bremsverzögerung. Die Verkleidung, die die Nase umhüllt hatte, war abgeflogen. Abrupt endete das kreischende Heulen. Ein jaulendes Geräusch folgte. *Da geht die Außenhülle hin,* dachte Fain.

„Was ... was war das?“

„Es hat einen Partikelstrahl auf unsere Nase gerichtet. Hat sie ganz schön zugerichtet. Ich habe die Retros gezündet, um die Außenhaut abzuschütteln.“

„KommZen hat doch gesagt, der Änderling könnte diese Subsysteme nicht bedienen.“

„So ist es.“ Fain hörte, wie die zweite Haut abschmorte: ein brutzelndes Geräusch, wie Speck in der Pfanne. Es kam laut und deutlich über die akustischen Verstärker herein. Die Akustiksensoren waren das verläßlichste Mittel zur Überwachung des Eintauchmanövers. Das Tempo, in dem die Turbulenzausgleichs-Tragflächen verglühten, wurde von der erforderlichen Geschwindigkeit diktiert, nicht von der Sicherheit. Es war ein rauher Ritt.

Das vibrierende Brüllen in den Hecksensoren stieg an. Höher, höher – die zweite Haut war fast verbrannt.

Fain zog eine Grimasse. Die Eintauchhüllen schälten sich ab; sie erfüllten den Himmel ringsum mit metallbeschichtetem Plastaform, das Radar und Exosens-Detektoren durcheinanderbrachte. Gut. Jeder Splitter der Hülle komplizierte das Problem für den Änderling.

Sie waren verflucht knapp davor gewesen, den Änderling oben im Orbit zu erwischen. Er hatte nicht mit ihnen gerechnet. Als KommZen die Bestätigung hatte, daß die Änderlinge auf dem Weg zu dieser speziellen Welt waren, waren sie sogleich von der Erde abgeflogen. Sie hatten kaum Zeit genug gehabt, Skallon aufzustöbern und reisefertig zu machen. Er war der Planetenspezialist für diesen Einsatz, für den Fall, daß sie den Änderling im Weltraum verfehlen sollten.

Und das hatten sie, wenn auch nur knapp. Als sie aus dem Überlicht-Bereich herausgekommen waren, waren sie fast in Schußweite gewesen, und die Kapsel des Änderlings war in die alveanische Atmosphäre eingetaucht. Jetzt mußten sie dem Ding nach dort unten folgen. Schnell, geschmeidig, massig kamen sie herein und versuchten, den Änderling festzunageln, ehe er landen konnte.

Er war irgendwo unter ihnen, und seine ballistischen Systeme versuchten, ihre Kapsel in dem Regen von Trümmern auszumachen. Er war schnell und schlau. Er hatte sie mit diesem Ionenstrahl gefunden und ihren Sicherheitsspielraum erheblich verkleinert, indem er die schwere Schutzhülle zerstört hatte. Aber jetzt war es Zeit für eine Antwort.

Fain aktivierte die Systeme der Angriffswaffen. Mit einem dreifachen Dopplereffekt zeigte der Bildschirm einen Schneesturm von Bildern in der finsteren, fremden Atmosphäre unter ihnen – treibende Flocken der abgeblätterten Eintauchhüllen, Phantomtrümmer, seitwärts jagende Evasionsgeschosse, leuchtend und irreführend. Eines davon war der Änderling.

Fain machte sein Geschütz scharf. Er wählte ein Ziel in der Mitte des metallischen Schneesturms. Die Möglichkeiten des Radars waren begrenzt. Darüber hinaus war man auf geschicktes Raten angewiesen. Er drückte auf den Auslöser.

Zunk. „He!" schrie Skallon. „Das klang wie ein ..."

„War es auch."

„Hör mal, die Verwendung von Waffen der Klasse IV im Hoheitsraum von Alvea ...“

„Ich weiß, ich weiß. Hat KommZen verboten. Aber die sind jetzt nicht hier, und wir schon. Und das Ding da unten hat einen Ionenblitz auf uns losgelassen.“

„Das gefällt mir nicht. Die Eingeborenen werden es sehen und...“

„... und wahrscheinlich ignorieren. Paß lieber auf.“

Das Geschoß spie Plasma nach hinten und machte ein rotes Bild auf den Exosens-Schirmen. Es bewegte sich rasch auf sein Ziel zu. Die Schneeflockenbilder trieben nach rechts ...

Die A-Explosion blühte auf, strahlend und heiß.

„Jesus!“ rief Skallon. „Wie groß war der Sprengkopf?“

„Zehn Kilotonnen. Implosionsgezündet.“

Eine ionisierte Wolke breitete sich aus und verwischte die dreifach gedopplerten Schneeflocken zu blauem Dunst. Fain wandte den Blick von dem vielfarbigen Spektakel ab und hoffte, dies sei das Ende. Ein sauberer, chirurgischer Eingriff - das war es, was er wollte. Danach könnten sie landen, das Mutterschiff im Orbit rufen und auf dem Translicht-Träger von hier verschwinden.

Er sah zu, wie die Atomexplosion aufquoll. Im Zentrum zeigten sich rote Strahlen, ein Hinweis auf Gegenstände, die der Feuersturm erfaßt hatte. In diesem Bereich verschmolzen sie zu einem stumpfen Ball wie in einem Freudenfeuer. Fain dachte an Flammen, an Brennen und plötzlich an einen Mann, der herangestürzt kam, und an seinen Kleidern zuckten orangefarbene, züngelnde, fressende Flammen. Der Mann schrie. Er brüllte etwas, aber Fain verstand es nicht, denn das hohle Tosen der Flammen übertönte alles, und die Flammen fraßen sich weiter, sie fraßen und versengten und schwärzten alles ... die Flammen ... die Flammen ...

Er schüttelte den Kopf. Nein.

Das Bild verblaßte. Er mußte sich auf den Schirm konzentrieren. Er spähte tief in die Wolke hinein und suchte nach den verräterischen Ionisationsspuren schwerer Metalle. Sie würden ihm zeigen, wo die Kapsel verdampft war, wo sie aufgebrochen war und den Änderling zerquetscht hatte wie ein Ei.

Aber er fand nichts. Das Geschoß hatte nicht getroffen.

„Scheiße!" bellte Fain und schlug gegen die Konsole. Jetzt würde die Trümmerwolke selber den Änderling gegen weitere Schüsse abschirmen. Sie würden ihm nach unten folgen müssen.

„Ich habe die Bremsfallschirme fertig", sagte Skallon sanft.

„Okay." Fain verzog das Gesicht, wütend über sich selbst. Mit einem rasselnden Knall öffnete sich der erste Fallschirm. Fains Rückgrat wurde von seinem dreifachen Gewicht zusammengestaucht. Sein Atem ging stoßweise. Irgendwo krachte ein ungesicherter Gegenstand an ein Schott. Die Luft in der Kapsel bekam einen beißenden Geschmack.

Er warf einen Blick nach hinten, um zu sehen, wie es Scorpio ging. Der Neohund war fest angeschnallt. Die Bremsverzögerung ließ seine Augen glasig erscheinen, und seine Zunge hing ihm aus dem Maul. „Alles in Ordnung, mein Junge?"

„In. Or'nung. Sehr. Schuär." Bestimmte Laute konnte er in dieser Bremsverzögerung nicht hervorbringen, aber Fain war an Scorpios Akzent gewöhnt. Sie hatten schon früher zusammengearbeitet. Vor fünf Jahren hatten sie auf Revolium, einer gottverlassenen Wasserwelt, einen Änderling gefangen. Auf einer seiner letzten Missionen hatte Fain versagt, nur weil er keinen Neohund bei sich gehabt hatte, und er wollte verflucht sein, wenn er das noch einmal zulassen würde. Dieser Auftrag hier müßte ohnehin einfacher sein als die Sache auf Revolium. Es war leichter, einen Änderling zu töten als ihn zu fangen. Ein Änderling konnte einen wirklich zum Narren machen, wenn man allzu listenreich heranging. Eine schnelle Vernichtung dagegen war eine saubere Sache und außerdem gründlicher.

„Scheint ziemlich haarig zu werden", meinte Skallon.

„Wenn wir unten sind, packen wir ihn."

Fain spürte, wie der Fallschirm abriß. Ein zweiter sprang heraus, und eine neue Bremskraftwoge brach über sie herein. Wenigstens war der Atomsprengkopf nicht völlig verschwendet gewesen. Der Änderling befand sich jetzt unter der Explosionsstelle, und so konnten seine aufwärts gerichteten Sensoren sie im Himmel nicht ausfindig machen. Sie konnten sicher zu Boden gleiten. Dennoch ...

Fain feuerte ein zweites Geschoß ab. „He!" rief Skallon. „Was..."

„Zur Sicherheit."

„Aber das geht knapp hundert Kilometer vor Kalic hoch!"

„Und das ist der Ort, den der Änderling zu erreichen versucht, nach allem, was die Plantheoretiker sagen, oder nicht?"

„Aber diese Region ist dicht besiedelt. Sie werden es sehen. Eine Bombe bemerken sie vielleicht nicht, aber zwei ... Sieh mal, Kalic ist die Hauptstadt und ..."

„Weiß ich alles." Fain wußte es nicht - Skallon war der Experte für Alvea -, aber er war nicht in der Stimmung für eine Geographielektion. „Laß es gut sein, ja?"

„Aber du riskierst ..."

„Schon passiert. Vergiß es." Fain haßte nutzloses Gerede. Er startete ein Suchprogramm mit den Sensorempfängern, um die Gegend einzugrenzen, in der der Änderling landen konnte. Am Boden mußten sie den Änderling erwischen, und sie mußten ihn schnell erwischen, bevor das Ding entkommen konnte. Ein haariges Problem, gewiß. Aber er wußte, wie man es machte.

2

„Schwenke um achtzig Grad Uhrzeigersinn", rief Fain. Er landete schwer auf dem Boden, und sein Anzug übernahm den Rest. Er schoß dreißig Meter hoch hinauf. Seine Gyros hielten ihn stabil, so daß er das vor ihm liegende Gelände überschauen konnte, und gleichzeitig kontrollierte er die Tiefensensoren und suchte nach Phantombildern oder austretender Strahlung aus einem Antriebsaggregat. Unter ihm jagte der alveanische Wald dahin. Schlingpflanzen und Blattwedel verhüllten das Dickicht, aber er konnte einige Pfade erkennen. Auf ihnen bewegte sich nichts. Die Sensoren zeigten nichts an.

„Spring wieder!" schrie Skallon.

„Was? Himmel, brüll doch nicht so. Ich kann dich gut hören." Skallon wurde allmählich aufgeregt. Das war nicht gut. Wenn er in seinem Raketenanzug die Übersicht verlöre, würde er anfangen, große, dumme Fehler zu machen.

Fain sah, wie Skallon fünfzehn Kilometer entfernt aus dem Wald emporschoß. Der glänzende Anzug war leicht zu erkennen, auch ohne die pulsierende rote Beschichtung auf der Innenseite von Fains Sichtscheibe. Skallon sprang einen Hügel hinauf; leichthin überwand er die felsigen Vorsprünge. Er glitt über den Gipfel und setzte nur einmal auf, um den Achtzig-Grad-Schwenk zu vollziehen. Dann sank er auf der anderen Seite herunter und der Wald verschluckte ihn. Fain mußte zugeben, daß der Junge das Gerät beherrschte. Es vernünftig zu beherrschen war eine andere Sache.

„Wir fangen nichts auf", sagte Fain.

„Vielleicht war das Suchraster falsch. Wenn er ..."

„Nein, er ist hier in der Gegend. Die Kapsel muß auch abgeschirmt sein, sonst würden wir irgend etwas auffangen."

„Wieso denkst du, daß wir auch nur nahe dran sind? Ich glaube nicht ..."

„Es paßt ins Änderling-Profil. Wir müssen ihn wohl aufrütteln."

„Wie denn?"

„Paß auf." Fain schaltete seinen Granatwerfer auf Automatikbetrieb. Er setzte auf, und der Anzug trieb ihn wieder aufwärts und im Bogen über ein hohes Gehölz hinweg. Tiere stoben in alle Himmelsrichtungen davon. Seine akustischen Verstärker übertrugen ihre hastige Flucht. Auf dem Scheitelpunkt seines Flugbogens feuerte der Granatwerfer zwei Geschosse zur Seite. Dann war er wieder unten, in der relativen Sicherheit des Waldes. Er brauchte zwei Sekunden, um den neuen Input der Sensoren zu analysieren: nichts. Dann schlugen die Geschosse ein. Das zweifache *Krump* dröhnte schwer durch die stille Luft.

„Was soll das?" schrie Skallon. „Was war da drin?"

„Medium-HEs." Fain überwand hastig und keuchend ein Felsengrat.

„Irgendein bestimmtes Ziel im Sinn?"

„Nein. Klapp deinen Gesichtsschild runter." Fain sprang in einen Graben.

„Der ist schon längst unten. Du brauchst mich nicht dauernd zu kontrollieren. Ich möchte nur gern wissen, wer dir gesagt hat, daß du ziellos in der Gegend herumschießen kannst? Vielleicht triffst du dabei ein paar Eingeborene. Und wir sind jetzt auf Alvea, erinnerst du dich? Was ich hier zu sagen habe, ist nicht ganz unwesentlich."

„Fängst du irgend etwas auf?"

„Nein, nichts. Hör mal, wir sind Partner, und bevor du so etwas noch einmal machst ..."

„Jemand muß das Feuer auf sich ziehen. Willst du das tun?"

„Ehrlich gesagt, nein. Und es hat auch nicht funktioniert. Du kannst nicht ..."

Ein grellgelber Blitz. Ein Donnern.

Steine prasselten gegen Fains Panzerung. Er stürzte zu Boden, und ein gelbglühender Blitz fuhr in die Flanke des Hügels über ihm.

„Jesus! Alles in Ordnung, Fain? Ja, ich sehe, daß deine Anzug-Parameter noch normal sind. Wo kam das her?"

„Halt die Klappe." Fain lag mit dem Gesicht nach unten in einer Schlammpfütze und studierte das Display des Sensor-Empfängers, das über seine Sichtscheibe zog. Es war unnötig, sich zu rühren, bevor er sämtliche Ergebnisse hatte. Das Sperrfeuer des Änderlings war äußerst raffiniert gewesen. Er hatte gerade lange genug gewartet, um ihn in Sichtweite kommen zu lassen - zumindest fand Fain diese Vermutung am naheliegendsten. Aber Sichtweite von woher? Er betrachtete die Konturenkarte. Er rief die Wahrscheinlichkeitsverteilung für den Ausgangspunkt des Sperrfeuers ab. Sie erschien in Form von gewundenen Linien auf den Hügeln der Karte. Blau, rosa, rot. Drei rote Flecken lagen in demselben Azimutalbereich. Von jedem dieser Flecke aus führte eine gute Sichtlinie zu ihm her, falls der Änderling durch die schmalen Cañons schaute, die er auf der Konturenkarte sehen konnte. Über den Funkstrahl schickte er eine Anfrage zur Mutter hinauf. Sie antwortete nach drei Sekunden mit weiteren Analysen. Er gab ihr zusätzlich die Hypothese zu bedenken, daß der Änderling wahrscheinlich versuchen würde, Kalic zu erreichen. Die neuberechneten Wahrscheinlichkeiten eliminierten eine der drei roten Hochwahrscheinlichkeitszonen.

Fain runzelte die Stirn. Mehr würde er nicht herausbekommen, ohne etwas zu unternehmen.

„Skallon?"

„Ja? Es scheint alles ruhig zu sein. Ich ..."

„Hast du Niederfluggranaten? Schieß eine in Baumwipfelhöhe ab, auf maximale Entfernung."

„Verstanden. Da geht sie hin."

Fain sah den Abschuß auf seinem Display: grüne Doppler. Er war auf den Beinen und jagte mit voller Kraft voran, ehe die Granate noch hundert Meter zurückgelegt hatte. In Sekundenschnelle war er durch den Graben. Ein Bündel von Schlingpflanzen versperrte ihm den Weg. Er ging mitten hindurch und durchtrennte sie mit dem Kapplaser. Für zwei Sekunden schaltete er sich in Mutters Funkstrahl, aber die Situation war unverändert. Er feuerte seinen Granatwerfer ab. Die Hochexplosivgeschosse zischten heraus. Fain warf sich unter einen überhängenden Felsen und krümmte sich zusammen. Diesmal würde der Änderling nicht abwarten, denn diesmal hatte es keinen Sinn. Aber Skallons Granaten komplizierten das Problem vielleicht weit genug, um sein Urteilsvermögen zu behindern.

Fünfzig Meter entfernt wurde der Felsen aufgerissen. Feuer brodelte aus der Wand. Steine klapperten auf seinen gepanzerten Rücken, aber das war alles.

„Skallon."

„Er hat auf uns beide geschossen. Aber nicht aus der Nähe."

„Ich rufe Mutter herein."

„Ist mir recht."

Fain blinzelte auf die Wahrscheinlichkeitsmatrix, die auf seiner Sichtscheibe schwamm. Nur noch ein einziger roter Fleck. Das hieß zwar nicht, daß sie den Änderling aufgespürt hatten, aber die geschätzte Wahrscheinlichkeit lag bei dreiundachtzig Prozent. Gut. Gut genug jedenfalls.

Fain forderte einen Schuß von Mutter an. Er hatte gerade genug Zeit, um sich aufzusetzen und den Gesichtsschild zurückzuklappen. Der schmale Elektronenstrahl schnitt durch den wolkenverhangenen Himmel wie ein blau-weißer Kratzer. Er hinterließ ein leuchtendes Bild auf der Netzhaut und war nach einer Mikrosekunde schon wieder verschwunden. Erst eine ganze Sekunde später registrierten seine Infrarotsensoren den sich ausbreitenden, erhitzten Bereich. Das akustische Rumpeln folgte sieben Sekunden danach, als Fain schon über den Felsengrat hinwegglitt und mit höchster Geschwindigkeit auf das Zielgebiet zuraste.

Skallon erschien als pfeifendes Fünkchen auf seiner Sichtscheibe. Der Granatwerfer feuerte: *Tschugg. Tschugg. Tschugg.* Auf dem Scheitelpunkt seines fünften Sprunges bedeckte Fain das Zielgebiet mit einem Lähmungsstrahl. Die Sichtweite betrug sieben Kilometer. Nichts wies auf einen Energie- oder UV-Überschuß hin. Im Infrarotbereich ...

Da war es. Hitzestrahlung.

„Ich habe es bei null fünf acht auf zwo sieben sieben“, bellte Fain. „Abstrahlung in Infrarot. Keine elektromagnetische Registrierung.“ Skallon bestätigte kurz. „Geben wir ihm Zunder.“

Die Hochexplosivgeschosse aus den beiden Granatwerfern rissen große Breschen in den Wald rings um das Ziel. Fain überblickte das Gebiet, das er beschossen hatte, aber er entdeckte nichts Auffälliges. Er stieß sich ab und sprang über einen Hügel, um maximale Deckung zu finden. Der e-Strahl sollte eigentlich das gesamte Bordverteidigungssystem ausgeschaltet haben, aber das war Theorie. Seinen Kopf würde er jedenfalls nicht darauf verwetten.

Fain sicherte seine Flanken. Skallon war fünf Sekunden hinter ihm zu seiner Rechten. Im Vorwärtssprung durchschnitt er Bäume, Schlingpflanzen und Gestrüpp, das ihm den Weg versperrte. Vor ihnen flog ein großer Klumpen Erde mit einem Knall auseinander – das letzte der HEs.

Die Luft war schwer vom Staub. Als Deckung leistete das gute Dienste. Fain schwenkte nach links. Plötzlich teilte sich die Vegetation. Mit mehr als hundert Kilometern pro Stunde jagte er auf die Kapsel zu. Reflexartig badete er sie in Flammen. Dann raste er dagegen – ein Versuch auszuweichen, wäre sinnlos gewesen. Seine Panzerung dröhnte, und ein Schott zersplitterte. Fain stolperte in das verwüstete Cockpit. Das ehemals glänzende Metall und Plastaform war schwarz und braun von Kabelbränden. Der e-Strahl hatte alles verschmoren lassen.

Fain schwenkte zum Pilotensitz, die Hand zum Angriff erhoben.

Der Sitz war leer.

Als er sich rückwärts ins Freie schob, landete Skallon knirschend auf der verbrannten Lichtung. Mit einer Handbewegung gebot Fain ihm zu schweigen. Er wies auf den Pilotensitz. „Die Frage ist: Wie lange ist er schon weg?"

„Eine halbe Stunde vielleicht, aber höchstens." Skallon schnaufte.

„Wir werden ihn suchen müssen."

„Hat er einen Anzug?"

Fain durchsuchte die qualmende Kapsel. „Nein. Da ist keine Halterung für einen Anzug."

„Das würde mit der Inventarliste für sein Schiff übereinstimmen."

„Ja. Aber hier ist Platz für einen Gleiter. Vielleicht hatte er einen an Bord."

„In dem Fall ist er längst weg."

„Ja. Scheiße."

„Aber vielleicht hatte er ja auch keinen", sagte Skallon strahlend. „Gehen wir suchen."

Fain wußte, daß Skallon im Prinzip recht hatte, aber er glaubte nicht, daß ihre Chancen groß waren. Der Änderling war wahrscheinlich schon dreißig Flugminuten weit entfernt. Das hieß, daß es keinen leichten Job und keine schnelle Rückreise geben würde. Und die ganze Zeit über hatte er überhaupt nicht gegen den Änderling gekämpft. Fain hatte wertvolle Minuten damit vergeudet, gegen ein Computer-Verteidigungsprogramm zu arbeiten. Gegen ein gutes, zugegeben - aber nichts, was ein gewöhnlicher Agent nicht austricksen konnte. Ein scheußlicher Gedanke.

„Okay", sagte er.

Sie kämmten die Gegend jetzt seit vierzig Minuten durch. Fain hatte allmählich genug davon. Der verfluchte Änderling konnte überall in diesem undurchdringlichen Wald stecken. Es war unwahrscheinlich, daß sie ihn hier finden würden. Er war im Begriff, Skallon zu rufen, als er plötzlich einen akustischen Warnton hörte.

Es war ein knatterndes Geräusch. Es wurde immer stärker, während er die Situationsübersicht auf seiner Sichtscheibe überflog. Ein einzelner Punkt, der sich auf die Kapsel des Änderlings zubewegte. Ob er zurückkam? Verdammt unwahrscheinlich. Fain sprang über das Blätterdach und sah es. „Skallon! Was ist ...“

„Alveanischer Militärhubschrauber. Will wahrscheinlich nachsehen, was los ist. Nicht auf ihn schießen.“

Fain begann sich darauf zuzubewegen. Für ihn war nichts sicher, bevor er es nicht genau betrachtet hatte. Er legte drei Kilometer zurück, knapp oberhalb der Baumwipfel dahingleitend.

Aber bei seinem fünften Sprung schoß man vom Hubschrauber aus auf ihn.

Fain geriet ins Taumeln und zündete die Retros. Sie loderten an seinen Rippen entlang und trieben ihn in den Wald hinunter. Er landete auf den Füßen und sprang sogleich seitwärts davon. Das Grün hinter ihm explodierte in einer wirbelnden Wolke von Splittern. Fain durchtrennte einen verknoteten Klumpen von Schlingpflanzen und jagte mit voller Kraft hindurch. Vor ihm verkohlte ein Baum im Feuer eines Hitzestrahlers. Er schwenkte nach links.

„Jetzt hab' ich sie“, kam es von Skallon.

War auch Zeit, dachte Fain.

Ein hohler Knall. Am Himmel zersplitterte etwas.

„Getroffen!“

Fain verlangsamte sein Tempo. Noch ein paar Sekunden, und er hätte selbst versucht zu schießen, aber es war besser, das Skallon zu überlassen. Vielleicht würde der Bursche sich beruhigen, wenn er erst ein bißchen *action* gesehen hätte.

Fain sprang weit in die Höhe, um sich umzusehen. Wo der Hubschrauber gewesen war, hing nur noch eine Rauchwolke.

„Gute Arbeit“, sagte Fain, und dann explodierte die Rückseite seines Anzugs.

3

Er erwachte rasch unter dem Autostim. Noch während sein Anzug starb, hatte er ihm Injektionen gegeben, um die Erschütterung und den Schock zu mildern. Die Gyros stabilisierten seinen Sturz. Auf der linken Seite funktionierten die Stoßdämpfer noch, und das hatte gereicht; er war nur hundert Meter tief gefallen.

Skallon war da. Fain wälzte sich benommen herum. Sein Training machte sich bemerkbar. Er wand sich aus den Resten seines Anzugs. Flüssigkeiten sickerten hervor, und der Anzug summte und klickte - er war noch immer nicht ganz tot. Ein Funke blitzte auf. Die Arme zuckten. Der Hydrastahl hatte seinen Glanz verloren, er war zernarbt und dunkel. Ein Strahl hatte ihn genau ins Kreuz getroffen und die Panzerung durchschlagen.

Fain tastete nach seinem Strahlungsmeßgerät. Kein Röntgen-Überschuß: Gut. Leichte Beta- und Alphastrahlung, aber nichts Ernstes. Vielleicht würde er Fieber bekommen, aber mehr nicht. Er hatte verdammtes Glück gehabt.

„Es waren zwei“, erklärte Sallon. Fain runzelte die Stirn. „Einer muß gewartet haben, bis du herauskamst. Dann stieg er über den Horizont herauf und ...“

„Ja. Diese Brüder spaßen nicht.“

„Es ist alveanisches Militär. Ich habe einen von ihnen aus dem Wrack des ersten Hubschraubers herausgezogen.“

„Ich will ihn sehen.“ Langsam kehrte Fains Energie zurück. Zum Teil bewirkten das die Drogen, aber der Rest kam von ihm selbst.

Skallon trug ihn zu dem zerschmetterten Hubschrauber. Da der Granatwerfer fast leer und die Lenkraketen abgefeuert waren, konnte der Anzug das Gewicht eines zweiten Mannes tragen. Allerdings gingen Skallons Energiereserven allmählich zur Neige.

Der Alveaner war ziemlich schwer verletzt. Seine Augen waren glasig. „Hast du ihm Drogen gegeben?“ fragte Fain matt.

„Nein. Ich habe das Vertil benutzt. Ich habe ihn nur damit

angehaucht, so wie sie es uns gesagt haben. Hat ungefähr eine Minute gedauert. Er hat es absorbiert, und jetzt tut er alles, was wir ihm sagen."

„Gut. Sag ihm, er soll uns die Wahrheit sagen."

Skallon wandte sich dem großen Alveaner zu, der mit verbrannter und zerfetzter Uniform im trockenen Staub lag. „Wer hat euch gesagt, daß ihr herkommen sollt? Und warum?"

Der Alveaner klappte langsam die Augen auf und zu. „Gen... General Nokavo. Hat es befohlen. Warum ..." Sein Gesicht wurde ausdruckslos.

Skallon formulierte seine Frage anders. „Was solltet ihr tun?"

„Gen ... sagt ... angreifen ... jeden hier ..."

„Woher kommt ihr? Von welcher Basis?"

„Araquavaktil."

„Wo liegt das?"

Der Alveaner beschrieb den Weg. Skallon nickte und prägte sich die Anweisungen ein. Plötzlich zitterte der Alveaner, hustete rasselnd und wurde schlaff.

Skallon legte eine Sonde an Schläfen, Arme und Beine. „Er ist wohl tot."

Fain hatte auf der Erde gesessen. Mühsam stand er auf. „Soweit ist der Änderling also schon gekommen. Wir sollten uns auf den Weg machen."

Skallon wirkte überrascht. „Wohin?"

„Nach Kalic. Aber vorher sollten wir diese Basis überprüfen. Berichtigung: *Ich* sollte diese Basis überprüfen."

„Wieso nur du?"

„Aller Wahrscheinlichkeit nach ist dort niemand. Ein Änderling bewegt sich immer sehr rasch - das hat irgend etwas mit deren Philosophie zu tun. Es ist also jetzt wahrscheinlich auf dem Weg nach Kalic. Du bist der Experte für Alvea - du solltest also nach Kalic gehen und dich um unsere Kontaktstelle kümmern."

Skallon stapfte nervös auf und ab. Seine schweren Stiefel schnitten in den weichen Boden. Die gleitenden Keramikplatten an seinen Armen und Beinen scharrten und klickten in der drückenden Stille der undurchdringlichen grünen Welt, die sie umgab.

„Das klingt wohl vernünftig. Aber du bist immer noch benommen. Ich ..."

„Wir werden Material brauchen. Du gehst zum Modul zurück und holst das Zeug. Vergiß meine Ausrüstung nicht. Und bring Scorpio mit."

„Er wird uns nichts nützen, wenn wir offen operieren müssen. Ich habe dir gesagt, es gibt keine Hunde hier. Die Alveaner werden Scorpio sofort entdecken und genau wissen, was los ist. Du kannst nicht ..."

„Richtig, das weiß ich alles. Deshalb nimmst du ihn mit. Nach Kalic. Wir werden ihn später brauchen."

„Ich? Na hör mal, er ist dein ..."

„Nein, *unser*. Unser Hund, zumindest theoretisch. Er gehört zum Team."

Skallon knurrte hinter dem Horizont seines Helms. „Okay, okay. Aber dann muß ich mir einen Weg ausdenken, wie ich ihn nach Kalic hineinschmuggeln kann. Diesen Anzug werde ich loswerden, sobald wir uns einer Stadt nähern. Wir müssen in Deckung bleiben. Das heißt, wir brauchen deine Verkleidung, Fain."

Fain seufzte. „Ja. Sicher."

„Kommst du zurecht, solange ich weg bin?"

„Setz mich irgendwo ein paar Kilometer weiter ab. Laß mir einen Hitzestrahler da. Und ruf Mutter. Sie soll das Gebiet überwachen. Wenn sie Flugzeuge sieht - verbrennen. Nicht erst fragen. Gleich drauf."

„Das kannst du nicht machen. Wir haben nicht den Befehl, einfach ..."

„Das ist Selbstverteidigung. Da sind doch mehr als zwei Hubschrauber in dieser Basis."

„Das gefällt mir nicht."

„Ich habe nicht gesagt, daß es dir gefallen soll. Und auf dem Weg zum Modul bleibst du unten. Geh durch den Dschungel, nicht darüber hinweg."

Klappernd schritt Skallon auf und ab. „Ich weiß nicht ... Es gibt so vieles, was ein Änderling tun könnte. Ich meine ..."

„Ich weiß, wie sie denken", sagte Fain grob. „Überlaß das mir."

„Aber ist es nicht genau das? Sie haben kein vernünftiges Schema. Intelligent, ja. Aber sie sind keine Planer, keine ..."

„Machen wir, daß wir fortkommen", sagte Fain verärgert.

Fain lag stundenlang in einer kühlen Lichtung und wartete, bis Skallon vom Modul zurückkäme. Er ließ den dumpfen Schmerz in sich hineinsickern und entspannte seine Muskeln mit Bioreg-Techniken, die er schon vor Jahrzehnten gelernt hatte. Seine Gedanken huschten umher, und nervös zerpflückten und überflogen sie noch einmal, was geschehen war. Er mußte ihnen Zeit geben, diese hektische Energie abzubauen.

Er spürte die knotig verspannten Muskeln, dort, wo sich die unvermeidlichen Auswirkungen des Schocks zeigten, und er erkannte, daß dieser Treffer ihn nachhaltiger erschüttert hatte, als er es hätte tun dürfen. Auf irgendeine Weise war der Mittelpunkt seiner Gefühle mit dieser Mission eng verknüpft, und als er so im Dschungel lag, durchströmten ihn abgründige und beunruhigende Bilder, und die dunkle, unbestimmbare Ahnung von unbekannten Dingen stieg wirbelnd in ihm auf.

Dieser Änderling bedeutete mehr. Fain hatte ihn schon einmal gefangen, auf Revolium. Dann hatten die verdammten Ingenieure es jahrelang studiert und mit ihm herumexperimentiert, und dann hatten sie davon geredet, eine Methode zu suchen, wie man das genetische Material der Änderlinge umformen könnte. Das war die Langzeitstrategie des Konsortiums: die Trennung von rechter und linker Hirnhälfte, deren Fehlen die Form der Änderlinge ermöglichte, wiederherzustellen und die komplexe Biomechanik zu entfernen, die die Änderlinge befähigte, sich nach Belieben umzugestalten. Sie also wieder humanoid zu machen. Oder besser gesagt: die nächste Generation von Änderlingen wieder an menschliche Normen anzupassen. Die jetzt lebenden Änderlinge waren natürlich nicht mehr in den Griff zu bekommen. Sie waren und blieben vom Menschen selbst geschaffene Aliens.

Und so hatten die Ingenieure herumgetüftelt und versucht, mit den gefangenen Änderlingen zu kommunizieren, und schon nach kurzer Zeit hatte sich unter den Änderlingen herumgesprochen, was die Ingenieure mit ihrem genetischen Material planten – und die Änderlinge flohen. Die meisten von ihnen überlebten ihren Fluchtversuch nicht. Aber einige schon. Und dieses hier, das gerissenste von allen, hatte sogar die Erde hinter sich lassen können.

Fain begann mit einem methodischen Murmeln tief unten in seiner Kehle, das ihn in Hypnose versetzen würde. Er wollte Schmerz, Unruhe und diese schlichte, zermürbende Furcht aussperren. Er wollte sich von all dem befreien und sich ausschließlich an Fakten halten. Fakten, Ereignisse, Motive. Harte Daten. Die Welt bestand aus Ketten und Schleifen von harten Daten. Der Moschusdunst aus dem duftenden Dschungel drang in seine Nase und Fain ließ seine Gedanken wandern. Fakten ... es gab so viele, und jedes konnte sich verändern, während man es noch betrachtete ... aber dennoch ... Wenn man sich an sie hielt, würden sie einen ans Ziel bringen. Das war es, was er dem Änderling voraushatte. Fakten. Über diesen Planeten zum Beispiel. Fakten ...

Alvea folgte einem leicht elliptischen Orbit um einen F6-Stern in einer Entfernung von 1,68 Astronomischen Einheiten. Es war Spätsommer, erinnerte sich Fain träumend, während er mit seinem inneren Singsang begann. Die Eingeborenen kamen zu irgendeinem Fest zusammen. Die Tag- und Nachtgleiche des Frühlings, das war es. Alvea brauchte mehr als zwei E-Jahre für eine Umkreisung, und deswegen hatte das Fest hier mehr Gewicht als in den älteren Gesellschaftsformen der Erde, nach denen man Alvea teilweise modelliert hatte.

Fain zog eine Augenbraue hoch. Auch das war so ein Mist, der sie daran hindern würde, den Änderling zu finden. Andererseits, vielleicht machte es die Sache ja auch interessanter ...

Skallon trug ihn huckepack und festgeschnallt zwanzig Kilometer weit. Fain verharrte absichtlich in diesem Zustand der inneren Ausgeglichenheit, kaum bei Bewußtsein, während der schaukelnde, ruckende, scheppernde Rhythmus des Anzugs sie durch den ausgedehnten, schier undurchdringlichen Wald trug. Schlangenhafte Schlingpflanzen griffen nach ihm und Scorpio, als sie sie streiften. Er hatte ganz vergessen, wieviel Lärm so ein Anzug machte. Wenn man drinsteckte, war man von dem Klappern und Klirren isoliert. Es war ein Wunder, daß die externen Akustiksensoren überhaupt funktionierten.

In einem verfilzten Gestrüpp von purpurfarbenen Büschen hielt Skallon an. Fain ließ sich langsam aus dem Hypnoschlaf aufsteigen. Mit steifen Gliedern befolgte er Skallons Instruktionen beim Anlegen der alveanischen Verkleidung; es waren unförmige, heiße, stickige Kleidungsstücke. Sie aßen ein wenig von ihren Rationen und besprachen ihre Strategie.

Fain streichelte Scorpio. Er erklärte ihm, was geschehen war und was der Hund tun sollte. Zuerst wollte Scorpio nicht mit Skallon gehen. Fain beruhigte ihn.

„Du kennst diesen Hund ziemlich gut“, bemerkte Skallon.

„Ja.“ Fain streichelte immer noch den Hund.

„Hast du viel mit ihm trainiert?“

„Wir haben schon früher zusammen gearbeitet. Und vor dem Start von der Erde waren wir noch einmal im Training.“

„Hattest du Zeit, dir ein paar Demos über Alvea anzusehen?“

„Was?“

„Ich meine, über die Kultur, über die ...“

„Ich weiß genug.“

„Was ist mit Gommerset?“

„Womit?“

„Du weißt doch - die Experimente, die er gemacht hat, die Daten über Unsterblichkeit und den Kult, der ...“

„Was soll das? Worauf willst du hinaus?“ Fain sprach schnell und wütend.

Skallon blinzelte. Einen Moment lang fand er keine Worte. „Na, ich meine einfach, Gommerset war der Grund, weshalb die Leute überhaupt hierherkamen und ...“

„Oh. Okay. Ich verstehe. Ich ... ich dachte, du veranstaltest so ein gottverdammtes Quiz mit mir, wie die Ingenieure auf der Erde das immer tun.“

„Nein, ich wollte wirklich nicht ...“ Skallon redete weiter über gar nichts und Fain hörte auf, zuzuhören. Sanft streichelte er Scorpio. Er ließ den plötzlichen Ausbruch seiner Nervosität durch die Fingerspitzen absichern. Scorpio nahm einen Teil der Anspannung auf, doch dann entspannte er sich wieder. Er hechelte leise.

Skallon legte den dicken Anzug aus Metall und Keramik ab. Sie versteckten ihn im Gehölz, zusammen mit einem Richtmikrophon, damit sie ihn später wiederfänden. Skallon schien froh zu sein, aus dem Anzug herauszukommen. Er lief emsig umher und verstaute Gerätschaften unter seinen alveanischen Gewändern. Die schweren Tuchfalten schlotterten um seine Knöchel.

Dann spähte er konzentriert auf den Monitor, den Fain in der Hand hielt, und lauschte aufmerksam, während Fain die Route für jeden von ihnen darlegte. Die Raster von Mutter veränderten sich, während sie sie betrachteten; es wurde allmählich Nachmittag auf Alvea. Skallon konnte rasch und leicht Informationen aufnehmen, stellte Fain fest. Das war beruhigend.

Mit Hilfe von Mutters detaillierten Bildern des Dschungels, der sie umgab, machten sie die besten Wege ausfindig. Ein blauer Punkt beschrieb geduldig diejenige Route, die nach Mutters Kalkulation am ungefährlichsten war.

Skallon hielt am Ende seiner eigenen Strecke inne. „Na dann ... sehen wir uns also in Kalic“, schloß er lahm.

„Richtig.“ Fain winkte zu Scorpio hinüber. „Bleib mit der Nase im Wind.“

„Das. Mein. Job“, sagte der Hund mit eintöniger Stimme.

Fain nickte befriedigt. Er fühlte sich ausgeruht. Der Hund war in Ordnung. Bei Skallon war er da nicht so sicher, aber im Augenblick konnte man nichts tun. Mit Scorpio kam er zurecht, weil es ein Band zwischen ihnen gab. Die Vergangenheit, ja, und noch etwas mehr. Nicht gerade wirkliches Verstehen, eher die Befriedigung, Jobs gemeinsam und gut ausgeführt zu haben. Man konnte nicht sagen, daß Fain Neohunde verstand. Sie waren sonderbare Geschöpfe, das erste Produkt der genetischen Manipulationen. Sie hatten Neurosen und Probleme und eine Menge von dem Ballast, den auch Menschen in ihren Köpfen mit sich herumtrugen. Aber er hatte großen Respekt vor ihnen. Gewöhnliche Tiere waren etwas völlig anderes, etwas, so argwöhnte er, was der Mensch niemals gänzlich würde verstehen können. Deshalb weigerte er sich immer, die hohen Beamten des Konsortiums zu begleiten, die wußten, woraus seine Arbeit bestand, und ihn zur Jagd in den Privatrevieren der Gesellschaft einluden. Fain wußte nicht, wie Tiere dachten, und so tötete er sie auch nicht. Menschen allerdings, die verstand er.

4

Es fällt in einem taumelnden Metallkasten. Die Lichter ringsumher blinken und sprudeln Muster hervor – Konstellationen des Tanzes. Die bernsteingelben Kristalle bewegen sich plappernd und klammern sich an Ziffern und Linien. Sie stoßen ihre Wahrheiten hervor, und indem sie sie erschaffen, gebären sie Lügen. Die Flüssigkristalle verschmelzen, und während sie Fakten fixieren, sterben sie und werden falsch, und der Tanz geht weiter.

Ziele oberhalb, sagen die sterbenden Lügen. Es ist so, war so und wird daher nie wieder so sein. Der Änderling setzt sich in Bewegung, um die Kristalle des Tanzes zu umschwärmen, um sie in ihrem opfernden Rhythmus zu verstehen. Sie reden von dem heißen Lichtpunkt am Himmel. Fain kommt, ja.

Endlich kommt der Augenblick, der Augenblick steigt auf und ist verzehrt. Wie Fain verzehrt werden wird, verzehrt worden ist, verzehrt wurde, wie alles durcheinanderwirbelt.

Es drängt sich gegen die pulsierenden Kristalle. Bedeutung sickert durch die Kluft zwischen dem Metallkasten und dem Ding-des-Tanzes im Innern des Kastens. Das Ding sieht, versteht. Hier drücken, dort schalten. Der Kasten soll seine Arbeit tun. *Da.*

Die hohlen Lichter sprechen, sie reden von dem Strahl, der die Luft durchschneidet, in der freudigen Gewißheit zu treffen. Das Ding weiß, daß dies nur ein vorübergehender Augenblick ist, ein Punkt, den es durchqueren muß. Der Strahl ist nicht das Ende. Es muß der Anfang sein.

Der Raum reißt auf, wie zur Erwiderung.

Ein Feuerball flammt in der Nähe auf, ein Sonnenzwilling des lodernden Purpursterns dort oben. Die Luft wogt vom knatternden Hitzetod, kleine Strahlen spritzen aus dem Feuer, fliehen vor ihrem Vater, um sich in den Änderling zu graben. Aber nicht genug, nein. Nein. Er wird dies überleben. Er liebkost den Kasten von innen und sucht nach seinem wahren Mittelpunkt. Der Kasten muß ihn zu der flachen Ebene dort unten tragen, zum nächsten Akt der Jagd.

Die Eingeweide dieses vorüberziehenden Kastens sind einfach. Eingeweide wissen nichts, tun alles, sie haben kein Gefühl für Vergangenheit und Zukunft, und so besitzen sie auch nichts von der korrupten Falschheit dieses Fain. Der Änderling streichelt den Kasten, es kennt ihn, es führt ihn. So wird alles geschehen, wenn der Augenblick es erfordert.

Dann, als es geschehen ist, verändert er sich. Grobes Gefieder umhüllt ihn. Plötzlich ist er ein großer, herabstürzender Vogel, der stechende Dünste in die stürmischen Lüfte speit. Nicht die Gestalt eines anmutigen Luftwesens erwählt er, sondern die eines großen, schweren, gepanzerten Vogels, voll wütender Energie. Hinten brennt etwas, um den Fall zu verlangsamen. Er fühlt den brennenden Schlund, verkrustet von Exkrementen. Eine Röhre, gefüllt mit chemischem Abfall, fauliger, festgebackener Stoff. Und, ja, er ist auch verstopft von Samen. Der süße Sirup erfüllt den Änderling. Schleimig, ejakuliert, gelb umhüllt er den Änderling, der zusammengerollt im warmen Gedärm des hinabstoßenden Vogels liegt. Samen, im Innern des Kastens, der Ei ist. Denn der Kasten bringt einen neuen Leib, da er herabstürzt von den Nadelspitzen der Sterne dort oben.

Eine neue Geburt für das fahle Flachland dort unten. Der Änderling wird zucken und hervordringen, gelb sich ergießen in die Myriaden von Bakterien des körnig-weichen Alvea. Der Staub wird aufwirbeln.

Der blutige Vogel der Rache fällt. Sein Schnabel kreischt in den Wolken. Er wird sich paaren mit dem Wind. Für den Augenblick.

5

Fain blieb hinter ihm zurück, und als der Abstand zwischen ihnen sich vergrößerte, spürte Skallon, wie eine Last von ihm abfiel. Die Schießerei, der Tote – das alles hatte ihn doch mehr aufgeregt als ihm lieb sein konnte. Aber das Schlimmste waren Fains leidenschaftsloses Gesicht und seine kalten, kalkulierenden Augen. Zugegeben, der Mann verstand etwas von seiner Arbeit. Aber die ruhige Wildheit, mit der er sie verrichtete, konnte Skallon mürbe machen. Sicher, cr selbst war auch trainiert worden. Simulationsübungen auf der Erde, computerisierte Szenarios, Jagdtherapie und was es sonst noch gab. Aber Fain war hier draußen gewesen, auf anderen Welten. Er war anders. Und noch jetzt, da Skallon voraneilte, erpicht darauf, von seinem Partner wegzukommen, sprang ein Andenken an diesen Mann neben ihm her, steckte die Nase ins Gebüsch, lauschte mit aufgestellten Ohren nach seltsamen Geräuschen und erforschte den Weg mit schlitzförmigen Augen.

Alvea. Achselzuckend schob Skallon die Ereignisse der letzten Stunden beiseite. Er blieb stehen, reckte den Hals und sog die Luft in sich hinein. Alvea. Kein Simu oder eine annähernd ähnliche Anlage auf der Erde, sondern der ganze, echte, gottverdammte Planet.

Riesenfarne nickten im Wind. Klebrige Pollen juckten in seinen Nasenlöchern. Die Farne spreizten ihre großen Wedel wie Schirme, fuchsinrot und lederartig und von komplexen blauen Adern durchzogen. Skallon hörte, wie Scorpio stehenblieb. Der Hund fragte sich wahrscheinlich, warum sie anhielten. Na, sollte er. Skallon hatte Jahre darauf verwandt, diesen Planeten zu studieren. Und jetzt war er hier. Er wollte verdammt sein, wenn er auch nur das geringste versäumte.

Er wandte sich um, und Namen zuckten durch seine Gedanken, als er die Pflanzen identifizierte. *Lugentana,* haarige Farne, die sich mit träger Anmut bewegten und unter denen er sich vorkam wie ein kleiner Wurm, der in der wogenden See unter einem Korallenriff trieb. *Bazartaeus alatan,* pfauenblaue Wattekugeln, die plötzlich zu einem Nebel kleiner Sporen zerplatzten. *Reesjat,* gummiartige Stämme, durchlöchert von den Bauten kleiner Tiere. *Catakasi,* bänderförmige Parasiten, glitzernd wie gehämmertes Kupfer, das sich an die roten und orangefarbenen Stämme klammerte. Glänzende *Rutleria,* feine Netze zwischen Juwelen von Blüten. Hartes violettes Licht schimmerte durch das hohe Blätterdach.

„Was. Ist."

„Nichts. Ich schaue nur."

„Wo. Nach."

„Schon gut. Gehen wir weiter."

Wenn du sterben müßtest, könntest du dir keinen hübscheren Ort dafür aussuchen, dachte er säuerlich. Die Zeit war so kostbar, daß er sich nicht erlauben konnte, Alvea gründlich zu betrachten, und er vermutete, daß sich das während der gesamten Mission nicht ändern würde. Kein Platz für Touristen. Keine Zeit - noch einmal warf er einen Blick nach oben, während er Scorpio nacheilte, und rosiges Gras griff nach ihm mit feuchtem Flüstern -, um die Gegend zu *fühlen.* Um die goldenen Ranken zu betrachten, die so dünn waren, daß schon eine leichte Brise sie in unsichtbaren Strömungen schwimmen ließ. Um den stechenden Duft der schimmernden Blätter zu riechen, die er streifte. Um zu *leben,* wenigstens einmal, statt gedankenlos einherzustampfen und der Karriere nachzujagen.

„Jemand."

„Wie weit?" fragte Skallon. Er zwinkerte überrascht.

„Siebzig. Meter. Näher." Pause. „Näher."

„Geh in Deckung. *Versteck dich."*

In Sekundenschnelle war Scorpio unter ein paar runzligen Farnblättern verschwunden. Skallon beschloß, abzuwarten und zu sehen, wer da auf dem Pfad auftauchen würde, aber dann fiel ihm ein, daß es seltsam aussehen mußte, wenn er da so einfach mitten im Dschungel herumstehen würde. Er hörte das Rascheln einer Bewegung. Hastig sprang er voran und ging auf das Geräusch zu.

Ein kleiner, fetter Alveaner kam um eine Biegung des Pfades heran. Skallon verlangsamte seinen Schritt nicht. Das Gesicht des Mannes wirkte zusammengedrückt zwischen den fleischigen Falten seiner Wangen. Noch nie im Leben hatte Skallon jemanden gesehen, der so fett war. Dias, Bilder von Alveanern, ja, aber die Wirklichkeit … Er behielt den Rhythmus seiner Schritte bei. „Heil“, sagte er.

„Ja?“

„Wißt Ihr, wo ich einen kleinen Handwagen finden kann?“

„Ihr seid in Not?“ sagte der Mann mit sanfter Stimme.

„Ich bin ein Pilger. Aus dem Süden. Ich habe …“

„Ja, allerdings. Mir kam Eure Sprache gleich bekannt vor.“ Der Mann lächelte ein wenig, als sei er erfreut über sich selbst, weil er richtig geraten hatte. „Einen Handwagen könnt Ihr wahrscheinlich bei der Bahnstation finden, vier Kilometer von hier.“

„Ihr seid überaus freundlich. Ich werde für Euch beten, in der Kirche von …“

„Ja, ja“, murmelte der Mann. Er verlor das Interesse. „Gute Reise.“ Behutsam trat er um Skallon herum und setzte seinen Weg fort. Auch Skallon ging weiter. Sein Atem ging wieder etwas leichter. Die erste Prüfung hatte er bestanden. Die Doubluth-Gewänder schienen dem Mann nicht aufgefallen zu sein. Sie waren von mattem Purpurrot und hatten orangefarbene Flecken, und gelegentlich blähten sie sich im Wind, der wispernd durch den Dschungel strich.

„Alles. In. Ordnung.“

Skallon fuhr zusammen, als Scorpios eintönige Stimme aus einem Flecken aufblühender Pilze hervordrang. „Klar. Alles tadellos gelaufen. Aber du hältst dich doch besser abseits vom Weg. Du kannst parallel nebenher laufen.“

Der Hund verschwand wieder. Skallon schlug jetzt ein schnelles Tempo an. Es war schon Nachmittag im Sechsundzwanzig-Stunden-Tag von Alvea, und er wollte in der Stadt sein, bevor es dunkel wurde. Die Straßen auf der Erde waren nachts lebensgefährlich, und er war nicht sicher, ob es infolge der alveanischen Festtage und der Auswirkungen der Pestjahre hier nicht genauso war.

Er würde nach Anzeichen der Seuchen Ausschau halten müssen. Alles, was er über Alvea gelernt hatte – ohne jemals hiergewesen zu sein –, basierte auf den ruhigen Jahren. Mehrere Jahrhunderte lang waren die Alveaner von den epidemischen, verheerenden Krankheiten nicht heimgesucht worden. Jetzt aber waren sie zurückgekehrt, und schlimmer als zuvor. Es waren heimtückische Erkrankungen, die die Augen hervorquellen ließen, bis der Druck ein Blutgefäß im Kopf zerplatzen ließ, Krankheiten, die den Magen zerfraßen, und Anfälle von Raserei, die die Ahnungslosen ergriffen und sie tanzen ließen, bis sie in ihrem irrsinnigen Tanz ihre Füße zu blutigen Stümpfen zerstampft hatten und tot auf der Straße zusammenbrachen. Und das alles, weil die alveanische Biologie so langsam arbeitete. Alles, dachte Skallon, weil der Mensch dort einzudringen versuchte, wo er in Wahrheit nicht hingehörte, koste es, was es wolle.

Alvea war eine scheinbar friedliche Welt, als die Menschen sie entdeckten. Seine unermeßlichen grünen Ozeane strömten über von Leben, und das Land beherbergte zahllose Pflanzenformen. Es gab sogar einzelne zaghafte Versuche tierischen Lebens – Fische, die dumpf die schlammigen Ufergewässer durchstreiften, unbeholfene Insekten, die in einer Parodie auf das Fliegen durch die Luft taumelten. Und so kamen Männer und Frauen her und förderten die seltenen und gewinnbringenden Bodenschätze aus der Erde. Aber der F6-Stern, den Alvea umkreiste, spie allzuviel ultraviolettes Licht herab. Krebs breitete sich aus. Zuchttiere konnten sich nicht fortpflanzen. Zuerst starben einige Arten von Kühen und Kaninchen, dann weitere und schließlich Menschen.

Die ersten Kolonisten funkten zur Erde und baten um Hilfe. Dies geschah in der expansionistischen Anfangsphase der Neuen Renaissance. Die Erde war reich, oder sie hielt sich zumindest dafür. Sie sandte ein Team von Bioadaptern herauf. Diese studierten die komplexen Wechselwirkungen zwischen menschlicher Physiologie und alveanischer Ökologie. Die Probleme lagen nicht auf der Hand. Es ging nicht darum, daß Menschen nur linksgedrehten Zucker verdauen können, während Alvea nur rechtsgedrehten hervorbrachte. Die Schwierigkeiten waren viel subtiler. Winzige

Mengen von Spurenelementen in den menschlichen Zellen erschöpften sich auf Alvea. Unwesentliche Prozentbruchteile von Bor und Indium, chemisch nicht kompatibel mit dem biochemischen Haushalt des menschlichen Organismus, führten schließlich zu einem Stau von Abfallprodukten in bestimmten Zellen. Die Nukleotiden reagierten träge. Die Kontaminanten verbanden sich. In der Mitte vieler Zellen bildete sich ein Kranz von Ablagerungen. Zum Teil beschleunigte dies den Alterungsprozeß. Weitere solcher Fehlentwicklungen häuften sich und verursachten nagende Krebserkrankungen. Es gab keine Möglichkeit der Abhilfe, es sei denn, man veränderte die gesamte Biosphäre von Alvea oder man modifizierte die Menschen, die dort lebten. Die Neue Renaissance war expansiv, aber nicht tollkühn. Man entschied sich für die genetische Veränderung der paar tausend Menschen.

Aber keine Veränderung an der DNS-Helix hat nur einen einzigen Effekt. Die Kette von Konsequenzen bringt immer auch Überraschungen mit sich. Die Verträglichkeit für ein neues Element bedingt zugleich auch eine geringfügige Schwäche in bezug auf einen anderen Faktor der Umwelt. Der Mensch hatte sich an die Erde angepaßt, weil Milliarden winziger Leben den Preis dafür gezahlt hatten. Alles Leben wurde von der schweren Hand der Aussonderung gesteuert. Auf Alvea konnte die genetische Forschung einen großen Teil dieser Opfer umgehen, aber eben nicht alle. Die Menschen paßten sich an, indem sie einige Elemente der DNS-Helix behutsam neu arrangierten. Phosphor und Wasserstoff wurden an eine andere Stelle gedrängt. Aber das unumgängliche Kalkül der Vererbung bedeutete, daß die nächste Generation neue Verwundbarkeiten und andere Ängste aufweisen würde.

Ein schlagendes Geräusch riß Skallon aus seinen umherschweifenden Gedanken. Etwas kam mit sanftem, feuchtem Hämmern auf ihn zu. Er riß den Kopf hoch, als ein riesiger, schlanker Vogel im Wind herabgeglitten kam und an Geschwindigkeit gewann. Ein Klatschflügel. Bei jedem Aufwärtsschwung schlugen die lederartigen Flügel gegeneinander; das war sein Paarungsruf. Der Vogel sah Skallon gelassen an und glitt dann in den Dschungel.

Auch eine genetische Anpassung. Dieser hatte als Seevogel

angefangen, erinnerte Skallon sich. Ein Falke oder etwas Ähnliches. Jetzt paßte er durch ein entsprechendes Trimmen seiner Gene in eine ökologische Nische. Ein kalkuliertes Geschöpf, ja, aber auch ein schönes. Das Sonnenlicht schimmerte blau, als die Flügel gegeneinanderklatschten. Behende huschte der Vogel durch die Luft, die ihn umhüllte.

Skallon sah ihm nach. Ein neues Geräusch stieg aus dem schweigenden Dschungel empor. Ein perlender Ton, von vorn. Er ging weiter, und das Geräusch wurde stärker. Er überquerte eine braune Plankenbrücke und sah hinunter. Wasser hüpfte und tanzte unter ihm, und es schleuderte Facetten von Licht in seine Augen.

Wasser. Wasser, das offen dahinströmte, in einer Art von Graben mit unregelmäßigen Ufern. Frisches Wasser, das offen dalag, wo es jeder, der vorüberkam, stehlen konnte. Skallon starrte hinunter auf das Zeug. Er stieg hinunter zum Rand und schöpfte eine Handvoll auf. Es war überraschend kühl und schmeckte wie ein phosphoreszierender Nerventrank, war jedoch ohne den betäubenden Effekt. Er trank mehr davon. Es war verflucht gut.

Bilder aus seiner Kindheit stiegen in ihm empor: ein ätherischer Wald, vermenschlichte Tiere, die drohende Gegenwart des Menschen immer im Hintergrund. Disneys *Bambi,* eines der großen Werke der Vergangenheit, aus den letzten Tagen des britischen Empires, erinnerte er sich. Seine Freunde, die die Medien studierten, hatten gesagt, daß es unecht wirke, daß es offensichtlich Propaganda für das herrschende System sei. Skallon bezweifelte das. Der Film hatte eine elfenhafte Qualität, voll von hüpfenden Rehlein und zitternden, leuchtenden Regentropfen. Er war anders als jede Propaganda, die er kannte. Die wirkliche Propaganda hatte einen ernsthaften Beigeschmack, als hätte sich das Publikum stirnrunzelnd zu konzentrieren. Nein, *Bambi* war ein spontanes Produkt, so frisch wie dieser Dschungel. Und dieses Wasserding - plötzlich erinnerte er sich an das veraltete Wort: dieser *Bach* - war hier, weil niemand daran dachte, es zu kanalisieren und das Wasser zum Gebrauch zu speichern, ehe man es in den Ozean entließ. Trotz seines Studiums, trotz der Simulationen und Holos von Alvea hatte Skallon nie daran gedacht, daß es hier Bäche geben könne.

6

Der Stern von Alvea warf seine Schatten über die Gleise, und sein Licht hatte jetzt einen senffarbenen Ton. Skallon versuchte, sich in dem geräumigen Sitz des Eisenbahnwaggons zu entspannen. Er fühlte sich schon viel sicherer. Als er nach einem Handwagen gefragt hatte, hatte die Frau eine mißmutige Antwort gebrummt und ihn ohne Umschweife zu einem klobigen, zweirädrigen Karren aus Holz geführt und ihm bedeutet, daß sie ihn zurückhaben wolle, wenn er fertig sei. Er hatte angefangen, Beteuerungen abzugeben, bis ihm einfiel, daß Pilger an starke moralische Vorschriften gebunden waren; sie hatte keinen Zweifel daran, daß er den Karren zurückbringen würde, wenn seine Wallfahrt beendet wäre. Skallon hatte davon gelesen, aber es kam ihm immer noch unfaßbar vor. In den Unterkünften, in denen er gelebt hatte, mußte man festnageln, was man behalten wollte.

Skallon hatte sich so hingesetzt, daß er den Gepäckwagen sehen konnte, der hinter diesem einen Passagierwaggon herzuckelte. Der Handwagen war dort hinten, und Scorpio saß darin. Ein paar der in rote Umhänge gekleideten Fahrgäste hatten Skallon geholfen, den Karren vom Bahnsteig auf den Gepäckwagen zu hieven, aber keiner von ihnen verschwendete einen zweiten Blick auf seine Gewänder oder sein Gesicht. Skallon war recht zuversichtlich, daß er in der Stadt sogar noch leichter durchkommen würde. Aber Scorpio war verräterisch. Jetzt tat es ihm leid, daß er sich bereitgefunden hatte, den Hund zu ihrer Kontaktstelle zu schmuggeln.

Er lehnte sich zurück und betrachtete die Mitreisenden. Es waren ausnahmslos Arbeiter, und sie saßen in der gespreizten Haltung da, die ein fetter Mann in einem breiten Sessel annimmt. Ob diese Muskelberge ein indirekter Effekt der Gen-Manipulation waren? Skallon konnte es nicht mit Sicherheit sagen. Ihre Handgelenke, die aus den Umhängen hervorlugten, wirkten dicker und runzliger als seine eigenen. Er betrachtete sie noch immer und stellte seine Vergleiche an, als einer der Männer plötzlich aufstand, ein paar Schritte weit watschelte und dann zusammenbrach.

„Träger! Träger!“ rief jemand.

„Drückt das Notsignal! Haltet den Zug an! Wir müssen hinaus!“

Skallon blieb ruhig sitzen, während die anderen von ihren Sitzen sprangen und vor der zusammengesunkenen Gestalt zurückwichen. Sie drängten sich am anderen Ende des Waggons zusammen. Einige wimmerten angstvoll. Plötzlich pfiff der Zug und wurde langsamer. Skallon überlegte, ob er aufstehen und so tun sollte, als weiche er so weit wie möglich vor dem zusammengebrochenen Mann zurück. Aber wenn jemand an seinen Gewändern zerrte, konnte leicht die Auspolsterung darunter zum Vorschein kommen. Es war eigentlich nicht riskant, wenn er hier sitzenbliebe; er war immun gegen alveanische Krankheiten. Er sah den Mann an, und dann bemerkte er etwas Seltsames.

Der Zug kam ruckend zum Stehen. Die Menge stürzte auf die Türen zu und schwärmte wild durcheinanderredend ins Freie. Skallon erhob sich und ging zu dem zusammengebrochenen Mann hinüber. Es war nichts Auffälliges an ihm festzustellen. Skallon sah auf, aber niemand würde sich in den Waggon wagen, ehe die Leichensammler eingetroffen waren, dessen war er sicher.

Er rollte den Alveaner auf den Rücken. Die Haut des Mannes war dunkel, wie es für die Eingeborenen typisch war. Skallon tastete nach einer Arterie und klappte die rauhen Lider des Mannes hoch. Der Mann regte sich und krächzte etwas in trockenem Flüstern. Skallon zog eine kleine Tafel aus seinem Umhang und hielt sie dem Alveaner an die Lippen. Sie beschlug rosafarben.

„Vertil“, murmelte er leise. „Verdammt.“

Sein Inneres krampfte sich eisig zusammen. Fain konnte unmöglich einen Alveaner unter Vertil gesetzt und dann noch Zeit genug gehabt haben, den Eingeborenen in den Zug zu bringen. Woher der Alveaner auch kommen mochte, von Fain jedenfalls nicht. Aber Skallon wußte, daß man auf Alvea kein Vertil bekommen konnte. Die Erde hatte diese Droge niemals freigegeben; sie hätte sich destabilisierend auf die Sozialstruktur ausgewirkt.

Das bedeutete, daß jemand von der Erde sie benutzte.

Eine andere Möglichkeit gab es nicht. Dieser Jemand mußte der Änderling sein.

Skallon verspürte eine kurze Panik. Jetzt hatten sie dem Änderling gegenüber nicht mehr den geringsten Vorteil. Der Änderling konnte seine Identität wechseln, und er konnte das Vertil einsetzen, um seine Macht zu vergrößern.

Auf einmal kam ihm die Idee, ein Zwei-Mann-Team auszuschikken, lächerlich vor. Sicher, man würde sie nicht bemerken, sie waren weniger als ein Lufthauch in den Beziehungen zwischen Alvea und der Erde - aber sie würden auch den Änderling nicht finden können, nicht unter diesen nachteiligen Umständen.

Dieser Alveaner war in der Nähe des Änderlings gewesen. Und er war auf dem Weg nach Kalic. Also war der Änderling unterwegs, und wahrscheinlich war er schon weiter als Skallon. Das beunruhigte ihn. Fain war derjenige, der sich mit dem Änderling befassen sollte, er hatte die Erfahrung, und es war sein Job. Skallon war ein Führer. Sicher, er hatte zusätzlich zu seiner Spezialausbildung in alveanischer Soziometrie auch ein Feldtraining genossen. Aber dies war sein erster außerirdischer Einsatz.

Und jetzt war Fain nicht da, und dieser lallende Alveaner war so unmißverständlich wie eine Visitenkarte: Der Änderling kam rasch voran. Skallon war allein, und er hatte diesen verdammten Hund am Hals. Er mußte irgendwo unterschlüpfen.

Skallon erhob sich. Ein paar Eisenbahnbeamte - er erkannte sie an den tiefroten, goldbetreßten Mänteln - standen draußen vor den Glastüren und gestikulierten zu ihm herüber. Ihre Gesichter waren verzerrt und von Falten der Angst durchzogen.

Skallon machte ein heiliges Zeichen über dem Alveaner und richtete sich hastig auf. Das beste war, sich selbstsicher zu geben und allen Fragen auszuweichen. Er riß die Schiebetür auf und drängte die Beamten zur Seite.

„Ich habe versucht, ihm zu helfen“, sagte er schnell. „Doch länger kann ich nicht bleiben, Brüder.“

„Schon der Versuch war eine gute Tat“, sagte einer der Männer, offensichtlich beeindruckt. „Viele von diesen haben ansteckende Krankheiten.“

Skallon nickte, verneigte sich und eilte davon. Er mußte den Handwagen holen und sich unter die Menge mischen. Er mußte weiter. Er mußte verschwinden.

7

Skallons Füße brannten, als er die verschlungenen Außenbezirke von Kalic erreichte. Über die Feldwege zu marschieren war etwas völlig anderes als in einem Eisenbahnwaggon über sie hinwegzugleiten. Der Urwald lichtete sich, und an seine Stelle traten Gräser und Bäume, die die Menschen auf Alvea heimisch gemacht hatten. Weite Felder, für die Aussaat gepflügt, erstreckten sich bis zum Horizont. Er erkannte die hohen, pilzförmigen Pflanzen mit den flammend roten Kronen: Quantimakas, das alveanische Haupterzeugnis. Von den kuppelartigen Kronen wurden täglich große Stücke der ausgereiften Ränder abgebrochen. Wenn man sie kochte, röteten sie sich noch mehr, und sie schmeckten wie Kartoffeln, waren allerdings von zäherer Konsistenz. Nach der Blüte brachten sie herzhafte, mehlige Früchte hervor. Die gesamte Pflanze wurde verwertet: Die Stämme wurden getrocknet und geklopft und dann zu jenem rauhen, roten Stoff gewoben, den die Arbeiter während des Winters trugen. Neben Skallon zogen auch andere ein Wägelchen hinter sich her, beladen mit getrockneten Blättern, die als Packmaterial verwendet wurden. Als er Kalic erreicht hatte, kannte er den stechenden Geruch der glänzenden Blätter besser als ihm lieb war. Eine Begegnung mit dem Änderling, so fand er, konnte kaum unangenehmer werden als das Quantimakas.

Maraban Lane war eine Schlucht von hohen, wackligen Häusern, die sich einander über den von Schlaglöchern übersäten Organiformbelag der Straße hinweg in schiefen Winkeln zuneigten. Der Eingang zum Battachran-Hotel öffnete sich wie ein schwarzer Schlund zur Maraban Lane. Ein saurer Geruch wehte aus diesem gepflasterten Rachen in Skallons Gesicht, als dieser die Deichsel der Karre klappernd auf den Organiformboden fallen ließ. Die Lichter von innen leuchteten wie durch Schalen voller Blut. Als der Abend herabsank, schienen die Farben von Alvea kräftiger zu werden, anstatt zu verblassen, wie sie es auf der Erde taten.

Skallon läutete. Augenblicklich erschien ein fetter Mann, der langsam zum Eingang herunterkam. Seine Schuhe klapperten auf dem Steinboden. Mit wachsamen Augen betrachtete er den Handwagen. „Ihr seid wie viele?" fragte er mit einer überraschend leichten Tenorstimme.

„Zwei. Und das hier." Er hielt eine Kennmarke hoch.

„Von wo?" Demonstratives Desinteresse.

„Ihr werdet es erfahren."

Der Mann strich über die dicken Fettwülste, die sich unter seinen Gewändern wölbten. Seufzend und mit betonter Beiläufigkeit schob er die Kennmarke in einen Ring an seiner rechten Hand. Der Ring leuchtete auf, erst grün und dann perlweiß.

„Verdammt und ..." Der Mann brach ab. „Ich hätte nie gedacht ..."

„Daß einmal jemand kommt? Dafür werdet Ihr bezahlt."

„Na ja, nein, das gerade nicht, ich meine – das wollte ich damit nicht sagen. Ihr müßt verstehen, daß ich so etwas nicht gewohnt bin ... solche, hm ..."

„Prozeduren."

„Ah. Ja." Mit plötzlicher Energie trat der Mann vor, als habe er einen Entschluß gefaßt, und schüttelte Skallon die Hand. „Ich heiße Kish." Er legte einen massigen Arm auf die Karre. „Ich werde Euch helfen."

Gemeinsam zogen sie den Wagen in den Hof des Hotels. Skallon ließ sich von Kish eine Decke geben, langte tief in den Wagen hinein und brachte Scorpio, in die Decke gehüllt, zum Vorschein. Kish betrachtete den verhüllten Klumpen und runzelte die Stirn. Skallon winkte ihm, und Kish ging voraus in einen dunklen Korridor. Skallon konnte sonst niemanden sehen. „Wie gehen die Geschäfte?" fragte er, nach einer unverbindlichen Eröffnung suchend.

„Oh, schrecklich. Ganz schrecklich. Diese neuen Epidemien ..."

Er stieß eine dicke Holztür mit dem Fuß auf. „Sogar während der Festtage schlägt die Krankheit zu. Das treibt die Leute aufs Land hinaus.“

Skallon schob sich ins Zimmer und ließ Scorpio auf den Steinboden fallen. Der Hund wälzte sich aus der Decke und winselte. Kish trat einen Schritt zurück; er bewegte sich überraschend schnell für einen derartig schweren Mann. „Was, was ...?“

„Ein Hund. Eine niedere Form. Eine Nutztierzüchtung“, sagte Skallon sanft. „Eine sehr alte Tierart.“ Er streichelte das glatte Fell des Bluthundes. Unter dem weichen Glanz spürte er schlanke, straffe Muskeln.

„Von der Erde?“

„Natürlich. Ihr müßt doch schon Holos davon gesehen haben.“

„Aber ich wußte nicht, daß sie so groß sind.“

„Wo. Wir.“

Kish wich noch einmal zwei Schritte zurück und stieß gegen eine steinerne Mauer. Beinahe hätte er eine flackernde Öllampe umgestoßen. „Ihr sagtet, es sei eine *niedere* Form.“

„Relativ, ja. Dieser hier ist eine Erweiterungszüchtung.“

„Er *spricht.*“ Kish hatte einen kleinen Mund, und jetzt zog er betroffen die Mundwinkel nach oben, und es erschien eine Reihe von ebenmäßigen weißen Zähnen, die an der dunklen Oberlippe nagten. Seine Augen huschten zwischen Skallon und dem Hund hin und her. „Versteht er uns?“

„Ja. Ich. Habe. Vokab.“

Kish sah Skallon fragend an. „Vokabular“, erläuterte Skallon. „Allzu lange Wörter können sie nicht sagen.“ Er kniete nieder. „Scorpio, wir sind in Kalic. In einem Hotel. Fain wird bald auch hier sein. Ich werde dir ein Plätzchen suchen, wo du dich ausruhen kannst.“

„Essen. Und. Muß. Lernen. ... Gerüche.“

„Selbstverständlich.“ Er streichelte den Hund noch einmal und richtete sich auf. Er schämte sich ein wenig, weil er seinen Ärger über Fain an Scorpio ausgelassen hatte. Wahrscheinlich spürte der Hund seine Feindseligkeit.

Kish winkte ihnen, und Skallon führte den Hund durch eine

kleine Holztür in einen neuen, düsteren Gang. Kish zog an einem Griff, und ein gelbes Rechteck tat sich auf, eine kleine Kammer, gerade groß genug für ein Bett. Galt so etwas als Hotelzimmer? Für Bauern vielleicht - aber es gab keine wirklich unterprivilegierten Klassen in der alveanischen Gesellschaft, erinnerte er sich. In ritualisierter Form, ja, und durch Konventionen eingeschränkt - aber nicht ärmer als der breite Durchschnitt. Zumindest hatte es so in seinem Lehrmaterial gestanden.

„Du mußt dich hier eine Weile verstecken", sagte er leise zu dem Hund. Scorpio jaulte kurz, wahrscheinlich vor Erschöpfung, und rollte sich dann auf dem Bett zusammen. Kish trat beiseite, und eine Frau betrat das enge Zimmer. Sie trug eine Schale mit gehacktem Fleisch, das nach Verwesung stank.

„Ist das zum Essen?" fragte Skallon scharf.

„Ja. Gutes Fleisch. Er soll es versuchen." Kish bohrte der Frau seinen Finger in den Rücken. Beim Anblick von Scorpio war sie in der Tür stehengeblieben.

„Es ist alles in Ordnung", sagte er leise zu ihr. Sie runzelte die Stirn und stellte die Schale neben Scorpio auf das Bett.

„Das stinkt", meinte Skallon. Wenn der Hund sich vergiften ließ, weil er nicht auf ihn aufpaßte ... und ohne Fain ...

„Es ist frisch", sagte die Frau leise.

„Das Tier ist erst heute morgen geschlachtet worden", beruhigte Kish ihn.

„Geschlachtet?" Skallon begriff, daß dieses Fleisch von einem lebenden Wesen stammte, das herumgelaufen war und sich selbst seine Nahrung gesucht hatte. Die rötliche Masse war nicht von einem Proteinklumpen abgeschnitten worden. Unglaublich. Ob Scorpio das vertragen würde?

Der Hund schnüffelte, leckte, kostete. „Riecht." Er fraß ein Stück. „Aber. Gut." Zufrieden verzehrte er seine Portion.

Als sie in Kishs enges „Büro" zurückgekehrt waren, in dem kein Schreibtisch und keine Schreibtafel zu sehen war, wies der dicke Mann mit dem Kopf auf die schlanke Frau. „Ich bin unhöflich. Meine Frau. Sie weiß von Eurer ... Arbeit. Wir werden uns bemühen, es Euch behaglich zu machen, solange Ihr hier auf Eurer wichtigen Mission seid. Seid zuversichtlich, daß wir Euch nach Kräften helfen, Informationen zu finden ..."

„Ja, ja, tausend Dank." Skallon wandte sich an die Frau. „Ihr seid?"

„Joane." Ihre Stimme kam tief unten aus der Kehle, heiser und doch weich. Sie war nicht hübsch. Ihre Nasenspitze war nach unten gebogen, und der Schatten von der Deckenlampe ließ sie noch länger erscheinen. Ihr Mund war nicht breit, aber die Lippen waren in der Mitte aufgeworfen und vermittelten einen Eindruck von Sinnlichkeit. Rot und üppig, verjüngten sie sich zu leicht aufwärts gekräuselten Mundwinkeln, einem beständigen Halblächeln, umgeben von zarten Fältchen. Etwas an dieser Frau fesselte Skallons Aufmerksamkeit, obgleich Kish ihn mit einer Gebärde einlud, Platz zu nehmen, und um sein Zögern zu überspielen, sagte er: „Ihr ... Ihr wißt, ich komme ..."

„Von der Erde", murmelte sie. „Natürlich. Mein Gatte erwartete jemanden. Man sagte uns, wir sollten uns bereithalten. Der Erdkonsul sandte uns eine Nachricht, am Tag seiner Abreise."

„Ihr werdet sehen, daß wir zuverlässig sind", sagte Kish ernsthaft. Er schnippte ein kleines Insekt von einem Stuhl und winkte Skallon, sich zu setzen.

„In Eurer Akte heißt es, Ihr wäret ein Händler", sagte Skallon und ließ sich in den breiten alveanischen Stuhl sinken.

„Ich fand, daß es meinem Geschmack nicht entsprach." Kish lächelte. „Joane, bring uns Bier vom Faß. Unser Freund sieht blaß aus."

„Mein Make-up ist wahrscheinlich nicht ganz in Ordnung", sagte Skallon. Er sah der Frau nach. „Eurem ‚Geschmack', wie? Heißt das, daß Ihr es nicht geschafft habt?"

„So könnte man es ausdrücken. Ich bin sicher, Ihr versteht. Was sollte ich tun?" Er breitete die Arme aus. „Euer Konsul verlangte in den letzten Tagen Informationen, aber er konnte mir kein Geld übermitteln, ohne daß ein Verdacht auf uns gefallen wäre. Kein Erdler konnte sich in jenen finsteren Tagen auf die Straße wagen." Er warf Skallon einen Blick zu. „Und auch jetzt noch nicht."

„So schlimm steht es also."

„Ja. Aber der Konsul muß seinen Vorgesetzten doch Bericht erstattet haben."

„Das hat er. Aber seine Berichte wurden nicht allzu ernst genommen."

„Warum nicht?"

„Allein arbeitende Beamte spielen ihre Schwierigkeiten gern hoch. Das sieht besser aus."

„Ein seltsames Verfahren. Ihr setzt Männer als Beobachter ein, und dann glaubt Ihr nicht, was sie Euch berichten."

Skallon lächelte. „So sind eben die Spielregeln. Fragt mich nicht, ob sie begründet sind."

„Aber dies ist kein Spiel."

„Auf eine Entfernung von zehn Parsecs? Da ist es doch schwer, es als etwas anderes zu sehen."

„Aber die Überlicht-Kreuzer können uns in wenigen Wochen erreichen. So müßt doch auch Ihr hergekommen sein."

„Ja. Sie können ein paar Männer schicken, so wie uns, klar. Aber all das wichtige Zeug: militärische Hardware, Rohmaterialien, Exportwaren - selbst die Erde kann sich nicht leisten, so etwas mit Überlichtgeschwindigkeit zu transportieren."

„Ich verstehe. Ich hatte gehofft ..."

Skallon beugte sich vor. Er stützte die Ellbogen auf die Knie und betrachtete den fetten Mann aufmerksam. Es war schwierig, aus einem Gesicht, das in Rollen von Fett gekleidet war, einen Ausdruck herauszulesen. Die beste Idee war vielleicht, die Augen zu beobachten, die sich glitzernd und behende in der braunen Fläche bewegten. „Ihr dachtet, wir kommen im Sturm herauf und reparieren den Laden?"

„Nun, es waren müßige Gedanken ..." Kish machte eine kleine Gebärde mit den Fingern; er spreizte sie, um anzudeuten, daß das, was er sagte, ohne Bedeutung sei.

„Ihr dachtet, wir schicken ein umfangreiches Team von Bio-Adaptern? Stoppen die Epidemien? Entwickeln ein paar Heilverfahren? Ich würd's gern tun." Skallon sprach mit plötzlicher Eindringlichkeit. „Glaubt mir, das würde ich. Aber dazu besteht kein Anlaß, nicht nach Auffassung der Erde."

„Und bis die Raketenschiffe uns erreichen könnten ...“

„Richtig. Das dauerte Jahrzehnte. Und keine Besatzung würde sich zu einer derart langen Reise bereitfinden - die Leute würden verrückt werden.“

„Weshalb seid Ihr dann hier?“

„Um die Ordnung aufrechtzuerhalten.“

„Aber die Ordnung ist nicht gestört.“

„Das wird sich bald ändern.“

Und Skallon berichtete Kish über den Änderling. Über die interstellaren Radioverbindungen hatte sich zwar schon einiges herumgesprochen, aber Kish hatte keine Vorstellung davon, wie geschickt ein Änderling jedes beliebige menschliche Wesen, gleich welchen Geschlechts, nachahmen konnte. Kish konnte unmöglich wissen - weil die Erde diese Tatsache geheimhielt - daß der Änderlingplanet langsam zum Angriff überging. Sie schleusten sich in ausgewählte Koloniewelten ein, führten anscheinend willkürliche Sabotageakte aus und verursachten das Chaos um seiner selbst willen. Vor fünf Jahren hatte man auf Revolium, einer Wasserwelt, Änderlinge gefangen und mit dem Überlicht-Kreuzer direkt zur Erde transportiert. Eines zersplitterte man schließlich in Persönlichkeitsfragmente. Im Kern fand sich ein psychotisches Verlangen nach Zerstörung, eine Art von Religion, die es nach den feurigen Früchten des Chaos gelüstete. Die Änderlingkultur propagierte, daß die menschliche Rasse nur dadurch, daß die gesamte menschliche Ordnung zum Einsturz gebracht würde, beginnen könnte, das Universum so zu sehen, wie es wirklich war.

Die Soziometriker hatten natürlich eine Theorie über die Änderlinge. Sie hatten über alles eine Theorie. Danach machte, einfach ausgedrückt, ihre veränderliche Gestalt die Änderlinge zu Akolyten der Veränderung. Ihr Körper beherrschte ihren Geist.

Natürlich übersah diese Analyse, daß genau dies auch das Argument der Änderlinge gegen die rigide, normale Menschheit war. Es machte auch nichts. Für die Erde war die drohende Anarchie viel gefährlicher als eine einfache Eroberung. Das Kooperative Imperium war eine heikle, zerbrechliche Verbindung, und es ließ sich kaum biegen, ohne zu brechen.

„Er kommt also her, um uns die Ordnung auszutreiben?“ fragte Kish spöttisch.

„Er oder sie, ja. Und Ihr braucht nicht zu lachen. Ohne uns wird er es tun.“

„Wird er was tun?“ Joane erschien in der ein wenig schiefen Tür. Sie trug ein Tablett. Skallon gab ihr eine Kurzfassung seines Berichtes, während sie schwere Krüge mit brauner Flüssigkeit dröhnend absetzte und trocken geröstete Gemüseschnitzel klappernd in Schalen füllte. Skallon versuchte die grünlichen Kringel, und sie schmeckten ihm. Er aß eine Handvoll davon, und als er merkte, wie das Salz seine Kehle austrocknete, nahm er einen langen Zug von dem Bier.

„Ärgh!“ Er spuckte es im hohen Bogen an die gegenüberliegende Wand. Hustend und prustend versuchte er, seinen Mund von dem stechenden Zeug zu befreien.

„Was … was ist denn das?“

Kish nickte weise. „Auch die Mitarbeiter des Konsuls brachten es nicht über die Lippen, das richtige Bier. Es ist stark gebraut, nach alter Überlieferung.“

„Seid so gut und gebt mir nichts mehr davon“, antwortete Skallon steif.

„Oh, ganz wie Ihr wünscht“, sagte Kish gleichmütig.

Skallon hörte auf, seine brennenden Lippen abzuwischen und sah auf. War da ein Funken von Boshaftigkeit in diesem Gesicht? Der Hauch eines Lächelns über diesen selbstgefälligen Erdenmann und seine Sternenschiffe, der einen Männertrank nicht schlucken konnte?

Skallon verzog das Gesicht und setzte sich wieder.

8

Eine Stunde später lag Skallon auf dem Bett und sah zu, wie die letzten bläulichen Lichtstrahlen im nächtlichen Himmel versickerten. Mit einer Entschuldigung war er weiteren Gesprächen mit

Kish und Joane zumindest für heute aus dem Weg gegangen, denn er war nicht sicher, wieviel er ihnen wirklich preisgeben durfte. Es würde Fain nicht gefallen, wenn ein Eingeborener zuviel über ihre Operationen herausfände.

Aber jetzt, da er allein hier in der Kammer lag, langweilte er sich. Seine Meditation hatte zwanzig Minuten gedauert und ihm Erfrischung gebracht. Er wußte, daß er so früh noch nicht würde schlafen können. Sollte er noch einmal nach oben gehen und Kishs richtiges Bier versuchen? Nicht, daß er Kish diese kleine Geste der Selbstbestätigung wirklich zum Vorwurf machen konnte. Schließlich war Skallon auch nichts anderes als einer von diesen verdammten Erdlern. Die Logik alveanischer Abneigung gegen die Erde war unübersehbar. Alveanische Kunst und Kultur waren davon durchtränkt; elementare psychosoziale Analysen hatten das gezeigt.

In Skallons Augen hatten die Alveaner auch Grund dazu. Alvea war keine Kolonie, nein. Die Dinge lagen heute viel subtiler. Was einst als Versuch, Menschen an Alvea anzupassen, begonnen hatte, war mittlerweile zu einem handlichen ökonomischen Werkzeug geworden. Die militärische Vorherrschaft des Konsortiums zwischen den Sternen war natürlich unmöglich, es sei denn, man wollte den Gegner ausrotten und einen Planeten ruinieren. Aber weshalb sollte man auch eine brutale Waffentechnik verwenden, wenn subtile Formen der Abhängigkeit existierten? Alvea war auf die Biotechnik der Erde angewiesen, um die genetische Drift zu korrigieren und die schlimmsten Auswirkungen der alveanischen Biochemie anzuwehren. Nur die Erde verfügte über die technischen Voraussetzungen und über ungeheure Technologien, um die Alveaner immer wieder an diesen Planeten zu adaptieren. Genetische Stabilisation war in jeder Generation von neuem erforderlich, da der zelluläre Vollzug ein frommer Wunsch blieb. Im Gegenzug erhielt die Erde seltene Mineralien in raketengetriebenen Robotschiffen, die unterhalb der Lichtgeschwindigkeit reisten. Das war eine bequeme ...

Etwas rasselte in der Wand neben seinem Ohr.

Skallon fuhr hoch und drehte das Gaslicht an. Die Wand bewegte sich. Die Tapete wölbte sich vor und pulsierte von Leben.

Ein Stück der Tapete hatte sich ein paar Zentimeter über ihm gelöst. Skallon zog es weiter zurück. Kleine schwarze Käfer rieselten herunter und landeten verstreut auf seinem Bett. Brodelnde Massen davon fanden sich weiter unten; es war ihr hektisches Krabbeln, was er gehört hatte.

Angewidert wich Skallon zurück. Aber in gewisser Weise faszinierte ihn der Anblick. Auf der Erde hatte man Insekten schon vor langer Zeit strikt unter Kontrolle gebracht. In den Kasernen und Unterkünften gab es keine mehr. Er zog eine kleine Taschenlampe aus seinem Gepäck und leuchtete damit hinter die Tapete. Wo der Lichtstrahl auftraf, krabbelten die sechsbeinigen Dinger hastig davon.

Nun, das erleichterte die Sache zumindest ein wenig. Wenn er schlief, brauchte er nur das Gaslicht brennen zu lassen.

Skallon schnaufte. Er würde sich ein besseres Zimmer besorgen müssen. Aber im Augenblick erfüllte ihn eine rastlose Unruhe, und er wollte sich nicht noch einmal mit Kish unterhalten. Jahrelang hatte er Alvea studiert, und jetzt lag er in einem vergammelten, stinkenden Hotelzimmer herum, während er draußen spazierengehen und sich Kalic ansehen konnte.

Wahnsinn, oder zumindest Dummheit. Fain würde bald dasein und dann wäre seine Zeit bemessen. Oder schlimmer noch: Vielleicht hatte Fain den Änderling inzwischen schon zur Strecke gebracht. Es konnte sein, daß eine Robotfähre aus dem Orbit bereits auf dem Weg nach unten war.

Skallon zögerte einen Moment lang. Dann steckte er die Taschenlampe weg und begann seine Gewänder anzulegen.

Vier Stunden später wanderte Skallon langsam zurück zur Maraban Lane und dem Battachran-Hotel. Seine Füße waren müde, und seine Gewänder und die alveanische Verkleidung juckten und drückten ihn. Trotzdem zögerte er noch, seine Stadtbesichtigung zu beenden und sich für die Nacht zurückzuziehen. Er hatte viel gesehen. Die zierlichen Türmchen der heiligen Gebäude bohrten sich hinter ihm in den von Wolken durchzogenen Himmel. Sie markierten die Stadtmitte. Er war ganz hinaufgestiegen, um die rauchverhüllte nächtliche Stadt vor sich ausgebreitet zu sehen. Jetzt wirkten die Türme würdevoll und unnahbar, als wären sie mehr als nur grober, mit einem Arbeitslaser geschnittener Fels.

Er hatte eine merkwürdige, spukhafte Stunde auf einem Zeremonienplatz verbracht und einer Leichenverbrennung zugesehen. Sie hatten den verwelkten alten Mann oben auf den Scheiterhaufen gelegt und ihm die Arme zusammengebunden. Den Grund dafür erfuhr Skallon bald. Als das Holz knackte und qualmte, ließ die Hitze die Muskeln kontrahieren und die Beine des Mannes begannen heftig zu zucken. Der Leichnam wand sich, während Gesänge zu ihm heraufstiegen. Dann zerplatzte der Bauch. Der Knall ließ Skallon zusammenschrecken, selbst noch aus fünfzig Metern Entfernung. Er kam genau zum Höhepunkt der Gesänge, wenngleich Skallon nicht verstand, wie die Trauergemeinde den Zeitpunkt für diesen Effekt hatte abpassen können.

Der Tod war nichts Ungewöhnliches in den Straßen von Kalic. Zierliche Frauen dösten in ihren Korbstühlen und glitten in die lange Bewußtlosigkeit hinüber. Männer taumelten die Bürgersteige entlang und stützten sich mit einer Hand gegen die Gebäude, und wenn ihre Gewänder beiseite gestreift wurden, sah man, daß das Fleisch in lockeren Fasern an ihnen herabhing. Sie verloren rasch an Gewicht. Eine automatische Abwehrreaktion gegen irgendwelche Krankheiten, Erkrankungen, die so neu waren, daß sie noch keine Namen hatten. Die älteren – Rasseln, Wasserauge, Krampffäule, Stockatem – waren von den Erdlern kuriert worden; Skallon hatte darüber gelesen. Aber gegen diese seltsamen Epidemien konnte man nichts tun.

Dennoch glaubten die Leute offensichtlich, daß die Erde ihnen helfen könnte. In einer überfüllten Kneipe hatte ein Mann ihm unter rauhem Geflüster von einem speziellen Erdenhospital erzählt, das angeblich außerhalb der Stadt operierte und in dem die Erkrankungen geheilt würden. Ein anderer fluchte, zog ein blitzendes Messer hervor und brüllte wütend heraus, was er mit jedem Erdler tun würde, der sich noch einmal in Kalic zeigte. Seine Worte trafen ringsumher auf Zustimmung. Zum ersten Mal verspürte Skallon echte Angst, jemand könnte einen winzigen Fehler in seiner Aussprache oder an seinen Gewändern entdecken und ihn erkennen. Er murmelte eine Entschuldigung und ging; fast wäre er noch auf seinen Umhang getreten, als er in die freundliche Dunkelheit der Straße hinausstolperte.

Auf der Straße hätte er sich tatsächlich beinahe verraten, weil er über seine eigenen Füße stolperte. Sein ganzes Leben lang war er über sichere, ebene Flächen gelaufen. Auf der Erde war der Boden überall planiert. Selbst die Farmen, auf denen er gelegentlich seine Ferien verbracht hatte, waren im Laufe der Jahrhunderte von rollenden Landmaschinen zu glatten Flächen ausgewalzt worden. Aber hier in Kalic gab es keine Straße ohne Schlaglöcher, und wenige besaßen sauber abgegrenzte Gehwege. Eine Kreuzung von zwei Straßen ließ immer ein wenig Raum für einen Grasflecken, und das Gras griff in der schattigen Finsternis nach Skallons Füßen. Er mußte lernen, zu Boden zu sehen und zu navigieren. Das Gehen ermüdete ihn. Als das Battachran-Hotel noch einen Block weit entfernt lag, beschloß er, anzuhalten und sich für einen Augenblick in einem Tempel auszuruhen.

Ein schadhaftes Tor, dessen Angeln im Wind knarrten, führte in einen Hof. In einem runden Wasserbecken wirbelte fließendes Wasser, in dem zischend Blasen an die Oberfläche stiegen. Auf den gesprungenen Steinplatten auf dem Boden des schattigen Innenhofes spielte das Licht, das von einer Bierkneipe an der Straße herüberdrang. Er setzte sich hin und starrte zu den drei gerippten Bögen hinauf, die selber müde aussahen; einer war, mehr als die anderen, in sich zusammengesunken. Eine Hängelampe leuchtete bläulich, und der kleinere Mond Alveas stieg zernarbt und rot über dem milchweißen Fries des Tempels empor. In Skallons Augen bildeten die Eisenoxyde des Mondes einen hübschen Kontrast zu den vergilbten Neunundneunzig Namen des Einen, die den Fries bedeckten. Leise las er ein paar der Namen und verfiel dabei unbewußt in den Rhythmus des hohlen Getrommels, das aus einer Nebenstraße herüberklang, gelegentlich von den Schreien irgendwelcher Tänzer unterbrochen. Während er noch las, bewegte sich einer der elfenbeinfarbenen Pfeiler des Tempels. Dann kräuselte sich ein zweiter in dem matten Licht. Joane trat aus dem Tempel heraus in das blasse, rosafarbene Mondlicht. Sie schaute nach links und sah ihn nicht.

„Joane."

„Oh! Ihr habt mich erschreckt. Ihr seid der ..."

„Ja. Sprecht das Wort nicht aus. Ist noch jemand hier?"

„Nein. Nein, ich glaube nicht. Aber *Ihr* solltet nicht hier sein."

„Warum nicht?"

„Ich ... nun, man muß seine Schuhe und allen Schmuck ablegen, ehe man einen Tempel betritt."

„Das habe ich getan. Seht Ihr?"

„Oh. Es tut mir leid, ich dachte, Ihr wüßtet das nicht."

„Ich weiß nicht nur solche Kleinigkeiten."

„Das müßt Ihr wohl, bei Eurer vollkommenen Aussprache. Die meisten Erdler haben sich dieser Mühe nicht unterzogen. Dennoch ist es ungewöhnlich, daß ein Erdler sich an die Zeremonien hält, selbst wenn er sie kennt."

„Warum?"

„Überlegt doch. Ihr dachtet, es sei niemand im Tempel. Das dachte ich auch. Ihr hättet Eure Schuhe und Euren Schmuck anbehalten können, denn es wäre ohnehin niemand dagewesen, der es gesehen hätte."

„Der Gott der Neunundneunzig Namen wäre hiergewesen."

Sie sah ihn prüfend und überrascht an. „Das ist wahr. Und es ist schön gesagt. Ich werde es mir merken."

„Ist das Nennen der Namen nicht der Zweck dieses Schreines?"

Joane lachte. Es klang wie ein perlendes Glöckchen. „Ich komme her, um mich auszuruhen."

„Warum entspannt Ihr Euch nicht zu Hause?"

„Manchmal möchte ich allein sein."

„Es tut mir leid, daß ich Euch gestört habe." Er trat in die Schatten zurück, als wollte er gehen.

„Nein, nein. Bleibt doch. Ich bin hier sowieso fertig. Und wenn Ihr mich zum Hotel zurückbegleiten wolltet, würde das meinem Gatten gefallen."

Skallon setzte sich auf ein marmornes Geländer. „Weshalb?"

„Er wünscht nicht, daß ich im Dunkeln allein ausgehe. Er sagt, die Straßen werden allmählich gefährlich. Natürlich hat er recht. Vor wenigen Tagen wurde meine Schwester bei Sonnenuntergang überfallen. Man stahl ihr den Marktkorb und die Lebensmittel für zwei Tage.“

„Pestopfer?“

„Höchstwahrscheinlich. Aber wenn ich mit einem zuverlässigen Begleiter wie Euch zurückkehre, wird mein Mann nichts dagegen haben. Es wäre sogar eine Ehre für ihn.“

„Ich verstehe.“ Skallon nickte. Keiner von beiden machte Anstalten, aufzustehen und zum Hotel zurückzugehen. Joane legte die Handflächen gegeneinander. „Obgleich ich nicht weiß, ob ich wirklich zuverlässig bin“, sagte er schließlich, um das Schweigen zu brechen.

„Aber Ihr seid kein gewöhnlicher Mann. Ihr seid es immerhin wert, daß man Euch zu den Sternen reisen läßt.“

„Ich bin nicht sicher, ob man mich ausgesucht hat, weil ich ein so guter Straßenkämpfer bin.“

„Aber ich bezweifle nicht, daß Ihr einer seid.“

„Ja, wahrscheinlich.“ Er verlagerte sein Gewicht und sah zu dem rosigen Mond hinauf, der jetzt weit über dem Fries stand. „Mein militärisches Training wurde vor einigen Monaten verstärkt. Offensichtlich hatte jemand dabei etwas Derartiges im Sinn, das habe ich mir gleich gedacht. Aber mein eigentlicher Wert liegt in meiner akademischen Arbeit.“

„Aka...?“

„Habe ich es richtig ausgesprochen? Wissenschaftlich. Na ja, nicht genau das, aber ich habe Alvea studiert.“

„Weil Euch an uns etwas lag?“

„Das nicht gerade. Die Erde wählt einen gewissen Bruchteil der Bevölkerung aus, um gewisse Gebiete zu studieren. Dadurch haben sie immer jemanden greifbar, der über Hintergrundwissen verfügt. Ein paar Leute für jeden Planeten.“

„Für den diplomatischen Dienst?“

„Zum Teil.“ Skallon überlegte, wie er es ihr erklären sollte. „Als Reserve, würde ich sagen. Hier zum Beispiel hat man das gesamte Konsulatspersonal für Alvea gesperrt.“

„Man wirft ihnen Unlauterkeit vor, wie ich hörte.“

„Hm. Ja.“ Er beschloß, auf diesen Punkt nicht weiter einzugehen. „Also warf die Erde für diesen Auftrag einen Blick in ihr Reservepotential. Es mußte schnell jemand gefunden werden.“

„Und Ihr wart am besten qualifiziert.“

„Tja, der Psycher stellte fest, daß ich beim Feldtraining nicht gerade der Aggressivste war. Mangelndes Selbstvertrauen, hieß es. Aber als sie mit mir darüber redeten, nannten sie es ‚vorsichtiges Abwägen‘. Demzufolge hatten sie wohl nichts dagegen, daß ich so war.“

„Ich verstehe“, sagte Joane. „Eure Vorgesetzten verlangten Besonnenheit.“

„Hah! Sie wollen, daß ich mich heraushalte und die Angelegenheit Fain überlasse.“

„Fain?“

„Das ist der andere Mann. Ich frage mich manchmal, wie zuverlässig diese Psycher waren. Ich fühle mich nicht zuverlässig.“

„Ich bin sicher, Ihr seid es.“ Sie sagte das so einfach und direkt, daß Skallon es auch glaubte. Vielleicht verstand sie ihn besser als er selbst.

„Das Hotel“, murmelte er; er wußte selber nicht genau, weshalb er das Thema wechselte. „Ich bringe Euch jetzt zurück.“

Sie wanderten über einen Kiesweg, der die Maraban Lane kreuzte, und das knirschende Geräusch ihrer Schritte schien die Dunkelheit zu erfüllen. Skallon nahm ihren Arm, als sie den holprigen Hof des Hotels überquerten. Eine einzelne gelbe Lampe hing über dem Eingangsportal. In einem dunklen Winkel bemerkte Skallon eine huschende Bewegung. Er erinnerte sich sogleich an die Geschehnisse in der Eisenbahn und tastete unter seinen Doubluth-Gewändern nach der Waffe. Er fand sie, aber der Griff verhakte sich im Tuch seines Mantels. Wieder bewegte sich der Schatten. Skallon ließ Joane los und trat zur Seite, um ein freies Schußfeld zu haben.

„Ich habe dich *gebeten,* nicht allein auszugehen“, sagte jemand mit hoher Stimme.

„Stehenbleiben!“ blaffte Skallon.

„Was?“ Ein Junge trat aus dem Schatten heraus. „Mutter, ich habe auf dich gewartet. Ich wünschte wirklich …“

„Sir, dies ist unser Sohn Danon.“ Joane legte einen Arm um den Jungen, der etwa vierzehn Erdenjahre alt zu sein schien. Skallon nickte und sagte ein paar unverbindliche Worte, um sich vorzustellen. Er war ein wenig verunsichert. Joane sah nicht alt genug aus, um einen so großen Sohn zu haben. Vielleicht hatten die Schatten ihre Falten verborgen – die Beleuchtung hier war immer ein wenig trüb, ganz im Gegensatz zu den grellweißen Korridoren der Erde.

Der Junge schien für seine Mutter Beschützergefühle und gegen Skallon Mißtrauen zu empfinden. Dies paßte anscheinend in das psychologische Standardprofil für dieses Alter, dachte Skallon, als sie das Hotel betraten. Im Foyer trennten sie sich. Joane reichte ihm kühl und distanziert die Hand. Danon nickte knapp. Skallon verabschiedete sich mit den traditionellen Floskeln, und während er sich durch die engen Gänge tastete, dachte er an Joane.

Er stieß die Tür zu seinem Zimmer auf und war schon halb drinnen, als er bemerkte, daß jemand auf dem Bett saß. Er erstarrte. Das erste, was er registrierte, war nicht das Gesicht des Mannes, sondern die lehmigen Stiefel, die die weißen Laken beschmierten.

„Es wurde auch Zeit“, sagte Fain.

Zweiter Teil

1

Jetzt war er erst ein paar Stunden hier, und schon haßte Fain diesen Planeten. Er stank.

Er bahnte sich seinen Weg durch den dichter werdenden Dschungel. Zweimal hatte er jetzt hinter sich in der Ferne die zuckenden blauen Blitze gesehen. Mutter eliminierte irgendwelche Flugzeuge. Fain sehnte sich nach seinem Anzug, aber das half nichts. Er hätte Skallons genommen, aber wahrscheinlich hielten die Alvcaner auf der Basis Ausschau nach einem Anzug, um ihn sofort abzuschießen. Deshalb würde Fain sich ihnen getarnt nähern und so harmlos wie möglich aussehen. Er schob die rechte Hand unter seine alveanischen Gewänder, um sicherzugehen, daß er seine Waffen schnell genug herausziehen konnte, ohne sich zu verheddern. Dann ging er weiter.

Voller Abscheu rümpfte er die Nase. Alles hier roch. Der Wald war zu einem Urwald geworden. Es gab groteske Farne und klobige, pilzähnliche Gewächse. Die Luft war schwer von Pollen, Samen und Sporen. Seine Augen hörten nicht auf zu tränen und aus seiner Nase tropfte der Schleim. Feuchtwarmer Dunst lag wie eine Decke über dem Boden, und ein kräftiger Wind blies ihm hart ins Gesicht. Nein, dachte Fain, so etwas wie die Erde gibt es nicht noch einmal. Ein Klischee, zugegeben, aber ein verdammt zutreffendes. Fain war schon auf mehr als zwei Dutzend Hinterwelten gewesen, und gemocht hatte er keine davon. Revolium zum Beispiel, der Schauplatz seines größten Erfolges - eine Wasserwelt, deren Bewohner, eher Fische als echte Menschen, nach Algen und Salzwasser rochen. Der Planet war nicht wichtig. Fain war nach Revolium gegangen, um einen Auftrag zu erledigen, und eben dazu war er auch nach Alvea gekommen. Dschungel oder Riesenozean, endlose Wüste oder immergrüner Regenwald, Städte,

Gebirge, Ebenen - wichtig war im Grunde nur der Job. Bevor der erledigt war, dachte er kaum an etwas anderes.

Dennoch konnte er nichts dagegen tun: Er vermißte die Erde und sehnte sich nach Hause zurück. Die Tatsache, daß er ein solches Gefühl verspürte, behagte ihm gar nicht. Ein guter Agent konnte sich nicht leisten, an irgend etwas zu hängen. Die Wahrheit war, daß er sich Sorgen um sich selber machte. Wenn die Verwaltung nun recht hatte? Wenn er tatsächlich etwas verloren hatte? Der Zwischenfall vorhin mit dem Vertil - vor fünf Jahren wäre ihm das nicht passiert. Änderlinge wurden niemals weich. Vielleicht war das der Grund, weshalb Fain sie so sehr haßte. Er empfand eine Form von Haß mit einem Beigeschmack von Neid und Bewunderung. Wenn Fain diesen Änderling tötete, würde er etwas über sich selbst erfahren. Wenn er wieder versagte, würde er allerdings auch etwas erfahren.

Er dachte daran, wie alles angefangen hatte, gleich nach Revolium. Er war oben in den Hochhäusern von Houston mit Bateman, dem Vizepräsidenten des Konsortiums, zusammengetroffen. Bateman paffte am Stummel einer Naturzigarette. Diese Angewohnheit konnten sich nur diejenigen Männer gestatten, die mächtig genug waren, kostspielige Karzinombehandlungen zu verlangen und zu erhalten. „Herzlichen Glückwunsch, Fain", sagte Bateman. Er erhob sich von seinem Schreibtisch und streckte eine behandschuhte Hand herüber. „Ich wußte, wenn wir überhaupt einen Mann haben, der einen lebendig zurückbringen kann, dann sind Sie das."

Fain mochte Bateman nicht. Es war nicht unwahrscheinlich, daß Bateman vor fünfzehn Jahren persönlich Anweisung gegeben hatte, einen Mann namens Dickson Fain zu ermorden. „Ich tue meine Arbeit." Fain ignorierte die ausgestreckte Hand.

Bateman grinste schmal und setzte sich wieder. Durch ein Fenster hinter seiner linken Schulter glitzerte die mitternächtliche Skyline der City herein. Fain wußte, daß dies eine Verzerrung des Lichtes war, um Behaglichkeit zu schaffen; in Wirklichkeit war es draußen beinahe Mittag.

„Jetzt werden Sie Ihre Belohnung haben wollen", meinte Bateman.

Fain nickte. „Sie haben es versprochen. Schriftlich. Ich besitze eine Kopie. Was immer ich haben will, sofern es weniger als drei Millionen kostet."

„Ein fairer Preis" Bateman lächelte breit. „Also, Fain, was ist es? Haben Sie sich schon entschieden?"

Fain wußte genau, was er wollte. Er hatte es gewußt, seit er Bateman dazu gebracht hatte, ihm dieses Angebot zu unterbreiten. „Sie haben zwei Töchter. Ich will Fünf-Jahres-Verträge für beide."

Bateman zeigte keine Reaktion. Offensichtlich hatte er niemals damit gerechnet, daß Fain auf Revolium erfolgreich sein würde, aber Fain hatte ihn übers Ohr gehauen. Und jetzt wollte er es wieder tun. Kühl erwiderte Bateman: „Das mache ich nicht, Fain."

Ohne die Stimme zu heben, antwortete er: „Sie haben meinen Vater umgebracht ..."

„... der erwiesenermaßen das Konsortium verraten hat ..."

„... und jetzt verlange ich Bezahlung *in natura*. Eine Tochter für einen Vater."

„Sie sprachen von beiden."

„Die andere ist für meine Dienste. Meine zukünftigen Dienste."

„Es könnte Ihnen etwas zustoßen."

„Nicht solange ich für das Konsortium lebendig wertvoller bin als tot. Niemand kennt die Änderlinge so gut wie ich. Niemand könnte je einen fangen."

Fain dachte an die beiden Frauen. Hatte es wirklich mit ihnen angefangen? Hatte es ihn weichgemacht, sie zu lieben, oder war das nur Zufall? Keine von beiden war eine Doppelgängerin gewesen. Er hatte erwartet, daß Bateman versuchen würde, ihn zu hintergehen, aber die Fingerabdrücke der Frauen hatten gestimmt. Fain hatte Kontakte zur Datenbank des Konsortiums, die ihn dessen sicher sein ließen. Anfangs hatte er ihnen nur weh getan. Er hatte bis dahin wenig mit Frauen zu tun gehabt und es auch nicht sehr genossen. Mit der Zeit stellte er fest, daß diese beiden anders waren. Das lag nicht an ihrem VIP-Status. Den hatte Fain auch einmal besessen, durch seinen Vater, diesen idealistischen Wissenschaftsmönch. Es war ihre Haltung ihm gegenüber: ihre Angst und ihre Bewunderung. Als der Vertrag im vergangenen Monat ausgelaufen war, hatten die drei einander versprochen, sich wiederzusehen. Fain wußte nicht, wie ehrlich dieses gemeinsame Gelübde gemeint war. Aber er wußte, daß er sie wiederhaben wollte - sie oder andere Frauen, die genauso waren.

Das war es, was ihn störte - das war eine wirkliche Veränderung. Bevor er die Frauen kannte, hatte er niemals einen Gedanken an die Zukunft verschwendet, wenn er einen Job übernahm. Ob er überlebte oder starb, ob er Erfolg hatte oder nicht, der Auftrag selbst hatte alle seine Sinne völlig ausgefüllt. Jetzt sah er die Frauen ständig vor sich, selbst mit offenen Augen. Kurze Bilder von ihnen: Augen, Brüste, Knie. Er konnte sie auch riechen. Er erinnerte sich daran, wie sie schmeckten. So war es fünf Jahre lang gewesen - fünf Jahre des Versagens. Er wußte, daß er jetzt wieder einen klaren Kopf brauchte. Der Vertrag - seine Rache - war abgelaufen. Es mußte wieder alles so werden, wie es voher gewesen war. Wenn er das nicht schaffte, konnte das sein Todesurteil bedeuten, dessen war er sich bewußt. Sein Wert für das Konsortium war nichts als ein dünner Faden. Bateman würde ihn nur allzu gern umbringen lassen. Fain wußte, daß er sich hier beweisen mußte - um zu überleben.

Alvea war dabei keine große Hilfe. Das dichte Unterholz. Die lächerlichen Farne und die stinkenden Pilze. Er bewegte sich schnell und mit instinktiver Leichtigkeit. Vor ihm, mit jedem Schritt, den er tat, raschelte und flüchtete es, kleine Nager und Insekten, Käfer und Ungeziefer. Lebendiges Zeug. Und der Änderling? Er war auch irgendwo vor ihm. Fain vertrieb die Frauen aus seinen Gedanken. Er zwang sich, seine Sinne nach außen fließen zu lassen, um mit der Welt zu verschmelzen. Das war sein Schutz, sein Talent. Diesmal würde er nicht versagen.

Er hörte den sprudelnden Bach, noch bevor das hohe Gras sich teilte und den Blick auf das blitzende, grüne Wasser freigab. Er hielt kurz an, um zu trinken, und watete dann weiter. Die Steine waren glitschig. Über ihm zerriß ein durchdringender Schrei die nachmittägliche Stille. Fain sah nicht hoch. Es war ein Klatschflügel; er kannte diese Vögel aus dem Schnellkurs. Häßlich, aber mit gutem Fleisch. Ein gutes Nahrungsmittel. Plötzlich blieb er stehen, schaltete seine Pistole auf geräuschlosen Betrieb, riß den Arm hoch und feuerte. Der Vogel schrie auf, kurvte nach links und verschwand über dem Dschungel. Daneben. Knapp daneben, aber daneben. Fain schob den Hitzestrahler in das Holster unter seinem Umhang. Er stand mitten im Bach, das Wasser umspülte seine Knie, und er starrte auf seine Hände. Er hatte noch nie danebengetroffen. Noch nie.

Er fand den Körper am anderen Ufer.

Zuerst glaubte er, der Alveaner sei tot. Aber nein, die Atmung war kräftig, wenn auch unregelmäßig. Der Puls war zu schnell, aber stetig. Irgendeine Verletzung war nicht zu sehen. Ein alveanischer Soldat, noch fetter - wenn das möglich war - als die beiden anderen. Bewußtlos.

Fain blieb am Boden hocken und lauschte angestrengt auf jedes noch so ferne Geräusch. Ein einzelner Mann, mitten im Dschungel, bewußtlos, aber weder tot noch verwundet. Das hatte etwas mit dem Änderling zu tun, aber ...

Der Gedanke ließ ihn erstarren. Er zog eine kleine Tafel aus seinem Gewand und hielt sie dem Alveaner an die Lippen. Augenblicklich färbte sie sich rosa.

Fain stand auf. Jemand hatte diesen Alveaner mit Vertil behandelt, ihn anscheinend benutzt und dann hier liegen gelassen, damit er wieder zu sich kam.

Aber niemand auf diesem Planeten besaß Vertil, außer ihm selbst und Skallon. Es war verboten. So unvorstellbar es auch erschien - dieser schlafende Alveaner bedeutete, daß auch der Änderling über einen Vorrat an Vertil verfügte.

Damit lagen die Chancen anders. Völlig anders. Und plötzlich erwachte Angst in ihm, wie ein kalter Wind.

Oh, mein Gott, nein, nein, hatte er geschrien, als er in das Zimmer rannte. Das hohle Dröhnen eines Hitzestrahlers erfüllte das Haus. Die Flammen hatten seinen Vater schon halb eingehüllt, sie fraßen sich durch seine Kleider, züngelten zu seinem Gesicht hinauf. Sein Vater bedeckte das Gesicht mit beiden Händen und wankte zurück. Einer der Mörder feuerte noch einmal.

Lodernde Flammen. Eine Kugel aus Licht, die seinen Vater in die Brust traf und über ihm explodierte.

Dann der Schrei. Schrill und hoch. Todesqualen und Verzweiflung.

Fain stürmte drei Schritte weit ins Zimmer, und dann schlug ihm jemand mit dem Kolben einer Waffe gegen die Brust. *Oh, bitte, Gott, nein, was macht ... warum ...* Dann sah er die Streifen auf den Ärmeln, die Stoffstückchen, die bedeuteten, daß all dies legal war, daß es kein Irrtum war, daß sein Vater jetzt und hier sterben mußte.

Sein Vater, gebadet in Flammen.

Die Hände sanken herab, als wüßte der brennende Mann, daß es kein Entkommen gab, daß jeder Versuch sinnlos war. Das Gesicht war verzerrt, erstarrt. Der Mund war zu einem lautlosen Schrei aufgerissen. Die Gestalt wurde steif. Die Flammen bedeckten sie, fraßen sich immer weiter. Dann öffneten sich langsam die Augen, als müsse er sie gewaltsam aufzwingen, um einen letzten Blick auf die Welt zu werfen. Fains Vater sah hinaus auf seinen Sohn, und er schwankte. Sein Haar loderte auf und gelbe Flammen schlugen empor. Beißender Qualm. Das Knistern des Feuers. Züngelnde, schnappende Flammen. Die Lungen seines Vaters füllten sich zu einem neuen Schrei. In den Augen des brennenden Mannes lag etwas Altersloses. Er sah Fain an, und sein Blick durchdrang die Todesqualen, und die Erkenntnis, das Wissen, verband sie miteinander. Dann taumelte sein Vater zurück. Seine Arme zuckten, und der letzte Schrei erscholl.

Fain stand da wie erstarrt, schweißgebadet.

Immer wenn ihn Angst überkam, floh er vor ihr in die Vergangenheit. Zurück zu dem brennenden, zusammenbrechenden Mann. Zurück zu den drei Mördern, die sich davon überzeugten, daß ihr Auftrag erfüllt war und daß sein Vater von keinem Rettungsgerät wiederbelebt werden konnte. Die ihre widerwärtige Arbeit auf dem Wohnzimmerteppich taten. Die den stammelnden Jungen beiseite stießen.

In den finsteren Stunden, die darauf folgten, als das Haus sich mit Polizisten und Beamten und Verwandten füllte, geschah es, daß jene eisige Ruhe sich über ihn herabsenkte, die ihn nie wieder verlassen sollte. Ein kaltes, gelassenes Wissen. Er hatte den Tod gesehen, und in dem letzten, gepeinigten Blick seines Vaters hatte er auch die Antwort auf den Tod gesehen. Sein Vater hatte ihm etwas gegeben, das ihn durchs Leben tragen und anders als andere machen würde.

Zu diesem geheimen Mittelpunkt, in dem die kalte, klare Wahrheit lag, kehrte Fain zurück. Einen Augenblick lang hatte ihn Angst gepackt, aber jetzt war sie verschwunden. Der Änderling war ihnen weit überlegen. Es hatte den einzigen konkreten Vorteil, den er und Skallon mitgebracht hatten, neutralisiert. Also gut: Das Problem lag jetzt anders. Aber tief im Innern wußte Fain, daß er hier eigentlich nichts zu verlieren hatte. Allenfalls konnte der Änderling ihn töten. Mehr nicht. Und dies zu wissen vermittelte Fain den Vorsprung, den er immer und allen gegenüber hatte – Menschen, Änderlingen, allem.

Fain legte den Hitzestrahler in die Armbeuge und setzte seinen Weg fort. Der Augenblick war vorüber. Er hatte schon früher solche Augenblicke erlebt, vor allem während der letzten fünf Jahre, aber sie waren nie wirklich wichtig gewesen. Auch dieser würde verblassen und verschwinden. Dessen war er sich sicher.

Er war drei Kilometer weit gekommen, als er das Donnern der ersten Gewehrschüsse in der feuchten Luft hörte.

2

Fain duckte sich hinter stechend riechende Blätter und atmete durch den Mund, um nicht würgen zu müssen, während er die vor ihm liegende Landschaft studierte. Es war die alveanische Luftwaffenbasis. In einer Ecke, aufgereiht am Rande der rissigen Betonstartbahn, standen neun Aufklärungsflugzeuge. Zwei davon brannten. Drei der sieben Holzgebäude standen in Flammen. Er sah, wie ein mächtiger, runder, gedrungener Alveaner aus einem der brennenden Gebäude taumelte. Der Mann hielt eine primitive Pistole in der erhobenen Hand. Er rannte watschelnd davon und feuerte zweimal in die Luft. Dann fiel er auf das Gesicht.

Vertil. Fain wußte bereits, was geschehen war. Der Änderling war in der Gestalt von General Nokavo in die Basis eingedrungen. Er hatte zwei uninfizierte Soldaten ausgesandt, um Fain und Skallon zu töten, und dann hatte er sich an seine normale Tätigkeit gemacht. Er hatte Chaos erzeugt. Das Vertil mußte es ihm leichtgemacht haben. Offenbar klang die Wirkung aber jetzt ab. Überall sah Fain Leute am Boden liegen. Wenn die Alveaner aufwachten - falls sie je aufwachten -, würden sie kaum noch wissen, was geschehen war.

Er lief los. Auf einem der Gebäude, die bisher vom Feuer verschont geblieben waren, wehten ein halbes Dutzend bunte Flaggen. Fain nahm deshalb an, daß es sich um das Befehlsgebäude handelte, und rannte darauf zu. Eine Kugel pfiff an seinem Ohr vorbei. Fain schlug einen Haken. Ihm war, als würde er eine aufblitzende Bewegung hoch oben auf einem Holzturm gegenüber dem Befehlsgebäude sehen. Der Änderling? Unwahrscheinlich. Eher ein alveanischer Heckenschütze, von Sinnen durch das Vertil. Er änderte seinen Kurs nicht, und er betätigte auch nicht seinen Hitzestrahler. Eine zweite Kugel fuhr viel zu weit links in den Boden. Fains Vermutung war richtig gewesen. Kein Änderling schoß zweimal daneben.

Ohne aus dem Schritt zu geraten warf Fain sich mit der Schulter gegen die verriegelte Tür des Gebäudes. Das Holz zersplitterte wie Gips, und er stürzte hinein. Er verlor das Gleichgewicht und fiel vornüber, ließ sich über die Schulter abrollen und landete auf den Knien, den Hitzestrahler im Anschlag. „Eine Bewegung - nur eine Bewegung, und ich töte Euch."

„Aye, Sir." Der Alveaner grinste breit. Speichel rann über seine Lippen, als er sich aus seinen breiten Hüften verneigte. „Der General hat Eure bevorstehende Ankunft bereits angekündigt."

Fain stand auf. „Legt die Hände auf den Kopf, dreht Euch dreimal um Euch selbst. Schlagt mit den Armen und macht ein Geräusch wie ein Vogel - wie ein Klatschflügel."

Ohne zu fragen tat der Alveaner wie befohlen.

Fain nickte, aber er entspannte sich nicht. Wenn er noch eine Bestätigung für seine Vermutung gebraucht hätte, dann stand sie jetzt vor ihm, in Fleisch und Blut und mindestens einhundert Kilo schwer.

„Jetzt steht still." Fain durchsuchte den Alveaner; er ließ sich leicht hin und her drehen. Anscheinend war er unbewaffnet. Der Raum selbst, augenscheinlich eine Art Eingangshalle, war ein einziges Durcheinander von verstreutem Papier und zerschlagenen Möbeln. In der gegenüberliegenden Wand war eine Tür, die Fain nicht aus den Augen ließ.

Er trat ein paar Schritte zurück und befahl dem Alveaner: „Berichtet mir genau, was hier vorgefallen ist." Obwohl die Eingangstür offenstand, hörte er von draußen keinen Laut. Die Schießerei hatte aufgehört, und nur ein schwacher Qualmgeruch hing noch in der Luft. „Wie hat dieser Aufstand angefangen?"

Der Alveaner schüttelte abwehrend den Kopf und hielt in einer Geste seine blasse Handfläche hoch. „Es gibt keinen Aufstand hier, hoher Herr. Unser Oberbefehlshaber, General Nokavo, hat lediglich befohlen, nach Verrätern zu suchen."

„Weshalb schießt Ihr dann aufeinander und verbrennt Eure eigenen Gebäude?"

„Na, um die Verräter zu finden natürlich." Der Alveaner sprach mit der blauäugigen Aufrichtigkeit, die Vertil meistens hervorrief. Unter dem Einfluß der Droge würde kein Alveaner verstehen können, weshalb seine verzerrte Weltsicht nicht für jedermann völlig einsichtig sein sollte.

„Wer hat Euch gesagt, wer die Verräter sind? War das auch General Nokavo?"

„Oh nein." Der Alveaner schüttelte so heftig den Kopf, daß seine Wangen bebten. „General Nokavo hat nur darauf hingewiesen, daß auch der beste Freund eines jeden des Verrats verdächtig sei. Namen hat er überhaupt nicht genannt."

„Das war fair", sagte Fain trocken. „Und wo ist er wohl jetzt, der General Nokavo? Nachdem er Euch sein Geheimnis verraten hatte, ist er wohl zufällig fortgegangen?"

„Oh nein. General Nokavo ist die ganze Zeit in seinem Büro geblieben und hat die Suche nach den Verrätern geleitet."

„In seinem Büro?"

Der Alveaner drehte sich um und wies auf die Tür am anderen Ende des Raumes. „Dort drinnen."

Fain nickte. Damit hatte er nicht gerechnet. Wenn das stimmte, dann war es in jedem Fall zu leicht - der Änderling würde nicht einfach dasitzen und warten, bis er kam. Fain wußte, daß ein Haken an der Sache sein mußte, aber er wußte auch, daß er keine andere Wahl hatte - er mußte weitermachen. Falls der Änderling wartete, würde er nicht lange warten.

„Führt mich zu ihm", sagte er.

Der Alveaner verneigte sich. Gehorsam wandte er sich um, stolperte, taumelte und bekam dann die Tür zu fassen. Fain sah, daß die Wirkung des Vertil nachließ. Nicht mehr lange, und dieser Mann würde in einen Stupor verfallen. Ein Grund mehr, sich zu beeilen.

Der Alveaner öffnete die Tür - sie war nicht verschlossen - und schritt hindurch.

Fain folgte ihm, den Hitzestrahler im Anschlag.

Der Raum war ordentlich und sauber. Er sah einheimische Bücher, ein paar Broschüren, ein breites Plüschsofa und einen Sessel.

„Hier ist niemand."

„General Nokavos Büro ist dort oben." Der Alveaner wies zur Decke.

Fain sprang in Deckung. Er verfluchte sich selbst, weil er das offene Quadrat der Falltür nicht in dem Augenblick gesehen hatte, als er den Raum betrat. Wenn der Änderling dort oben war, wenn er ihn nicht absichtlich an der Nase herumführte, dann hätte er jetzt eigentlich tot sein müssen, das wußte er.

„Wie kommt man dort hinauf?" fragte er den Alveaner aus der sicheren Türöffnung.

Der Alveaner, der reglos in der Mitte des Zimmers stehengebliében war, vibrierte plötzlich vor Energie. „Ich bringe die Leiter." Die Leiter war aus Holz und lag hinter dem Sofa verborgen. In wenigen

Augenblicken hatte der Alveaner sie so aufgestellt, daß sie durch das Loch in der Decke ragte.

Fain begriff, daß er auf den ungeschützten Sprossen der Leiter ein lebender Köder sein würde. „Steigt hinauf", befahl er dem Alveaner.

„Aber hoher Herr, ich kann nicht ohne Erlaubnis das private Büro des Oberbefehlshabers betreten. So etwas zu tun wäre ..."

„Ich will, daß Ihr vor mir die Leiter hinaufsteigt", sagte Fain langsam. „Das ist ein Befehl. Ihr müßt gehorchen."

„Ich muß gehorchen", wiederholte der Alveaner. Achselzuckend trat er an die Leiter und begann hinaufzusteigen.

Fain ließ die Öffnung in der Decke nicht aus den Augen, als er wieder ins Zimmer trat. Er wartete am Fuße der Leiter, bis der Körper des Alveaners die Falltür fast völlig verdeckte. Dann erst begann er hinaufzuklettern. Er stand auf der zweiten Sprosse, als der Alveaner oben ankam und die Arme durch die Luke streckte. Wenn etwas geschehen würde, dann müßte es jetzt sein, dachte Fain. Er hob seinen Hitzestrahler.

Der Alveaner stürzte herab.

Das traf ihn völlig unerwartet.

Einhundert Kilo alveanisches Fleisch fielen drei Meter tief von der Decke herunter und landeten auf Fain. Die Sprosse, auf der er stand, zerbrach. Er stürzte, schlug auf den Boden, und der Alveaner begrub ihn unter sich. Einen Moment lang sah er nichts mehr. Er verspürte nichts als Schmerz. Der Hitzestrahler fiel ihm aus der Hand.

Joseph Fain lag zusammengequetscht unter dem massigen Leib eines besinnungslosen Alveaners, waffenlos und ungeschützt im Blickfeld der Luke in der Decke.

Er wußte, daß er eigentlich tot sein müßte. Er stand auf.

Seine Rippen schmerzten, und sein linkes Handgelenk schien verstaucht zu sein. Der Alveaner lag im Vertil-Stupor. Fain trat einmal gegen ihn und dann noch einmal. Er hörte ein schnappendes Geräusch, als die Rippen des Alveaners unter dem Fett brachen. Er hob sein Bein und hielt dann inne.

Fain kam sich schmutzig und lächerlich vor. Er fühlte sich – um einen antiken, wenn auch bedeutungslosen Ausdruck zu gebrauchen - wie ein Mann, den man mit heruntergelassenen Hosen erwischt hatte. Er atmete schwer. Seine Hände zitterten.

Langsam und lautlos durchquerte er den Raum und hob seinen Hitzestrahler auf.

Er stieg allein die Leiter hinauf und achtete darauf, daß er nicht auf die gebrochene Sprosse trat.

Der obere Raum war leer. Mittlerweile hatte er begriffen, daß er leer sein mußte, aber das konnte seine Wut nicht mildern. Er durchsuchte das Zimmer. Es war dunkel und eng und voller Rauch. Er riß Schubladen auf und warf Akten durcheinander. Er zerfetzte die Polster und zerschmetterte einen Stuhl. Seine Suche war ohne Sinn, aber sie besaß eine gewisse Methode. Er begann am einen Ende des Raumes und arbeitete sich zum anderen.

Auf halber Strecke, in einem breiten Wandschrank, fand er die Leiche eines Alveaners. Diesmal gab es keinen Zweifel. Ein faustgroßes Loch war in die Brust des Alveaners gebrannt, und sein Gewand, ein fließender, weißer Seidenumhang, war verklebt von getrocknetem Blut.

Eine halbe Sekunde später wußte Fain, wer der tote Alveaner war. Angesichts der Kleider und des Ortes, an dem er ihn gefunden hatte, lag die Lösung auf der Hand.

Fain schloß den Schrank und ließ General Nokavo in Frieden ruhen.

Er war nicht überrascht. Ähnliche Tote hatte er schon früher gesehen, auf Revolium und anderswo. Wenn er die Identität eines anderen Mannes annahm, stand der Änderling nur vor einem einzigen, wirklichen Problem: Was tun mit dem Original? In diesem Falle hier hatte der Änderling zweifellos instinktiv gehandelt. Er hatte General Nokavo getötet, für ein paar kritische Augenblicke seine Gestalt und Identität angenommen, und dann war er weitergezogen.

Oder?

Fain straffte sich plötzlich. Er hob den Hitzestrahler, wirbelte herum, richtete ihn auf das Loch im Boden und feuerte.

Von unten kam keine Reaktion.

Fain ließ sich auf die Knie fallen, kroch über den Fußboden und sah hinunter.

Der Raum unten war leer.

Fain wußte, daß er dort unten am Boden gelegen hatte, über sich den breiten, stinkenden, fetten Leib des alveanischen Soldaten.

Dieser alveanische Soldat war der Änderling gewesen.

Das war ihm jetzt so klar, wie es das von Anfang an hätte sein sollen.

Der Änderling hatte ihn überlistet, ihn an der Nase herumgeführt, ihn lächerlich gemacht. Der Änderling hatte ihn zum Narren gehalten wie einen Amateur.

Und was noch schlimmer war: Fain begriff, daß der Änderling nicht völlig allein gearbeitet hatte. Fain selber hatte ihm die ganze Zeit geholfen.

Er hätte Verdacht schöpfen müssen: Ein einsamer Alveaner, der noch wach war, während Dutzende andere schliefen. Ein einsamer Alveaner, der ganz zufällig genau wußte, wo General Nokavo sich versteckt hielt. Ein einsamer Alveaner, welcher der Änderling war.

Fain beherrschte seine Wut, die in ihm anschwoll wie eine Woge, und stieg vorsichtig die Leiter hinunter. Als er unten ankam, hörte er in der Ferne das Brummen eines Flugzeugmotors. Fain lauschte bewegungslos, und das Geräusch wurde tiefer. Er versuchte, seine Bahn zu verfolgen und verglich sie mit seinen Schnellkurs-Kenntnissen der alveanischen Geographie. Süd-Südwest. Ja, natürlich: Kalic. Die Stadt. Der Änderling war auf dem Weg dorthin, zu Skallon.

Fain schob seine Waffe in das Holster und begann zu laufen. Als er die Straße erreichte, umhüllte ein Meer von Qualm die Basis. Die dick gepolsterte Kleidung erschwerte das Laufen, und schon nach wenigen hundert Metern in der alveanischen Hitze keuchte er. Aber er blieb nicht stehen, und er wurde nicht langsamer. Fünf Jahre des Versagens hatten sein Inneres zum Kochen gebracht. Tief in ihm, das wußte er, war dieser kühle Mittelpunkt der Gewißheit, das Gyroskop, das ihn leitete. Jetzt würde er rennen und die matten Jahre ausschwitzen. Er würde sich vorantreiben, bis diese Weichheit aus seinem Körper und seinem Geist verschwunden wäre. Er würde aus seiner Mitte heraus arbeiten, aus seiner Sicherheit. Wenn das übrige weggebrannt war, dann würde er wieder klar denken können, und dann würde er diesen Änderling aufspüren, und er würde ihn töten.

3

Es ist gut, wieder auf einer Welt zu sein. Der mächtige Wille der Schwerkraft formt die Luft, weist jedem Partikel seinen Platz im Tanz. Der Änderling schießt voran in der klappernden Maschine der Luft, durchschneidet den Wind und bleibt nur knapp über der schäumenden Vegetation. Er braucht Schnelligkeit. Und Leichtigkeit. Er sieht einen Punkt unter sich, und er lauscht dem schwerfälligen Scheppern der Maschine, während das Ding versucht zu tun, was es tun soll, was der Augenblick erfordert, und die fleischige Fracht kommt flatternd zur Ruhe inmitten des dichten, reichen Lebens. Hier sind Tiere. Sie suchen die Gaspflanzen, sie beten und packen die Pflanzen mit zierlichen, scharfen Klauen, eine schwelgende Herde. Sie trennen die atmenden Wurzeln von den photonenverzehrenden Lappen. Die Pflanzen, in ihrer Pein, stoßen Gase aus, in üppigen Wolken. Der Änderling pflückt ein paar, er ißt und beginnt diese Welt kennenzulernen. Mit einer kühlen Schnauze beschnüffelt er die Herdentiere. Er sieht und leckt. Er spürt, wie der Augenblick naht, und erhebt sich. Die Hand formt sich zu einer Klinge, und sie fällt herab, rot schneidend, breit. Gedärm ergießt sich auf den trockenen Boden. Der Geruch verknäuelter Innereien hängt sauer in der Luft. Der Änderling saugt die ungeheuren Massen auf, die zu ihm kamen auf behuften Füßen. Er schneidet, kaut und schlürft das bebende volle Leben in sich hinein, den Duft des Fleisches. Und er erneuert sich. Sein geripptes Fleisch absorbiert den feuchten Schmaus. Zellen quellen dankbar auf, Säcke füllen sich mit Flüssigkeit, Gelenke knacken und knirschen, und Poren und Blutgefäße des Körpers absorbieren die Fülle der gastlichen Welt.

4

Die lehmverschmierten Stiefel achtlos auf die zerknüllten weißen Laken gebettet, legte Fain die Hände in den Nacken und starrte auf das hölzerne Rechteck der Tür. Skallon. Wo war Skallon? Selbst ein Idiot müßte vernünftig genug sein, nicht des Nachts und allein auf einem Planeten spazierenzugehen, den er kaum kannte.

Fain hätte gern eine Tabakzigarette geraucht. Diese Angewohnheit hatte er sich erst neulich zugelegt, aber sie war ziemlich stark. Auf Alvea war die Droge offensichtlich unbekannt. Fette Menschen rauchten ohnehin nur selten.

Der Türknopf drehte sich. Fain bemerkte die winzige Bewegung und griff lässig nach seinem Hitzestrahler. Seine Finger umschlossen den Kolben, aber er zog die Waffe nicht heraus. Ein Fuß erschien im Türspalt. Eine Angel kreischte, und ein Arm wurde sichtbar. Fain entspannte sich, ohne dabei den Griff der Waffe loszulassen. Als William Skallon schließlich vollständig im trüben Licht des Korridors zu sehen war, ließ Fain seinem Ärger und seiner Ungeduld freien Lauf. „Es wurde auch Zeit“, sagte er.

Skallon erstarrte. Sein Mund stand offen, und seine Augen waren weit aufgerissen. Er starrte auf den Fleck, den Fains schmierige Stiefel auf den sauberen weißen Laken hinterlassen hatten. „Was?“ brachte er hervor. „Was machst du denn hier?“

„Komm herein“, sagte Fain.

„Ja. Ja natürlich.“ Er gehorchte widerspruchslos. Das flackernde Gaslicht beleuchtete das Zimmer. Skallon versuchte nicht erst, sich hinzusetzen. Es gab nur das Bett.

„Wo warst du?“ fragte Fain.

„Ich ... ich könnte dich das gleiche fragen.“

Fain lächelte mit schmalen Lippen. „Und ich würde es dir sagen. Aber in diesem Fall habe ich zuerst gefragt.“

„Draußen“, sagte Skallon. Seine Überraschung hatte sich gelegt, und er sprach gelassen und ohne jede Prahlerei. „Ich war bei einer

Bestattungszeremonie und habe andere eingeborene Praktiken gesehen ... beobachtet. Das ist ja wohl mein Job hier, oder nicht? Ich soll doch der Experte für alveanische Kultur sein. Ich dachte, deshalb hätten wir ..."

„Dein Job ist", unterbrach Fain, „zu tun, was dir gesagt wird. Von mir."

„Ich glaube, ganz so einfach liegen die Dinge nicht."

Fain zuckte die Achseln. Was Skallon glaubte, interessierte ihn nicht, und er stritt sich niemals. Mit jemandem zu streiten bedeutete, sich mit ihm auf eine Stufe zu stellen, und das war etwas, was Fain selten jemandem zugestand. „Wo ist der Hund? Du hast ihn doch nicht mitgenommen?"

„Nein, selbstverständlich nicht. Ich war allein. Völlig allein. Scorpio hat sein eigenes Zimmer. Der Wirt, Kish ..."

„Heute nacht nehme ich ihn zu mir. Es war sehr dumm, ihn allein zu lassen. Scorpio ist viel wertvoller für diesen Auftrag als jeder von uns beiden. Vergiß das nicht."

„Ich werde daran denken." Skallons Gesicht hatte sich verfinstert. Allmählich wurde er wirklich wütend.

Fain beschloß, ihn zu beschwichtigen. Er setzte sich auf - die einheimischen Betten, gefüllt mit irgendwelchem billigen, klumpigen Zeug, waren nicht sehr bequem. „Ich will nicht ganz und gar negativ sein, Skallon, aber du darfst bestimmte, unbestreitbare Tatsachen nicht außer acht lassen. Du und ich, wir sind fremd auf dieser Welt. Mir ist egal, wie viele Bücher du gelesen und wie viele Tapes du dir angesehen hast. Diese Leute sind Aliens. Sie sehen nicht so aus wie wir, sie handeln nicht so, und sie denken nicht so. Sie sind *bug-eyed monsters,* und wir sind echte Menschen. Du darfst dem Wirt nicht trauen. Du darfst weder seiner Frau noch seinem Sohn trauen. Du darfst ..."

„Aber ich wollte doch nicht ..."

„Halt den Mund. Ich habe gehört, wie du im Hof geredet hast, und es war nicht sehr clever. Wir haben einen Auftrag hier. Er ist wichtig und wir können beide getötet werden. Hast du verstanden? Also: Wenn wir von jetzt an ausgehen, dann gehen wir zusammen. Schluß mit den Spaziergängen auf der Suche nach leichter Unterhaltung. Das gilt für mich ebenso wie für dich. Wir brauchen einander nicht zu mögen, aber wir müssen einander beschützen. Niemand sonst wird das tun. Ist das klar?"

„Ich denke schon, Fain." Er war wütend, aber er hatte zugehört, und das letzte von dem, was Fain gesagt hatte, hatte den Kern der Sache getroffen.

„Okay", sagte Fain. „Dann noch etwas anderes. Im Laufe deiner Wanderungen bist du nicht zufällig dem Änderling begegnet?"

„Woher weißt du, daß er in Kalic ist?"

„Ich habe seine Spur den ganzen Tag verfolgt. Auf der Luftwaffenbasis hätte ich ihn beinahe gestellt, aber er ist mir entwischt und hat einen Aufklärer gestohlen. Er muß irgendwo vor der Stadt damit gelandet sein. Seine Spur war nicht schwer zu verfolgen. Der Änderling hat einen Vorrat an Vertil und ist überhaupt nicht zimperlich damit. Das letzte deutliche Zeichen habe ich weniger als einen Kilometer von hier gefunden. Zwei deiner Alveaner, die an der Droge verreckt sind."

Skallon sagte: „Was ich nicht verstehe, ist: Woher hat er ..."

„Das Vertil?" Fain zuckte die Achseln. „Da gibt es nur eine Möglichkeit: Infiltration."

„Auf der Erde?"

„Warum nicht? Sie haben die Hinterwelten infiltriert. Was ist denn so Besonderes an der Erde? Es war jedenfalls nicht pures Glück, daß er so weit gekommen ist. Inzwischen weiß er wahrscheinlich, wer wir sind. Mit dieser Verkleidung werden wir ihn nicht täuschen."

„Nein", sagte Skallon leise. „Nein, das glaube ich auch nicht." Er ließ sich auf den Bettrand sinken. Fain stand auf. Es schien Skallon ziemlich hart getroffen zu haben. Was es wohl sein mochte, fragte er sich. Die Vorstellung eines Spionagenetzes von Änderlingen auf der Erde? Hatte das Skallons empfindsamen Sinn für Ordnung durcheinandergebracht? Das völlige Chaos, so nahe bei der Heimat? Der Gedanke amüsierte Fain.

„Steh auf", sagte er. „Steh auf und bring mich zu Scorpio. Ich will ihn sehen, und ich will etwas essen. Weck den Wirt."

„Aber es ist tiefste Nacht, Fain."

„Na und? Keine Sorge. Er wird nichts dagegen haben. Ich bin randvoll mit Vertil.“ Er deutete auf seinen Mund.

In einem plötzlichen, unverhofften Zornesausbruch sprang Skallon auf. „Was tust du denn damit?“

„Ich mußte schließlich herkommen, oder nicht? Ich mußte mich beeilen. Ich konnte mir keine Spielereien leisten, mit meinem Akzent und meinen Kleidern. Der Änderling war die ganze Zeit weit vor mir. Ich hatte keine Zeit, höflich zu sein und um alles, was ich wollte, zu bitten.“

„Aber war das nicht ziemlich ... ziemlich ...“ Skallon wirkte verwirrt und aufgebracht. „Fain, war das nicht dumm?“

„Dumm?“ Die Wut übermannte Fain. „Wer zum Teufel bist du, daß du ...“

Aber jetzt war Skallon nicht zu verunsichern. „Fain, es sind Menschen, mit denen wir es zu tun haben, nicht Tiere. Sieh dich doch an.“ Skallon betrachtete Fain, als sähe er ihn zum ersten Mal. „Deine Kleider sind ein einziges Durcheinander, dein Make-up ist verlaufen. Bei dem Anblick hält dich keiner für einen Doubluth.“

„Ich sagte doch, es war keine Zeit für Nettigkeiten.“

„Bist du sicher? Vertil sollte ein Luxus sein. So wie du es benutzt, liegt dir offenbar nichts an diesen Leuten. Ich dachte immer, wir seien anders als die Änderlinge. Ich dachte, wir sollten die Alveaner vor ihnen retten.“

„Das behaupten einige.“ Fain hätte sich dazu äußern können. Er wußte sehr wohl - auch wenn Skallon das nicht wußte -, daß sie hier waren, um die Interessen des Erdenkonsortiums zu beschützen. Alvea kam nur da ins Spiel, wo seine Interessen und die der Erde zufällig übereinstimmten. Das alles hätte er Skallon vorhalten können, aber er erinnerte sich rechtzeitig daran, daß er sich niemals stritt. „Komm, wir besorgen uns etwas zu essen.“

„Dann hältst du dich aber im Hintergrund. Misch dich nicht ein. Kein Vertil.“

Fain grinste. Seine Hand lag schon auf dem Türknopf. „Gemacht.“

Aber als die beiden Männer sich unsicher durch den trüb erleuchteten Korridor tasteten, konnte Fain sich gewisser Gedanken nicht erwehren. Wenn Skallon nun recht hatte? War seine Entscheidung, das Vertil zu benutzen, wirklich der vernünftigste Weg gewesen, Kalic rasch zu erreichen? Oder etwa nur der naheliegendste und einfachste?

Habe ich wieder einen Fehler gemacht? fragte Fain sich. *Und wenn ja, wie viele kann ich mir noch leisten?* Dies war eine Frage, über die er nicht gern nachdachte. Auch hier war die Antwort allzu offensichtlich.

Scorpio leckte den leeren Teller auf dem Boden ab und gab ein gutturales Grunzen der Zufriedenheit von sich. Der Neohund hob seinen Kopf und sagte: „Skallon. Füttert. Scorpio. Ein. Mal."

Fain funkelte Skallon über den Tisch hinweg an. „Scorpio bekommt täglich drei Mahlzeiten. Das hättest du wissen müssen."

„Ich wußte es. Ich habe es vergessen. Entschuldigung." Skallon gähnte. Es war offensichtlich, daß sein nächtlicher Spaziergang durch die Stadt sich jetzt bemerkbar machte.

„Warm. Hier", sagte Scorpio und begab sich zu dem breiten steinernen Kamin, in dem ein Holzfeuer brannte. „Ich. Schlafe." Das Zimmer roch nach Rauch, aber der Geruch war eigentlich nicht unangenehm. Sogar Fain hatte noch nie gesehen, daß jemand echtes Holz verbrannte, nur um es warm zu haben.

„Bringt mir bitte noch eine Portion", sagte er und hielt seinen Teller hoch. Als Kish, der alveanische Wirt, an ihn herantrat, wandte Fain absichtlich den Kopf ab. Es war so gut wie sicher, daß das Vertil inzwischen verflogen war, aber er wollte Skallon bei Laune halten. Zunächst hatte Kish sich glatt geweigert, so spät noch etwas zu essen auf den Tisch zu bringen. Skallon war gezwungen gewesen, zu bitten und flehentlich auf ihn einzureden, während Fain, insgeheim lächelnd, geduldig im Korridor gewartet hatte. Als Kish schließlich grummelnd an Skallons Seite erschienen war, hatte Fain kein Wort gesagt.

„Noch etwas Fleisch?" fragte Kish.

„So etwas bekommen wir auf der Erde nicht."

„Fleisch von toten Tieren", meinte Skallon, der kurz aufwachte, um angewidert die Stirn zu runzeln.

„Fleisch von toten Pflanzen ist auch nicht besser“, sagte Fain.

Als Kish watschelnd im Nebenraum - der Küche - verschwunden war, fing Skallon wieder an. „Hör mal, Fain, ich bin zufällig müde, und wenn du nur jemanden suchst, den du angucken kannst, während du ißt ...“

„Sei still“, sagte Fain. Er hatte etwas gehört, ein Geräusch wie wenn jemand hustete, und es war hinter der Küchentür hervorgedrungen. Und das Geräusch - der Husten - war zu hoch, als daß es von Kish hätte kommen können. Es war noch jemand nebenan. Fain winkte Skallon, sich still zu verhalten. Er stand auf und griff nach seinem Hitzestrahler. Er hätte sich selbst in den Hintern treten können. Wie hatte er vergessen können, die anderen Räume zu überprüfen? Wieder ein Fehler - und nach so kurzer Zeit.

Leise und auf Zehenspitzen durchquerte Fain das Zimmer. Scorpio, der neben dem Feuer lag, erwachte augenblicklich. Er beäugte die Szene sorgfältig aus halbgeschlossenen Augen. Mit schnellem Griff packte Fain den Türknopf und riß die Tür auf. Im selben Augenblick zog er den Hitzestrahler, und sein Finger spannte sich um den Abzug.

Er sah drei Gestalten. Kish stand dicht neben einem brennenden Herd. Die zweite Gestalt war eine Frau. Ein kleiner Junge schrie auf, als er Fain erblickte. Der Schrei konnte Überraschung oder sogar Freude bedeuten.

„Ruhe“, sagte Fain. Er trat langsam ins Zimmer und richtete seine Waffe auf Kish. „Wer sind diese Leute?“

„Das kann ich dir sagen, Fain.“ Skallon stand hinter ihm in der Tür. „Die Dame ist Joane, und sie ist zufällig Kishs Frau. Und der Junge ist Danon, ihr Sohn.“

„Die sind nicht fett.“ Fain hatte den Hitzestrahler jetzt auf die Frau gerichtet. Sie schien seine Funktion zu begreifen und wich zurück, bis sie an die hintere Wand stieß.

„Nur erwachsene männliche Alveaner essen im Übermaß. Erzähl mir nicht, daß du das noch nicht bemerkt hast.“

„Ich hatte noch keine Zeit, irgend etwas zu bemerken.“ Was Fain allerdings, zu seiner eigenen Überraschung, sehr wohl bemerkte war, daß die Frau erstaunlich hübsch war. Nicht schön - nicht wie

Batemans Töchter –, aber seltsam sinnlich und eher körperlich, eine feste, kräftige Erscheinung und nicht ein Gebilde aus Seide, Flaum und feinen Spitzen. „Aber der Änderling hätte es bemerkt."

„Joane ist nicht der Änderling."

„Woher weißt du das?"

„Ich weiß es nicht, aber Scorpio weiß es. Und der ist schon wieder eingeschlafen."

Fain warf einen Blick hinter sich, um sicherzugehen, daß Skallon recht hatte, und als er den schlummernden Hund sah, schob er den Hitzestrahler in sein Holster. „Es tut mir leid", sagte er, zu Kish gewandt, „aber wir können gar nicht vorsichtig genug sein. Skallon hat Euch gesagt, warum wir hier sind. Der Feind kann überall sein – und in jeder Gestalt."

„Ich weiß, ich weiß, aber ..." Kish starrte auf den Fußboden, wo Fains zweite Fleischportion wie ein feuchter Klumpen unter den Scherben des Tellers lag. „Es ist noch mehr da. Ich bringe ..."

„Nein", sagte Fain. „Laßt es gut sein. Wir haben Euch lange genug wachgehalten. Geht jetzt schlafen. Du auch." Dies galt dem Jungen, der die ganze Zeit über nichts gesagt und sich damit begnügt hatte, mit weit aufgerissenen, erstaunten Augen zuzusehen. „Eure Frau kann uns bringen, was wir noch brauchen."

„Ja, natürlich. Meine Frau. Ja, natürlich. Joane, neues Fleisch für unsere Gäste."

Fain kehrte in den Speiseraum zurück. Als er sich an den Tisch setzte, murmelte Skallon ihm ins Ohr: „Du hast soeben eine wesentliche Regel der Etikette verletzt. Eine alveanische Frau bedient niemanden außer ihrem Mann."

Fain zuckte die Achseln. „Die wissen doch schon, daß ich ein Wilder bin."

Die Frau erschien mit einer Platte voll gekochtem Fleisch, die sie vor Fain auf den Tisch stellte. Sie war allein. Also waren Kish und Danon offenbar durch einen rückwärtigen Gang verschwunden. Während er aß, stellte Fain fest, daß er seinen Blick nicht von Joane abwenden konnte. Sie saß neben der Küchentür und erwiderte sein Starren, und es schien, als lächelte sie kaum merklich. *Sie sieht mich an, als ob sie alles über mich wüßte,* dachte Fain. *Aber wie könnte sie das?* Die Frau war eine Alveanerin. Trotz ihrer breiten Hüften, ihrer schweren Brüste und der dicken, aufgeworfenen Lippen war sie ein Konstrukt, pseudo-menschlich, ein Wesen, das für das Leben auf dieser fremden Welt entwickelt worden war.

Und Fain wußte, daß ihm alle derartigen Leute zuwider waren.

Er mußte seinen ganzen Willen aufbieten, um seine Augen von der Frau abzuwenden und Skallon anzusehen, der anscheinend schon wieder halb schlief. „Hör mal", sagte er, „ich habe dich nicht mit heruntergebeten, damit du mich den Eingeborenen vorstellst. Es gibt ein paar Dinge, die wir, meine ich, diskutieren sollten, ehe es hell wird. Wir müssen unsere grundsätzliche Strategie klären. Änderlinge schlafen nämlich nicht, weißt du, und sie machen sich nur selten die Mühe, etwas zu essen. Er ist uns jetzt schon voraus, und wir können uns nicht erlauben, den Abstand weiter zu vergrößern."

„Und was schlägst du vor?" Skallon bemühte sich, durch die unübersehbaren Schranken seiner Erschöpfung wenigstens halbwegs interessiert auszusehen.

Fain warf einen Blick auf die Frau. War es klug, in ihrer Gegenwart zu reden? Aber sie war ja nicht der Änderling selbst, und sie arbeiteten niemals mit Spionen. Er hatte das Gefühl, daß sie, selbst wenn er sie wegschickte, einen Weg finden würde, um zuzuhören. Falls das Gespräch sie interessierte. Aus ihrer entspannten Haltung und ihrem ausdruckslosen Blick schloß er, daß dies im Augenblick nicht der Fall war.

„Zunächst einmal", begann er mit leicht gesenkter Stimme, „müssen wir denken wie ein Änderling. Seine Aufgabe hier - seine einzige Aufgabe - ist Zerstörung. Und diese Mission wird er auf die schnellste, einfachste und direkteste Art und Weise angehen, die möglich ist. Du bist zwar der Experte für die Situation auf diesem Planeten, aber mir scheint, daß diese Epidemien ihm dabei am meisten in die Hände spielen. Solange ich heute draußen war, habe ich überall die Zeichen gesehen - sterbende Alveaner, tote Alveaner und solche, die eine Todesangst vor dem Tode hatten."

„Und die Schuld dafür geben sie der Erde."

„Genau", sagte Fain. „Und wie ich sagte, der Änderling wird das gleichfalls bemerken. Es ist ja nicht so, daß er es hier mit einem permanenten Status zu tun hätte, der hart ist wie Beton. Alvea ist wie eine Ziegelmauer, und irgendwo in der Mitte ist es hohl. Wenn man gegen die falschen Stellen schlägt, wird nichts passieren. Aber finde den richtigen Punkt, und die Mauer bricht zusammen."

„Und die Seuchen sind diese hohle Stelle?"

„Klar. Bist du anderer Ansicht?"

Skallon zuckte die Schultern. „Über alles das wurde schon auf der Erde gesprochen, aber ich habe hier nichts gefunden, das dagegen spräche."

„Dann, meine ich, sollten wir unserer ursprünglichen Angriffslinie folgen. Wir wissen, daß sämtliche Führer des Planeten sich demnächst hier versammeln."

„Ich habe schon eine Reihe von Angehörigen der oberen Kasten auf der Straße gesehen. Manchmal benutzen sie Motorfahrzeuge. Das ist sonst niemandem gestattet."

„Da werden wir den Änderling dann finden. In einer dieser Zusammenkünfte", sagte Fain mit Entschiedenheit. „Er wird sich als Angehöriger der Oberen Kasten ausgeben."

Skallon nickte. „Wir dürfen nicht vergessen, daß er die erdfeindliche Stimmung aktivieren kann, wenn er uns entdeckt. In einem Punkt müssen wir sehr vorsichtig sein, nämlich ..."

Aber Fain hörte nicht zu. Die Frau lehnte an der Wand, und als er sie ansah, reckte sie sich und drehte ihren Hals in langsamer, träger Anmut. Eine faule, sinnliche Bewegung; sie erinnerte ihn an die beiden Bateman-Töchter. Der Gedanke an sie und an die warme, schwebende Zeit mit ihnen kehrte immer wieder zurück. Er wußte, daß sich das als Schwäche erweisen konnte, daß es seine Konzentration in einem lebenswichtigen Augenblick ablenken konnte. Aber ein anderer Teil von ihm kannte diesen Hunger nach Berührung sehr genau, den Hunger nach dem wundervollen, geschmeidigen Reiben von Haut an seiner Haut; er war ein notwendiges Gegengewicht zu dem professionellen Fain, den er aus sich gemacht hatte.

In den langen Jahren des Erwachsenwerdens und der darauffolgenden Ausbildung hatte Fain sich seinen privaten Mittelpunkt, das Geschenk seine Vaters, bewahrt. Dadurch war es ihm möglich gewesen, der kühle, unerschütterliche Fain zu sein, eine Rechenmaschine in einem steinharten Körper. Wenn der Druck zu stark wurde, konnte Fain sich immer dorthin zurückziehen, wo die kalte, klare Wahrheit saß. In gefährlichen Augenblicken konnte Fain sein Leben aufs Spiel setzen, eben weil er den Tod verachtete. Das hatte sein Vater ihm gegeben: eine Sicherheit jenseits allen Glaubens, eine einfache Tatsache. Indem er die Menschen, die ihn umgaben, beobachtete, hatte er mit den Jahren eines gelernt: Wenn es darauf ankam, würden sie davor zurückschrecken zu tun, was klug war, weil sie vor einer Grenze standen, einer Linie, jenseits derer sie ihr Leben nicht einsetzten.

Fain hatte keine solche Grenze. Die Sicherheit gab ihm einen klaren Blick und ließ ihn um einen Bruchteil besser sein als andere. Der Tod war nichts. Fain wußte, daß der Kern seines Wesens nicht sterben würde, nicht sterben *konnte*. Er würde weiterleben.

Woher er das eigentlich wußte, blieb für Fain ein beständiges Rätsel. Sein Vater hatte ihm etwas erzählt, er hatte ihm Dinge gezeigt ... die Bilder verwischten sich, verliefen ineinander, verschwanden. Die Ärzte sagten, das Trauma der Ermordung seines Vaters habe dies ausgelöst. Fain war dessen nicht so sicher. Verschwommen erinnerte er sich, wie er in der Nacht der Ermordung durch die Straßen gewandert war, wie er durch endlose Betonschluchten gestreift war, die glatt und schwarz vom Regen waren. Irgend jemand fand ihn, als über den hohen Häusern der Morgen graute.

Seine Erinnerung an jene Nacht und an die Wochen, die darauf folgten, waren nur bruchstückhaft. Er wußte, daß er einige Wochen in einem Psychomatrix-Zentrum verbracht hatte und daß die Ärzte an ihm gearbeitet hatten. Als er eines Morgens erwachte, sah die Welt anders aus: weniger verschwommen und ungeordnet; und im Laufe dieses Tages sagten sie ihm, daß er nun völlig wiederhergestellt sei. Auf irgendeine Weise hatten sie die beklemmende Furcht, das Grauen, das ihn ergriff, wenn er an seinen Vater dachte, auslöschen können. Aber statt dessen war da jetzt diese klare Gewißheit, etwas jenseits allen Glaubens.

Er wußte, daß er nicht sterben würde. Auf eine irrationale Weise wußte er es - oder er glaubte es zu wissen. Aber es war da: ein absolutes Vertrauen in sein Geschick, in ein Leben ohne Ende. Irgendwie lag diese kalte Sicherheit wie eine Maske über dem, was sein Vater für ihn getan hatte. Irgendwie hing es mit den Augen des brennenden Mannes zusammen, war es verknüpft mit jenem letzten Gruß zwischen Vater und Sohn, mit diesem Signal über den Abgrund hinweg. Irgendwie. Aber Fain konnte den Knoten dieses Wissens nicht entwirren. Indem sie ihn heilten, hatten sie etwas in ihm versiegelt, das es ihm in unbegreiflicher Weise ermöglichte, am Leben zu bleiben. Zu arbeiten.

Er konnte nie mit anderen darüber sprechen. Sie würden nicht verstehen, daß seine unerschütterliche, innere Gewißheit ihn zu dem machte, was er war. Er hatte ein paarmal versucht, es zu erklären, es in stockenden, unbeholfenen Sätzen zu formulieren. Aber der Knoten in seinem Innern hatte sich um seine Zunge gewunden, so daß er sich immer wieder stolpernd von seinem Thema entfernte, unvermittelt errötend, mit gesenktem Blick und rauher Kehle, als erstickte er an seinen Worten. Und so hatte er gelernt, es in sich zu tragen wie eine unbarmherzige Last. Und als er sich erst den Ruf des harten, sicheren, unerschütterlichen Profis erworben hatte, wurde es noch schwerer. Andere begannen sich auf ihn zu stützen. Sie waren abhängig von seiner Führung. *Was meinen Sie dazu?* hieß es. *Das ist der schwierige Teil der Operation, laß Fain das machen. Wir haben sonst niemanden, der das könnte.* Als er sah, daß seine Sicherheit bedroht war, weil er immer wieder der Angelpunkt sein mußte, hörte er schließlich auf, in Teams zu arbeiten. Er wurde zu einem Einzelgänger. Irgendwie verlagerte sich sein inneres Gleichgewicht daraufhin. Die Arbeit allein besaß ihre eigenen Annehmlichkeiten, aber sie hatte auch ihren Preis. Um dieser Belastung zu entgehen, und nicht, um vor der Todesgefahr zu fliehen, die wie eine Wolke über seinem Beruf hing, verlangte es Fain nach weiblichem Trost. Nach der Offenheit der Frauen. Nach ihrem Entgegenkommen. Nach dem warmen, schützenden Moschusduft, der von ihnen ausging.

Joane gähnte und drehte sich anmutig um; einen Augenblick

lang erhob sie sich dabei auf die Zehenspitzen, wie Fain es schon früher bei alveanischen Frauen beobachtet hatte. Mit animalischer Grazie tappte sie auf leisen Sohlen in die Küche. Fain sah ihr nach. Skallon redete immer noch, aber Fain hörte nichts.

Bevor Joane durch die Tür verschwand, wandte sie sich in einer grazilen Bewegung um und sah ihm direkt ins Gesicht. Ihre Augen glitzerten. Dann zwinkerte sie. Es geschah so schnell und war so rasch vorüber, daß Fain nicht sicher war, ob er es tatsächlich gesehen hatte.

5

Geschmeidig bewegt er sich in einsamer, prächtiger Isolation durch die Fahnen des feuchten Dschungels. Ein vorüberhuschender Schatten. Weiches Hufgetrappel, gleitendes, schuppiges Fleisch. Der Geruch von salzig rinnendem Schweiß. Und er schlüpft durch ein Gewirr von Ranken, zerreißt ihre Stiele in der atemberaubenden Hitze dieser neuen, stickigen Luft. Fremd, ja. Aber ihm war nichts je wirklich fremd. Alle Formen waren hohl. Mit allen konnte man spielen. Leicht konnte er in die Welt der vorüberhuschenden Grauratte hinabgleiten, ihr wirres Universum erkunden, in ihr feines Quieken einstimmen. Er konnte seine Hand zu einem springenden Abbild der Grauratte formen. Und einen Augenblick später konnte er zu dem geduckten Mann werden, der ein langes Rohr auf die Ratte richtete und sie mit einem Feuerstrahl zu Boden warf, für immer. Er konnte singen im rauhen Lachen des siegreichen Augenblicks, der kurzen Vision. Davon trinken und darin atmen und verschwinden, fort, hin zu neuen, plastischen Träumen. Das Leben ringsumher schmecken, immer schmecken, tasten, wissen, voller Verlangen …

Zwei Norms folgen ihm. Er hat die Kapsel schwerfällig herabsinken sehen und weiß, daß es zwei sein müssen. Norms von der Erde, die schlimmsten von allen Norms. Schwache, ängstliche, vorsichtige Kreaturen – warum sonst liebten sie ihre Maschinen so sehr? Maschinen waren Krücken. Menschen, die sie benutzten, zitterten vor dem Leben des Einen.

Norms verströmen ein falsch geordnetes Muster von Lügen – und alle Muster sind Lügen – und behaupten, es sei die Wirklichkeit. Nur das Eine kann das wahrhaft Wirkliche kennen. Nur das Eine kann beiseite treten, tanzend auf dem Augenblick, und sagen: *Dies ist sicher und wahr, und jenes ist falsch und trügerisch. Zeuge!* Die Norms, in ihrer Angst, denken niemals daran. Norms zucken voller Grauen zurück vor dem Ungewissen, vor dem wunderschönen Unwägbaren, dem Universum liebevollen Fließens, in dem mit jeder frischen Sekunde nichts je wieder dasselbe für die Augen des Körpers ist. Dem verweigern sich die Norms, und darin liegt ihr Versagen. Ungewißheit ist Kraft, war Kraft und wird Kraft sein, für alle Zeiten, und in dem Einen zusammenfließen. Veränderung ist die Konstante, Worte entgleiten den Fesseln der Bedeutung, und das Eine, das dies sieht, muß als tanzender Sieger hervorgehen, die Norms mögen ihm folgen. Doch sie werden ihm niemals voraussein.

Er liebt diesen Dschungel. Das Gewölbe der Pflanzen, die turmhohen, verkrusteten Gräser. Überall huschendes, hetzendes Leben. Fontänen von summenden Luftströmen, krabbelnde, schwarzgerippte Käfer, springende Grashüpfer, das sanfte Getrappel der kleinen Nager. Seltsame Schnauzen und Schnäbel und das Klicken von winzigen Zähnen. Winde zerharken die Wolken am harten Himmel, und ein großer, schlanker Vogel gleitet im Bogen vorüber; sein schriller, gellender Schrei zerreißt die Ruhe des Augenblicks. Die Menschengestalt im Cañon der Farne bleibt stehen und starrt und hebt eine Faust zu plötzlichem Gruß, in überschwenglicher Freude an diesem unverhüllten, herrlichen Moment der Veränderung. Der tanzende, singende Augenblick, ja. *Heil!* Die Faust windet sich, macht vier Finger, dann sechs, und Daumen verknoten sich zu einem harten Keil. Dies ist Leben, und Leben ist dies – Veränderung, himmlisches Chaos. Nur der Tod selbst, das rohe Rot, das hinter allem lauert, ist stabil und sicher und niemals anders, obgleich natürlich auch der Tod eine Illusion ist.

Er bringt den Tod, doch er segnet das Leben. Im Angesicht der Veränderung muß das Unveränderliche untergehen, denn das ist sein Erbteil. Die Norms müssen sterben. Die Norms wissen nichts.

Er weiß alles und plant nichts. Der alveanische Flughafen, den er aus der Luft gesehen hat, ist ein gutes Ziel. Das Vertil, Geschenk von einem anderen, ist wahrscheinlich die Waffe. Es gibt mögliche Manöver, aber keine sichere Taktik. Wer das Chaos zum Ziel hat, kann zahllose Wege gehen. Er streift durch den Dschungel, jetzt auf vier Beinen und dann wieder auf dreien und manchmal auch auf zweien. Er gleitet, kriecht, springt, und als er einen dahinströmenden Bach erreicht, schwimmt er behende wie ein Fisch.

„Führt mich zu General Nokavo", sagt er, und er kleidet sich in die leuchtenden Gewänder und das massige Fett der obersten Kaste von Bürokraten. Der Soldat am Tor blinzelt angesichts solcher Herrlichkeit.

„Euer Name, hoher Herr?"

„Ich bin ..." – er denkt, doch er denkt nicht nach – „... Fain."

„Wenn Ihr mir bitte folgen wollt, hoher Fain." Ein Name – er hat keinen. Nein, denn er hat schon Hunderte getragen, und bis zu jenem unausgesprochenen Augenblick der Vernichtung wird er noch viele weitere tragen. Fain ist ein Name, den er gehört hat. Der, der die Veränderung tötet. Der, der handelt im Namen des Stillstands. Ein Widerspruch, gewiß, aber das ist vielleicht auch der Norm Fain. Er ist einer von denen, die folgen.

„Steht still, legt die Hände auf den Kopf, schließt die Augen und redet nicht."

Er ist allein mit General Nokavo und erforscht die Gedanken des kräftigen Mannes. Fragen verlieren sich in der Luft. Er erfährt von den Kräften dieser kümmerlichen Basis, von ihren antiquierten Waffen und von ihrem trägen Rhythmus. Aber die Grenzen, die es hier gibt, sind ohne Bedeutung. Die bewaffneten Alveaner können trotzdem hilfreich sein.

Er befiehlt dem General, und der wiederum befiehlt seinen Männern. Sie besteigen die Hubschrauber und starten. Sucht die Erdenmänner. Sie werden hier sein, in diesem Radius. Findet sie. Seid schlau, seid schnell. Tötet sie.

Sie werden natürlich versagen. Diese Alveaner sind wie Kinder, verglichen mit Fain.

Das Vertil tut gute Dienste. Doch der General wird schwach, verwirrt. Er verhaspelt sich, als er mit einem Untergebenen spricht. Dann beginnt er benommen zu wanken. Ein schlechtes Zeichen.

Bedauernd, aber dennoch rasch - die Gerechtigkeit verlangt es - zieht der Änderling die Waffe aus dem engen Gürtel des Generals. Er zielt. Feuert.

Der Leichnam ist einfach zu verstecken. Der Änderling ißt noch ein wenig von den Lebensmitteln des Generals, die er in einem kleinen Vorzimmer gefunden hat. Überall verwahren die Alveaner ihre stärkereiche Grütze, sollte der Hunger erwachen. Vielleicht auch hat es religiöse Bedeutung. Unwichtig. Er saugt die mehlige Mahlzeit auf, froh über diesen Zugewinn an Masse und Kraft.

Er schlüpft in Kleider und Identität des toten Generals. Er ruft die Truppen zusammen. Einem Bataillon befiehlt er den Angriff. Der Feind? Dort sind die Verräter.

Ja: Die Welt explodiert in Gewehrfeuer und metallischen Explosionen. Männer rennen, sterben. Es lebe die Verwirrung.

Hoch auf seinem Turm betrachtet er Feuer und Rauch, fließendes Blut und unveränderlichen Tod. Ein schillerndes, buntes Spiel. Nützlich, aber nicht ausreichend. Dies wird einmal möglich sein, vielleicht auch zweimal, aber nicht häufiger.

Knirschend verändert er seine willigen Glieder. Er ist in einer bestimmten Gestalt geboren, aber an diese Form erinnert er sich nicht mehr. Er ist nicht Fain, nicht Nokavo, niemand. In dem Wald, den er unten sieht, nähert sich stetig ein einzelner Mann. Untersetzt, dunkel, alveanisch. Selbst ein Meister der Verwandlung, lacht er. Also ist der wirkliche Fain endlich gekommen, um das Werk seiner Meister zu schauen. (Aber Fain kommt allein. Diese Demonstration der Stärke ist beunruhigend.)

„Eine Bewegung - nur eine Bewegung, und ich töte Euch“, sagt Fain.

„Aye, Sir.“ Er grinst breit. Speichel rinnt über seine Lippen, und er verneigt sich aus seinen breiten Hüften. „Der General hat Eure bevorstehende Ankunft bereits angekündigt.“

Fain steht auf. „Legt die Hände auf den Kopf, dreht Euch dreimal um Euch selbst. Schlagt mit den Armen und macht ein Geräusch wie ein Vogel - wie ein Klatschflügel."

Er tut wie befohlen, und er fühlt, wie der Haß ihn durchflutet, und denkt: *Fain muß sterben.* Aber - nein - ein zweiter Gedanke: *Fain kennt den Tod nur zu gut - er fürchtet ihn nicht. Fain fürchtet nur sich selbst. Er muß vernichtet, nicht getötet werden.*

„Ich will, daß Ihr vor mir die Leiter hinaufsteigt", sagt Fain. „Das ist ein Befehl. Ihr müßt gehorchen."

„Ich muß gehorchen." Ohne etwas zu planen steigt er die Leiter hinauf. Oben liegt der Leichnam von General Nokavo. Wenn er ihn findet, wird Fain wissen ... er wird erraten, welcher Natur die sich wandelnden Identitäten sind, die rings um ihn herumwirbeln. Fain haßt alles, was anders ist. Er spürt seinen starken Abscheu.

Dies fühlend und wissend, was Fain am tiefsten verwunden wird, fällt er hinunter - einhundert stinkende Kilo braunes, vergängliches, unwirkliches Fleisch.

Dritter Teil

1

Skallon trieb aus hohlem, pelzigem Schlaf an die Oberfläche. Er hörte das vertraute Gemurmel der Menschen ringsumher, seiner Schlafgenossen in den Unterkünften des Instituts. Er wußte, wenn er sich konzentrierte, würde er das zornige Getuschel der Spieler in der Ecke hören, wo ein paar Schwachköpfe ihren Wochenverdienst in einer einzigen Stunde verloren. Oder er könnte das Grunzen der alltäglichen Paarung auf der Pritsche neben ihm belauschen, wo ein bleiches Mädchen seine mageren Schenkel einmal mehr um einen verdrossenen, benommenen Mann schlang, der sich dumpf in sie hineinpflügte, heraus und wieder hinein mit neuem Stoß, in einem Rhythmus, den sie anscheinend mühelos aufnahm, arbeitend, ächzend, hinein, heraus, mit trüben, glasigen Augen, ohne das Klappern der Tassen auf den Eisenrohren neben ihr zu hören, oder das flache, rasselnde Lachen der drei nackten Männer, die neben ihrer Pritsche anstanden, bis sie an der Reihe waren. Morgens war sie immer verfügbar, bevor sie dann aufstand und zur Arbeit ging, mit schmalen Augen und umgeben von einem Schimmer stählerner Effizienz. Das Mädchen keuchte gelegentlich, schnell, erhitzt und krampfhaft. Verschwommen dachte Skallon daran, sich selbst auf sie zu rollen, wenn die anderen fertig wären, um sich von einer drängenden Spannung zu befreien - aber dann, als er immer höher ins Bewußtsein aufstieg, schreckte er vor diesem Gedanken zurück, wie er es immer getan hatte; er wußte, daß dieser Impuls ein Teil seiner selbst war, doch er wollte ihn sich jetzt nicht eingestehen, und so klammerte er sich an die zerknüllten Laken und drehte sich um, vergrub sich vor den Geräuschen, während die Steifheit zwichen seinen Beinen langsam dahinschwand. Um den Gedanken auszulöschen, konzentrierte er sich auf das gedämpfte Gemurmel, das den langgestreckten Raum erfüllte; er zwang sich, gänzlich aufzuwachen, und öffnete ein Auge …

Die abblätternde Tapete, das lohfarbene Sonnenlicht, die würzige Luft von Alvea, alles das strömte auf ihn ein.

Er sog die Luft in seine Lungen. Die Unterkunft löste sich auf, und er war *hier,* auf Alvea, endlich. Das magere Mädchen, das an jedem Morgen jeden bediente, der kam, war nichts als eine saure Erinnerung - und er erinnerte sich, ja, er hatte sie sich eines Morgens vorgenommen. Er war schlaftrunken gewesen, und sie hatte kein Wort gesagt. Aber hier war Joane statt ihrer, und anstatt wieder einen Tag mit den Tapes zu verbringen, konnte er das unsaubere Zimmer verlassen, und draußen würde er Alvea finden.

Er richtete sich auf und ächzte. Ein Chor von Schmerzen begleitete jede seiner Bewegungen. Unfaßbar, wenn man daran dachte, daß die Gravitation von Alvea geringer war als die der Erde. Andererseits, erinnerte Skallon sich, mußte er sich einen neuen Gang und neue Bewegungen angewöhnen. Neue Muskeln knirschten, als er sich anzog. Dazu kamen die unbequeme Wattierung, die ihn fett erscheinen lassen sollte, und die unförmigen Doubluth-Gewänder selbst. Dennoch war er über seinen Muskelkater überrascht. Immerhin war seine körperliche Kondition hervorragend, wie er wußte. Darauf war er stolz. Ein seltsam schmerzliches Gefühl der Verletzlichkeit überkam ihn. Vielleicht war es das, was man empfand, wenn man alt wurde.

Er schüttelte sein Unbehagen ab und verließ das enge Zimmer. Das Hotel wirkte nicht mehr so geheimnisvoll und schmutzig wie in der Nacht. Vielleicht hatte jemand den Fußboden gekehrt oder sonstwie saubergemacht. Er folgte seiner Nase zur Küche. Er gelangte zu einer dicken Holztür und stieß sie auf. Ein Gewirr von Stimmen rollte über ihn hinweg. Ein Dutzend Leute saßen auf Schemeln um ein riesiges Feuer herum; vorsichtig hielten sie Tassen in ihren Händen, dampfend in der Kühle des Morgens unter den Öllampen. Einige Augenpaare bemerkten ihn, betrachteten ihn einen Moment lang und wandten sich dann wieder ab. Der Raum war fast rund. Die Decke lag hoch, und es roch muffig. Fenster, die das Tageslicht hereingelassen hätten, gab es nicht.

Skallon nickte und ließ die Tür krachend ins Schloß fallen, ohne einzutreten. Dies mußte das Communal sein, das gesellschaftliche Zentrum jedes Hauses und jeder Herberge. Es war eine archaische Institution, ein Überbleibsel aus den alten Zeiten, da die Menschen sich allmählich an die starke UV-Einstrahlung von der alveanischen Sonne anpaßten. In den Anfangstagen war es mitunter erforderlich gewesen, daß die gesamte Bevölkerung einer Stadt sich für eine beträchtliche Zeit in den Untergrund zurückzog, und es war mehr als wahrscheinlich, daß unter den Straßen und Häusern von Kalic ein komplexes System von Höhlen und Tunnels für diesen Zweck lag. Das Communal stammte aus der darauffolgenden Zeit, als die frühen Kolonisten während der Mittagszeit Schutz in einem fensterlosen Raum suchten, der aus Gründen der Zweckmäßigkeit zumeist im Keller gelegen war. Natürlich war es nicht notwendig, alle Fenster zu eliminieren, denn gewöhnliches Glas konnte die ultraviolette Strahlung aufhalten. Aber das Gefühl, völlig drinnen zu sein, versteckt und sicher in einem von Menschen geschaffenen Schlupfloch, schaffte einen wichtigen psychologischen Effekt. Und so wurden die ausgedehnten Mittagspausen, die ungeheuer üppigen Mahlzeiten und die darauf folgenden Nickerchen zu einer alveanischen Sitte, selbst als genetische Adaption die Alveaner längst gegen ihre strahlenspeiende Sonne immun gemacht hatte.

Skallon fand seinen Weg durch Korridore, an die er sich erinnerte. Er drückte eine Tür auf und fand sich in einer Küche. Joanes Profil betrachtete nachdenklich einen Berg von Konfekt. Als er eintrat, wandte sie sich ihm zu.

„Oh, guten Morgen“, sagte sie mit sanfter Stimme.

„Ihr seht sehr hübsch aus, im Sonnenlicht“, sagte Skallon, und er war ein wenig verlegen. Irgendwie sah sie in den Strahlen der Sonne tatsächlich besser aus.

„Oh, vielen Dank. Unser Gespräch gestern abend hat mir gut gefallen.“

„Ach. Ja, mir auch. Ist mein ... Partner ...?“

„Er frühstückt. Dort.“ Sie deutete auf einen Durchgang. Skallon schaute in den angrenzenden Raum und sah, wie Fain methodisch einen Teller mit grauem Brei auslöffelte. Scorpio lag kauend unter dem Tisch. Es war derselbe Raum, in dem sie auch gestern abend gegessen hatten, jetzt allerdings wirkte er ein wenig ordentlicher. Wahrscheinlich war Joane schon früh aufgestanden, um aufzuräumen. Zufrieden nickte Skallon. Es waren gute, zuverlässige Leute.

Fain blickte auf und betrachtete ihn gleichmütig, als dächte er über etwas nach.

„Hol dir etwas zu essen", sagte Fain.

„Gutes. Essen", fügte Scorpio hinzu. Skallon fragte sich, ob der Hund versuchte, sich zu unterhalten. War das möglich? Er schien eigentlich nicht intelligent genug dazu. Andererseits war es schwer zu sagen.

Joane reichte ihm einen Teller mit einer schaumigen Masse; Fleischklumpen schwammen in einer bräunlichen Paste, dazwischen befand sich undefinierbares Gemüse. Er setzte sich Fain gegenüber an den Tisch. Nach ein paar Bissen warf Fain seinen Löffel auf den Tisch, daß es nach allen Seiten spritzte. „Genug davon. Diese Brühe esse ich nicht."

„Etwas anderes gibt es hier nicht."

„Ich habe Notrationen bei mir. Damit und mit dem Wasser, das sie hier haben - und das im übrigen ebenfalls grauenhaft ist - werde ich schon zurechtkommen."

„Alveanisches Essen ist eigentlich ziemlich raffiniert. Und ich finde dieses *complannet* auch nicht so schrecklich."

„Du wirst krank werden davon."

„Das bezweifle ich. Wir haben eine interne Bakteriophagen-Behandlung bekommen, bevor wir die Erde verließen. Es gibt eigentlich keinen ..."

„Das Fleisch gestern abend hat ganz ordentlich geschmeckt. Aber vor einer Stunde habe ich alles wieder ausgekotzt, unverdaut."

„Das ist die Metaphasenumstellung. In ein oder zwei Tagen ..."

„Du kannst mich! Ich werde mir jetzt einen Proteinmix aufmachen. Wo gibt's denn hier Wasser?"

Fain schlug mit der Faust auf den Tisch. Als niemand erschien, stampfte er hinaus. Einen Moment später lugte Joane durch die offene Tür und hob fragend eine Augenbraue. Skallon zuckte die Achseln. Er gab die pantomimische Darstellung eines Wutausbruchs, schlug lautlos mit der Faust auf den rohen Holztisch und bleckte die Zähne. Sie kicherte. Er zuckte noch einmal die Schultern und winkte ihr zu verschwinden, denn Fain kam polternd durch eine Seitentür zurück. In der einen Hand hielt er eine Wasserflasche, während er mit dem Daumen der anderen die Verpackung von einem Proteinriegel löste.

Skallon aß schweigend, während Fain krachend seinen Proteinriegel verzehrte. Mit glasklarem Bewußtsein hörte er Joane in der Küche mit Tellern und Töpfen klappern. Irgend etwas an ihr faszinierte ihn. Eine gewisse Art, den Kopf zu heben und zu drehen, wenn sie sprach. Jetzt, wo er darüber nachdachte, fand er, daß ihre Nase eigentlich überhaupt nicht zu lang war. Sie paßte zu ihrem Gesicht, gab ihm eine gewisse Ausgeglichenheit.

Diese Halbwahrheit, daß man ihn aus heiterem Himmel für diese Mission ausgewählt habe, hätte er ihr wahrscheinlich nicht auftischen sollen. Er kaute auf dem säuerlichen Fleisch des *complannet* und dachte an die letzten Wochen des Feldtrainings, als ihm der Gedanke gekommen war und als er ihn, ohne viel darüber nachzudenken, in die Tat umgesetzt hatte.

Zuerst hatte er eine Riechgranate präpariert, so daß sie eine Spur salzempfindlicher als nötig war. Als er sie auf der Patrouille abwarf, hatte sie sich natürlich aktiviert. Slocum war zweihundert Meter hinter ihm. Der reaktionsschnelle Slocum, der grimmige Slocum, der unumstrittene Hauptkandidat für Alvea. Als der Riechsensor ihn erfaßt hatte, ging Slocums Abschirmung augenblicklich hoch, aber ein Splitter drang trotzdem durch. Ein sauberer Oberschenkeldurchschuß. Slocum blutete, als habe jemand einen Hahn geöffnet, und er wimmerte wie ein kleiner Junge, während sie auf die Sanitätsflieger warteten.

Und dann Ising. Mit dem war es leichter. Ising war ein Gewohnheitstier.

Jeden Morgen vor einem Übungsmanöver reinigte Ising den Lauf seines Megajoule-Flammenstrahlers. Eines Morgens war zufällig eine Spur von Butyl-Dunst darin gewesen. Der Lauf explodierte, und eine Stichflamme fuhr heraus. Eine ganze Wand der Waffenkammer geriet in Brand, das Feuer erfaßte Isings rechten Arm und brannte zwei tiefe Löcher durch die Isolationsschicht. Das Ergebnis waren Verbrennungen dritten Grades. Es dauerte mehrere Wochen, bis das Gewebe nachgewachsen war.

Damit war nur noch Skallon übrig. Ein ganz ordentlicher Kandidat für den zweiten Mann im Alvea-Team, wenn und falls ein solches Team erforderlich sein würde. Aber natürlich hatte jedermann schon seit Wochen gewußt, daß sich da eine Krise zusammenbraute. Alvea geriet allmählich außer Kontrolle. Die Nachricht, daß ein Änderling entkommen war, ließ die Sache zusätzlich in einem anderen Licht erscheinen. Skallon hatte erwartet, daß man zwei Alvea-Spezialisten vom Institut anfordern würde, die dann auf Superlicht-Trägern dorthin reisen und die Exportbeziehungen zur Erde kräftigen sollten. Mit dem Änderling hatte er eigentlich nicht gerechnet.

„Schmeckt das Zeug besser als *complannet?*“ fragte er Fain.

„Hm. ’scheinlich nicht.“

„Bestimmte einheimische Nahrungsmittel wirst du essen *müssen,* weißt du.“

Fain zeigte zurückhaltendes Interesse. „Wieso?“

„Zur Tarnung. Du hast doch gemerkt, daß die Alveaner einen stechenden Geruch an sich haben.“ Fain nickte. „*Balajan*-Kraut. Es ist in ihrem Essen. Eigentlich nicht schlecht. Ein mildes Gewürz. Aber wenn du nicht danach riechst, wird es irgendwann jemand bemerken und sich fragen, wieso nicht.“

„So lange werden wir gar nicht hier sein, daß es darauf ankäme.“

„Was?“

„Ich will das jetzt gleich erledigen. Iß auf, und dann gehen wir.“

„Wohin?“

„Ich will, daß du dich ein bißchen in den Straßen umsiehst. Du sollst feststellen, was für wichtige Zusammenkünfte stattfinden.“

„Wichtig in welcher Hinsicht?“

„Für den Änderling. Je nachdem, welcher Weg ihn am schnellsten an die Spitze der Machtstruktur führt. Dort werden wir ihn finden.“

„Ich verstehe. In Ordnung. Ich werde es herausfinden, aber ich möchte Danon mitnehmen. Er kennt sich in der Stadt aus. Er kann mir sagen, wo ich wahrscheinlich Tratsch aufschnappen werde und wo echte Informationen."

„Wieso nimmst du nicht den Alten mit?"

„Kish?" Skallon überlegte einen Augenblick. „Nein, er ist nicht der Richtige. Aus irgendeinem Grund ist er ein Versager. Ich glaube, weil er kein gutes Urteilsvermögen hat."

Fain nickte. „Das denke ich auch. Dann gib dem Kleinen aber ein Armbandradio. Dadurch kannst du ihn besser einsetzen, und er kann allein herumschnüffeln. Sag ihm, er soll es unter dem Ärmel verstecken. Wir wollen ja nicht, daß jemand auf die Idee kommt, es könnten sich Erdler in der Stadt herumtreiben."

Sie aßen weiter. Skallon verspürte ein sonderbares Gefühl der Freude, weil Fain ihm zugestimmt hatte. Als er mit seinem Frühstück fertig war, bat er Joane, die ihm diese Idee eingegeben hatte, Danon zu rufen. Der Junge war einverstanden, ihn auf die Märkte und Basare von Kalic zu führen, um Informationen auszugraben. Er gab Danon ein Armbandradio und zeigte ihm, wie man es bediente.

Danach lungerte Skallon noch eine Weile in der Küche herum und wechselte ein paar Worte mit Joane. Sie spülte die schmierigen Teller und benutzte hierzu kaltes Wasser und eine graue Seife. Erst als er und Danon im Begriff waren hinauszugehen, fiel ihm ein, daß alveanische Frauen niemanden außer ihren Ehemännern bedienten. Dennoch hatte sie ihm und Fain das Frühstück serviert. Er fragte sich, was das bedeuten mochte.

2

Er zieht seinen Sauerstoff aus der alveanischen Luft. Exhalierend, Gase verströmend, atmet er noch etwas anderes aus: Macht. Die Droge Vertil, gestohlen aus den streng bewachten, furchtbaren Laboratorien der Erde.

Er stellte sich Fains Gesichtsausdruck vor, in dem Augenblick, da er dies entdeckt. Er lacht, eine seltene Geste, und klimpernde Laute perlen aus den Windungen seiner Kehle. In seinem Innern, vermengt mit den roten und weißen Flocken seines Blutes, ist die Macht. Wie einfältig die Erdenleute doch sind - zu glauben, Herrschaft und Macht seien gleichbedeutend mit Ordnung. Falsch, falsch. Macht ist selten, und Macht ist knapp. Macht ist Leben, ist Tod, ist der Augenblick. Herrschaft, das weiß er schon lange, existiert nur in abgeschiedenen, weitverstreuten Winkeln des Universums; überall sonst im Kosmos tanzt das Chaos, und es singt neben den Feuern der rubinroten Sterne. Und die größte Sünde der Norms liegt in ihrer absurden Konzentration auf diese Winkel, in ihrer Ignoranz bezüglich der größeren Wirklichkeit.

Der fette, ungeschlachte, schweinsmäulige Alveaner steht vor ihm. Er läßt seinen Geist prüfend über die Augenblicke streichen, während sie tickend vorbeiziehen; er betrachtet ihn und schätzt ihn ab. Er atmet aus: Herrschaft. Der Alveaner wird tun, was er sagt. Hier draußen vor Kalic muß er von diesem dumpfen, vergänglichen Wesen seine Verkleidung nehmen. Und er muß nachdenken.

Vor ihm kräuselt sich das Bild Fains; es schimmert in der Luft. Der Alveaner kann Fain nicht sehen, denn der Alveaner ist auch ein Norm, dumm und verwirrt, und seine Wahrnehmungsfähigkeit für das Ganze ist stumpf. Aber Fain ist da, und er schwebt vor ihm und winkt.

Der Augenblick vergeht, und der nächste steigt empor. Das Neue: Sie alle drei sind Fremde, und sorglos gleiten sie auf der gläsern glatten Oberfläche des einfältigen Alvea. Alle werden sie irren, blind sich umhertasten. Wie kann das der Schlüssel sein?

Ein Augenblick vergeht, Sekunden sterben.

Es muß Fain sein. Er ist der Stärkste, der Änderling-Killer. Also muß Fain am Ende schwach sein, er muß zerbrechen, und das Eine muß seinen weichen Kern finden und durchbohren. Er ist ernst und würdevoll. Sein Bild flackert in der warmen Luft zwischen dem Änderling und dem benommenen Alveaner, und es ist hart und unerschrocken.

Gelächter also wird Fain töten. Mit tausend nadelfeinen Stichen werden Hohn und Spott ihn peinigen und quälen, und seine gewölbte Ruhe wird dünn werden und seine scharfe Urteilskraft stumpf.

Der Änderling sieht dies, er weiß es von und in dem Moment, da die Sekunden vor seinen Augen sterben und geboren werden, und in fieberhaftem Verlangen scharrt er mit den Füßen. Ja, hier ist er. Der Ewige Weg.

Fain und Skallon stolpern voran. Schon sind sie in Kalic. Sie ahnen nicht, daß sie die Verbündeten des Einen sind, daß sie, wenn der Tanz zu Ende geht, dem Änderling helfen werden, Alvea aus dem Gehege der Erde herauszutrennen. Er wird die Erdenmänner benutzen, um gegen sie zu kämpfen. Und das nur mit Hilfe von singendem, tanzendem Hohn, der durch Fains verklebten Geist hallen wird. Der Änderling kann Alvea nicht allein befreien; und das ist ein Geheimnis, welches die Erdenmänner nicht kennen. Er braucht sie, um die Arbeit des Einen abzuschließen, und ihr Ende wird Freude und Glückseligkeit sein.

Der Änderling schnauft und murmelt, und Fröhlichkeit wallt in ihm auf. Fain und Skallon werden das Gewicht nicht sehen, wenn es auf sie herabfällt, denn sie sind blind. Sie können nicht tanzen. Für sie besteht alles aus Ordnung und Plan. Sie haben kein Gespür für das Eine, das unter dem simplen Spielzeug der Vernunft verborgen liegt, und das wiegende Lied der Intuition ist ihnen fremd. Vor langer Zeit haben die Erdenmenschen die linke Hälfte ihres Hirns von der rechten getrennt, und sie haben eine zerbrechliche Herrschaft über die Welt erlangt, indem sie sie in Worte und Formen kleideten. Eine Illusion. Eine furiose Fiktion. *Vernunft* ist der Traum, ein träger Traum des Einen. Ordnung ist falsch. Im Änderling sind linke und rechte Hälfte wieder vereinigt, wie sie das einst auch bei den Menschen waren. Es gibt keine analytische Dominanz, keine Tyrannei des Wortes über das All. Ihre *Vernunft* liegt in der Teilung des Geistes durch sich selbst, gefesselt von den einstmals dienlichen Ketten der alten Erde, den falschen Träumen von Subjekt/Objekt, sie/es, wir/sie, Person/Welt, richtig/falsch: Sie schneiden die Welt in Stücke, und sie sehnt sich doch danach, geheilt zu werden, das Eine zu sein. Wahrnehmen heißt trennen, und trennen heißt sterben. Das Gesetz des Lebens heißt verschmelzen, wissen, umschließen, zusammenfügen.

Der Änderling fühlt, wie diese neue Summe ihn machtvoll durchströmt. Ein Schauder überläuft den schweinsmäuligen Alveaner, als die Droge mit seinem Geist ringt und obsiegt, und für eine Weile herrscht Frieden in seinem Haus der falschen Ordnung.

Der Änderling grinst und atmet nochmals aus. „Ausziehen", befiehlt er. Er fühlt ein Verlangen nach den dunklen, purpurnen Gewändern dieser Kaste. Ein Doubluth. Er kennt diese Welt und den absurden Glauben ihrer Menschen. Schlummernd hat er sich der Schnellbehandlung unterzogen und dabei die Illusionen studiert, mit denen die Alveaner verseucht sind. Daß die fliehende Seele des Sterbenden in die wartende Hölle des Ungeborenen schlüpfe. Na urlich gibt es keine Seelen. Es gibt keine Geburt, keinen Tod. Alles ist das Eine, und das Eine selbst ist bloße Illusion, die feinen Sprenkel der Illusion, aus denen die Welt sich im Triumph erhebt. Diese Norms, die Alveaner, werden das erfahren. Wenn die Erdenleute für immer fort sind - und der Änderling spürt, wie es kommt, es kommt, wie eine Erfüllung -, dann wird es Raum und Zeit geben, den wahren Untergrund aus Nichts zu enthüllen, der die Welt ist. Die Zeit - falsch in sich selbst - wird ihnen das Eine bringen. Jetzt tötet die Illusion der Seuchen die Alveaner jeden Tag. Der Tod ist ein Gleichmacher. Er bringt die Wahrheit näher. Wie Sex ist auch er eine Lüge, die wirbelnd die wahre Illusion enthüllt.

Die Luft umsummt den Änderling. Singend, singend, tanzend. Ja.

Er tötet den nackten Alveaner.

3

Aus dem Innern der von Skulpturen gezierten *Gamjanaten*-Halle drang ein stampfendes Dröhnen, ein Chor von hohen und tiefen Stimmen und das Klimpern von Saiteninstrumenten. Die Prozession schlängelte sich an dem Stand vorüber, in dem Skallon und Fain kauerten. Ein Windstoß wirbelte den Staub vor den Füßen der Marschierer auf und hob ihn in den Himmel wie braunen Rauch, aber auch in die Augen von Skallon, der die schwankenden Reihen studierte.

„Gibt's was?" wisperte Fain. Er legte eine Hand auf Scorpios Kopf. Skallon war nicht sicher, ob dies eine Geste der Zuneigung war oder ob es den Hund daran erinnern sollte, den Kopf unten zu halten, damit die Alveaner ihn nicht sehen.

„Kein. Zeichen." Scorpio schnüffelte. „Staub. Macht. Riechen. Schwer."

„Ich weiß, ich weiß", sagte Fain schroff. „Du hast ja selbst gesagt, du könntest keinen zuverlässigen Anhaltspunkt bekommen, bevor du nicht die Witterung aufgenommen hast."

„Richtig. Aber."

„Schon gut", unterbrach Fain. „Wie sicher bist du, daß du jede Witterung richtig aufnimmst? Bei all dem Staub und dem Weihrauch."

„Sehr. Sicher. Wir sind. Aug ... Aug ..."

„Augmentiert", sprang Skallon ihm bei.

„Ja. Dafür."

Skallon zweifelte nicht daran, daß Fain die Fähigkeiten des Hundes besser kannte als dieser selbst. Es war interessant zu sehen, daß die Ereignisse Fain doch unter die Haut gingen.

„Hier kommen wir nicht weiter", knurrte Fain.

„Wir haben die Lutyen-Zusammenkunft eliminiert", bemerkte Skallon. „Und jetzt auch die Mahindras. Das ist doch schon was."

„Aber nicht genug."

Die letzten Reste des Drum und Dran zogen jetzt an ihnen vorbei: Messingglöckchen und hohlklingende Gongs, Glockenspiele aus Metall, Camjen-Brenner, geformt wie groteske Lampen, ein riesiger Löffel mit schlankem Griff zum Austeilen des geweihten Nektars aus gebräunten Süßigkeiten, zerkleinerten Tulsu-Blättern und milchigen Gamjan-Stengeln. Die dunklen Mahindras – Zimmerleute zum größten Teil, wie es ihre Kaste und ihre Funktion vorschrieb – schritten feierlich vorüber; sie schwankten hin und her im Rhythmus des Singsangs, der aus der *Ganjanaten*-Halle herausdröhnte.

„Gibt's was?“ fragte Fain noch einmal.

„Nichts. Kein. Zeichen.“

„Verdammt!“ Fain schlug mit der Faust in den Staub.

Dabei hatte Danons Idee ihnen zuerst gut gefallen: einen einfachen Bettler- oder Beterstand aufzustellen (für gewöhnlich dienten diese Stände beiden Zwecken), nahe beim Eingang der großen Versammlungshallen, und von dort aus die Prozessionen zu beobachten, wenn sie sich zu den Zusammenkünften hineinbegaben. Aber sie hatten nichts gesehen. Scorpio hatte keine Spur von dem Änderling ausfindig machen können. Skallon bedauerte allmählich, daß er Danons Ratschlag angenommen hatte. Er und der Junge hatten sich vom Hotel aus aufgemacht, um sich anzuhören, was auf den Marktplätzen getratscht wurde. Dort bekamen sie aber nichts Bemerkenswertes zu hören, und da war Danon auf diesen Einfall gekommen. Skallon war zum Hotel zurückgekehrt, um Fain dabei zu helfen, Scorpio in einem unauffälligen Wagen durch die verkehrsreichen Straßen zu bringen. Danon hatte einen Stand besorgt und ihn an einer verabredeten Stelle aufgebaut, wo sie ihn dann fanden, während er die Gegend nach auffälligen Personen absuchte.

„Wo steckt der Bengel?“ fragte Fain, als das letzte Mitglied der Prozession vorüberschlurfte. Eine drängelnde Horde von Müßiggängern und Leuten, die eine Anstellung suchten, schob sich hinterdrein, bis die ungeheuren Metalltüren der Halle direkt vor ihren Nasen ins Schloß fielen. Die Menge heulte flehentlich auf.

„Die Zeiten sind verdammt hart“, meinte Skallon. „Es ist verboten, die Delegierten der Frühlingssonnenwende in dieser Weise anzubetteln. Aber die Leute folgen ihnen bis in die Halle.“

„Ja ja“, sagte Fain. „Wo ist der Bengel? Seine Idee ist keinen Pfifferling wert.“

„Da drüben.“ Skallon wies über den weiten Platz hinweg auf eine wimmelnde Gruppe von Bauern, einen Wirbel von regenbogenbunten Gewändern. „Er schaut sich dort um.“

„Bring ihn herüber.“

„Ich glaube nicht, daß das gut wäre."

„Wieso nicht?" Fain war überrascht.

„Wenn wir ihn als freien Agenten behalten wollen, ohne daß man ihn mit uns in Verbindung bringt, dann dürfen wir uns nicht zusammen in der Öffentlichkeit sehen lassen."

„Zum Teufel, der Änderling kann nicht überall zugleich sein."

„Aber er hat das Vertil. Er kann so viele Boten und Spione ausschicken, wie er will."

Fain zuckte die Achseln. Es war offensichtlich, daß er Skallons Meinung kein besonderes Gewicht beimaß. „Dann mußt du eben feststellen, was er herausgefunden hat."

Skallon ging über den riesigen Platz; er versuchte so lässig auszusehen wie er konnte. Die Facetten im hohen Giebel der Halle reflektierten das Sonnenlicht, und der Turm in der Mitte des Platzes warf einen vielfachen Schatten. Die Mittagssonne ließ einen trockenen, spröden Geruch von den Pflastersteinen aufsteigen. Die dicken Sohlen seiner Schuhe klatschten scharf auf dem Boden, und er bemerkte, daß die Alveaner, die an ihm vorbeikamen, beim Gehen nicht solchen Lärm machten. Da gab es einen Trick, den er würde lernen müssen. Vielleicht hing es mit der geringen Gravitation und dem seltsam rollenden Gang, den die meisten dieser fettleibigen Eingeborenen sich angeeignet hatten, zusammen.

Danon lehnte in einem schattigen Portikus und lächelte Skallon zu, als dieser herankam. Der Junge trug einen formellen Umhang, der für seine Größe geschneidert war, ein hübsches Gewand in Blau und Grün. Das Webmuster war das der Arbeiter in Diensten; zu ihnen würde Danon natürlich gehören, wenn er erwachsen sein würde.

„Der Wind weht uns ins Gesicht", sagte Skallon, als er neben Danon in den bläulichen Schatten trat. Er liebte diese eigentümliche alveanische Ausdrucksweise, die offensichtliche physikalische Tatsachen mit Implikationen des Gesamtzustandes verband.

„Ich wünschte, ich hätte eine klarere Vorstellung von dem, was wir suchen."

„Das hätten wir auch gern."

„In diesen bösen Zeiten ist das Ungewöhnliche das Alltägliche."

„Das wird auch wieder anders werden", sagte Skallon, aber er glaubte es selbst nicht eine Sekunde lang. Danon schien ein übermäßig ernsthafter Junge zu sein. Die Falten in seinem Gesicht waren tiefer als bei anderen Kindern seines Alters. Skallon hatte das Gefühl, er müsse den Jungen irgendwie aufmuntern.

„Ich habe zwischen den Marktständen etwas flüstern hören. Es ist natürlich möglich, daß es nicht stimmt", begann Danon zögernd.

„Fain ist ein bißchen sauer über unsere Taktik. Wenn es irgend etwas Neues ..."

„Der Zeitpunkt für die Zentralversammlung sei vorverlegt worden, heißt es."

„Die soll doch erst in fünf Tagen stattfinden."

„Sie wird heute nachmittag beginnen."

„Oh." Skallon nickte hastig. „Gibt es einen Grund dafür?"

„Unruhe. So munkelt man auf dem Markt. Auflösung. Diese Seuchen zerfressen unsere Ordnung."

„Hm. Das mag sein."

„Was sonst?"

„Der Änderling", sagte Skallon langsam. „Je zentralisierter die Macht und damit die Entscheidungen werden, desto leichter wird es ihm, sein zerstörendes Werk zu tun."

„Indem er sich verkleidet ...?"

„Indem er seine Gestalt nach Belieben verwandelt."

Skallon ging über den Platz zurück. Vor ihm begann eine Frau zu wimmern, dann schrie sie auf, taumelte und brach zusammen. Einige Männer, die in der Nähe standen, betrachteten den hingestreckten Körper eine Weile und wichen dann zurück. Skallon kniete nieder und studierte das ausdruckslose Gesicht. Beim Vertil-Test beschlug die Tafel rosafarben.

Fain zog eine Grimasse, als er es ihm erzählte. „Er benutzt also immer noch Vertil. Muß ja eine Menge davon haben. Während wir hier Staub gefressen haben, ist er rasant in der alveanischen Hierarchie emporgestiegen."

Skallon zögerte, ihm von der Zentralversammlung zu erzählen, aber dann fand er den richtigen Einstieg.

„Diese Versammlung ist anders. Sie ist wichtiger, und alle Kasten sind anwesend. Also können wir auch hinein. Doubluths haben Delegierte dort."

„Und die kennen sich alle. Wir werden auffallen", sagte Fain mißmutig.

„Nicht sofort. Die Doubluths sind verstreut. Die Repräsentanten kommen aus verschiedenen Distrikten außerhalb der Stadt. Wir können uns dazwischenmogeln."

„Hm. Am späten Nachmittag?" Skallon nickte. „Okay. Wir machen es. Was bleibt uns sonst übrig?" Fain streichelte Scorpio und sagte: „Hilf mir, ihn in diesen verdammten Karren zu stopfen. Wir müssen ihn in das Stinkloch von Hotel zurückfahren."

„Gut, gut." Skallon zog einen Mantel über Scorpio, und es gelang ihm, den Hund ungesehen in den rohen Holzkarren springen zu lassen. „Aber ich glaube nicht, daß ich mitkommen kann."

„Wieso nicht, verflucht?"

„Danon und ich werden uns im Zentralbereich neben der Großen Halle ein wenig umhören. Wir brauchen genauere Informationen über den Zeitpunkt der Versammlung."

„Ja. Aber ich werde Scorpio nicht allein zum Hotel karren."

„Na ja, also gut. Ich werde ..."

„Vergiß es." Fain lächelte. „Kommt her!" rief er einem vorüberhumpelnden Mann zu. Der Mann verkaufte geröstete Nüsse, und weil er glaubte, etwas verdienen zu können, eilte er auf seinem gesunden Bein hastig heran. „Nüsse. Zwei", sagte Fain und atmete dem Mann dabei direkt in das runzlige Gesicht.

„Du ..." fing Skallon an.

„Sei still." Fain winkte ab. Einen Moment später waren die Augen des Mannes glasig, und seine Knie wurden weich. „Bleibt stehen!" befahl Fain in seinem rauhen alveanischen Akzent.

Der Mann wankte benommen, aber er blieb aufrecht stehen. Niemand auf dem belebten Platz schien irgend etwas bemerkt zu haben.

„Das ist ein ungerechtfertigtes Risiko", flüsterte Skallon wütend. „Du dürftest nicht einmal mit Vertil präpariert sein."

Fain lächelte ohne Humor und tat Skallons eindringlichen Blick mit einem Schulterzucken ab. „Es ist eine vernünftige Lösung, oder etwa nicht? Wir müssen uns trennen, das hast du selbst gesagt. Also habe ich mir eine kleine Hilfe besorgt, um diese verdammte Karre zu ziehen."

Fain stieß den Mann zu dem Handwagen hinüber. „Nehmt die Deichsel auf." Noch einmal wandte er sich an Skallon, und seine Doubluth-Gewänder blähten sich wie ein Zelt im Wind. „Der Änderling ist nicht der einzige, der dieses Zeug benutzen kann. Es ist ein Werkzeug, Skallon. Vergiß das nicht."

4

Finsternis quillt über den Horizont. Das eisig blaue Licht des wütenden Sterns sickert durch die Wolken. Es rieselt über die braun verkrusteten Steine der Häuser und findet den Änderling, der wie ein Alveaner durch die Knäuel, die Massen der Menschen, durch die dichtgedrängten Straßen eilt. Er liebt den sonderbaren Gesang dieser Leute, fühlt den langsamen Rhythmus der sorgenmüden Schmerzen. Er biegt um eine Ecke und hält sich weit genug von Fain entfernt. Sie flattern in der Ferne, während er sich immer hin und her bewegt, stets außer Reichweite. Dies ist der Tanz, die Kunst, der gnadenlose Mord an den Minuten, während die Zeit Abwehrkräfte gegen die Norms schichtet. Es ist Zeit, in diesen Unmengen von geschwollenen Gesichtern,. Zeit, das Aroma des dünnen alveanischen Lebens zu riechen, daran zu lecken, in seiner mahlenden Logik zu rotieren. Zeit aber auch immer – denn das Hotel steht drohend –, sich auf die Männer dort zu konzentrieren, ihre dickflüssige Vernunft, ihre Hirne, gefüllt bis zum Rand mit der Lüge. Er ist schon einmal im Hotel gewesen. Durch Mauerrisse und halbgeöffnete Fenster ist er hineingesickert, um sich an den abblätternden Wänden zu reiben und zu fühlen, was hier geschehen muß. Das Geflecht von Alveanern und Erdenleuten ist komplex, und es lohnt sich, es zu verkosten. Soll der Änderling einen von ihnen nehmen? Soll er eindringen, schwerelos zu ihrem kleinen Tanz sich gesellen? Ja. Die Idee steigt auf, und sofort ist sie wahr: ja. Sie sind Säcke voll von verwesendem Fleisch, mit glänzenden Zähnen, die Haut fleckig von zahllosen Poren, umhüllt von einer glänzenden Fettschicht und zwischen den Zähnen Essensreste. Und überall Kratzer und Wunden und Schwielen. Sie tropfen, sie stinken. Er liebt sie, will sie sein, er muß die Welt haben, die sie kennen und teilen können. Aber welchen soll er nehmen? Seine Wahl muß den Tanz erweitern, muß ihn voll und reich und lang machen. Welchen soll er nehmen? Er streift durch die nahegelegenen Straßen, saugt das Leben in sich hinein und denkt. Ja. Aber welchen?

5

Sie wanderten durch die verstreut stehenden Stände und die bunten, verwitterten Festdekorationen. Die Straßen waren im üblichen, zweckmäßigen Gittermuster angelegt und erfüllten Kalic mit einer Monotonie, gegen die die Einwohner im beständigen Kampf zu liegen schienen. Auf jeder der rechtwinkligen Kreuzungen bildete ein kleiner Fleck von blühenden Büschen den Mittelpunkt in einem Gewirr von flatternden Papierbändern, filmartig und dicht beschrieben. Jedes dieser Bänder war an einem Gebäude verankert, häufig in den gähnenden Mäulern von Tierstatuen, Wasserspeiern mit seltsamen Flügeln, Klauen, menschlichen Brüsten, sogar mit altertümlichen Augengläsern und Krücken. Skallon konnte sich auf diese wunderlichen Tiere keinen Vers machen, und als er Danon fragte, zuckte dieser die Achseln. „Die Alten haben sie hinterlassen", sagt er einfach, als ob damit alles erklärt wäre.

„Die frühen Laser-Künstler?"

„Nein." Unter seiner Kapuze hob Danon den Blick zu den hoch aufragenden Türmchen eines besonders ausgeschmückten Gebäudes, dicht bestückt mit den grinsenden Tieren. Einige davon sahen fast wie Menschen aus. „Dafür ist die Ausführung zu gleichmäßig.

Nur ein Meister kann mit einem Laser eine gezackte Kurve schneiden. Nein, das ist Handarbeit."

„Aber Laserbürsten sind doch sicher nichts Besonderes auf Alvea?"

„Oh. Hm, ich *nitverstan* diesen Ausdruck."

„Eine kleine rotierende Scheibe. Auf der einen Seite sind winzige Kohlendioxyd-Laser befestigt. Man benutzt sie wie eine Bürste, direkt über der Fläche, die man bearbeitet. Die vielen Einzelstrahlen verschmelzen. Je mehr man drückt, desto mehr Stein wird entfernt."

„Ich verstehe. Ja, ich glaube, die Zimmerleute ..."

„Die Jalantakii?"

„Ja, ja. Ich habe gehört, daß sie von solchen Dingen sprachen."

„Sie machen diese Arbeit immer noch?"

„Sie ... sie müssen. Vielleicht versteht Ihr nicht ..."

„Oh doch, ich verstehe", beeilte sich Skallon zu versichern. Unter der Kapuze war Danons Gesichtsausdruck schwer auszumachen. „Ich verstehe, was es mit den Rollen auf Alvea auf sich hat."

„Es scheint, daß Erdler niemals ..."

„Nun, es sind Ignoranten. Selbst Erdler sind manchmal dumm", sagte Skallon mit großer Geste, um zu zeigen, daß er das Ganze als Spaß betrachtete.

„Das haben wir schon bemerkt."

„In den alten Tagen bei uns - beinahe schon in prähistorischer Zeit - glaubten einige Gesellschaften auf der Erde das gleiche wie ihr. Daß Individuen ihr Leben auf eine bestimmte, genau spezifizierte Art zu leben hätten. Daß ein Mann, der als Schneider geboren ist, auch als Schneider sterben müsse."

„Schneider?"

„Jemand, der Gewänder näht. *Bulindaharin.* Da, dort ist ein Schneidergeschäft an der Ecke."

Danon betrachtete das vollgestopfte, kleine Schaufenster, das von Stoffen überquoll, als hätte er jetzt erst seine Funktion begriffen. „Mein Vater - Kish, meine ich - hat mir nichts über sie erzählt."

„Das ist auch nicht nötig. Ihr seid nicht wie wir die Sklaven einer unübersehbaren Masse von kulturellen Daten. Darin liegt eure heimliche Kraft.“ Skallon empfand eine gewisse stolze Befriedigung darüber, einem eingeborenen Alveaner etwas über seine eigene Welt erzählen zu können. Andererseits konnte ein Junge ja auch nicht übermäßig gebildet sein, vor allem nicht in einer soziometrischen Struktur, die so arm an Informationen war wie diese.

„Irgendwann kommt jedes Leben zu jedem Menschen“, sagte Danon, und es klang, als würde jemand Kapitel und Vers zitieren.

„Der Zwölfte Zuspruch, nicht wahr?“ Skallon winkte Danon zu einem halbleeren Straßencafé, in dem ein paar Männer und Frauen in der Mittagssonne saßen und an ihren Getränken nippten. „Ich glaube, die Schriften kenne ich ganz gut. Laß uns etwas trinken.“

Skallon ließ sich schwerfällig in einen Stuhl am Rande des Café-Hofes fallen. Danon blieb stehen, sah sich um und scharrte mit den Füßen.

„Komm, setz dich.“

„Lieber nicht.“

„Warum nicht?“

„Nun, für Euch ... Ich bin nicht von Eurer Kaste.“

„Ich gehöre zu keiner Kaste. Oh, ich verstehe – Doubluth meinst du? Und was heißt das?“

„Dieser Platz steht mir, einem Diener, nicht zu.“

„Ach so, ich verstehe.“ Skallon sprach plötzlich mit gedämpfter Stimme. „Wo sollten wir uns denn hinsetzen?“

„Dort drüben.“ Danon wies unauffällig – damit es nicht so aussähe, als erteilte er einem Doubluth Anweisungen, begriff Skallon – zu einem nahe gelegenen kleinen Bereich. Die Tische und Stühle dort waren sichtlich anders: kleiner und aus altem Holz gemacht. Außerdem standen sie näher bei den scheppernden Küchentüren.

Als sie sich dort niedergelassen hatten, ließ Skallon die Bestellung von Danon aufgeben – er erinnerte sich aus dem Simus daran, daß dies das korrekte Verfahren war –, und kurz darauf nippte er an einer grünlichen Schale mit mildem, geeistem Sirup. Eine Wand aus dürren Palmwedeln regte sich raschelnd über ihren Köpfen. Auf der Straße bewegte sich ein immer stärker werdender Strom von Menschen und kleinen Dampfwagen. Man begann den Exodus nach Hause, um dort den langen Nachmittag zu verbringen. Für die heißen Stunden des Tages würde Kalic sich in kleine Grüppchen an den heimischen Herden auflösen. Nachmittags würde man dann wieder in die Kastengruppen zurückkehren und arbeiten. Erdenleuten kam dies immer wie ein unnötiger Luxus und eine furchtbare Zeitverschwendung vor. Skallon verstand die sozialen Gründe dafür, aber selbst ihm erschien diese Logik ein wenig dünn. Schon vor Jahrhunderten hatten genetische Veränderungen die Alveaner gegen den hohen UV-Strom immun gemacht. Weshalb also bewahrten sie sich diesen Anachronismus der allmittäglichen Zufluchtssuche?

„Ist an dieser Menge ...“ - er deutete mit der Hand auf den murmelnden Straßenverkehr -“ ... etwas Ungewöhnliches?“

„Falls Ihr meint, ob der Änderling zu sehen ist: nein.“ Danon trank gierig seinen Sirup. Er sah nicht einmal auf. „Ich glaube nicht, daß wir in den Straßen jetzt viel erfahren werden.“

Skallon dachte: *Das muß ich selbst entscheiden,* aber dann verstand er, daß der Junge nur versuchte, ihm zu helfen. „Warum hast du dann vorgeschlagen, daß wir hierherkommen sollten, als wir den Platz verließen?“

Danon sah ihn unbewegt an. „Um von diesem ... Wesen fortzukommen. Und von ...“

Skallon lachte. „Von Fain?“ Geräuschvoll und herzhaft saugte er an seinem Sirup, bis ihm einfiel, daß dies auf Alvea eine Geste der Verachtung für die Küche war; schuldbewußt blickte er sich um. Niemand schien ihn gehört zu haben. Specknackige Alveaner setzten ihre murmelnde Unterhaltung fort. „Du magst weder den Hund noch seinen Herrn, wie?“

„Er ist seltsam.“

„Meinst du Fain oder Scorpio?“ fragte Skallon vergnügt.

Danon lächelte. „Dieses krächzende Tier. Ist es wirklich die einzige Möglichkeit, diese andere Sorte Mensch ausfindig zu machen?“

„Nein, eigentlich nicht. Aber der Hund schnüffelt herum, er kann sich bewegen und muß nicht repariert werden. Wir haben viele Geräte, mit denen man einen Änderling ausfindig machen kann. Aber sie sind schwer. Bei einer Operation wie dieser, wo wir alles mit uns herumschleppen müssen, ist Scorpio praktisch. Weißt du, Scorpio würde dir auch nicht so fremd erscheinen, wenn du mit Hunden groß geworden wärest. Nach dem, was ich gelesen habe, haben die alveanischen Kolonisten Hunde für unheilig erklärt. Eigentlich sind sie aber ganz nett."

„Fain *mag* ... dieses Tier?"

„Klar. Jemand anders zu mögen kann er sich nicht leisten."

„Es fällt mir schwer, das zu glauben."

„Aber es stimmt. Hunde sind ein kostbarer Luxusartikel auf der Erde. Fain kriegt seinen umsonst – als sprechenden, beweglichen Ausrüstungsgegenstand. Und sie haben viel zusammen durchgemacht und eine Menge Änderlinge erlegt. Wenn Menschen und Hunde noch zusammengearbeitet hätten, als die alveanischen Siedler die Erde verließen – beim Viehhüten, Jagen und dergleichen –, dann wären die alten Arbeitshunde vielleicht auch nach Alvea gekommen."

„Ich bin froh, daß sie nicht gekommen sind."

„Hm." Skallon versank für eine Weile in Gedanken; er sann darüber nach, daß er unterschwellig Respekt für Scorpio empfand. Vielleicht kennzeichnete ihn schon dieses Gefühl allein grundsätzlich als ewigen Erdler. Seine Herkunft konnte er niemals abschütteln.

6

Fain war übel gelaunt, als Skallon zum Battachran-Hotel zurückkam. Skallon hatte Danon auf einer nahe gelegenen Behörde zurückgelassen, damit er dort die Gespräche belauschte. Das erschien allerdings wenig sinnvoll. Der Änderling war geschickt, und gewiß würde er keine große Unruhe hervorrufen, ehe er seine Pläne offenbarte. Aber Danon war mit Begeisterung dabei, und den Jungen dort zu lassen, wo es zumindest denkbar war, daß etwas geschähe, lieferte Skallon wenigstens etwas, was er Fain berichten konnte.

Fains Laune besserte sich deswegen nicht. Er sah Skallon lange Zeit an und kniff die Augen dabei leicht zusammen, so daß Krähenfüße bis in seine Schläfen hineinwuchsen. „Der Bengel ist nutzlos, Skallon."

„Kann sein. Aber wir brauchen einen Führer. Er ist klein. Er wird nicht auffallen. Bevor Alveaner formell in ihre Kastenrolle eingetreten sind, sind sie gar nichts."

„Was ist mit Kish?"

Skallon schnaufte. „Ich dachte, wir wären uns einig, daß er unzuverlässig ist. Kein Urteilsvermögen. Und wie gesagt, er steckt in einer formellen Kastenrolle. Als Diener, als Wirt, darf er sich manchen anderen Kasten nicht einmal nähern. Nicht jetzt, während der heiligen Zeit."

„Mhm." Fain verlor das Interesse.

„Wo ist Scorpio?"

„Schläft."

„Seit wir hier sind, hat er die meiste Zeit geschlafen."

Fains Kopf fuhr hoch und erstarrte; stirnrunzelnd funkelte er Skallon an. „Er ist kein gewöhnlicher Hund. Nicht einer von diesen kurzatmigen, kleinen Puppenhunden für alte Damen mit zuviel Geld."

„Das weiß ich, aber ..."

„Scorpio muß jeden einzelnen seiner Sinne anstrengen, um einen Änderling ausfindig zu machen. Die Hautflüssigkeit eines Änderlings riecht fast genauso wie die eines Menschen. Wir ..."

„Du hast recht. Laß ihn schlafen. Wir brauchen ihn heute nachmittag in der Großen Halle. Komm jetzt ..." – er versuchte das Thema zu wechseln – „... laß uns etwas essen."

„Diesen Schlabber? Ich esse Proteinrationen."

„Na schön."

Skallon lief im Hotel herum und überprüfte alle Ein- und Ausgänge. Es war eine elementare Vorsichtsmaßnahme, denn als er in der Nacht zuvor spät und müde hereingekommen war, hatte er sich verirrt. Das Battachran war ein alter, unübersichtlicher Bau aus

Stein und Holz, der auf teilweise halsbrecherisch anmutende Art auf zerbröckelnden Fundamenten ruhte. Die leichte Gravitation bewirkte, daß die Architektur einfacher, luftiger und fließender war. Er umrundete einen riesigen, stinkenden Müllhaufen hinter dem Haus. Offenbar wurde der Müll hier nur selten und vielleicht niemals abgeholt.

Ein Schwarm von Fliegen erhob sich von dem Abfallberg und verschwand wie eine summende Staubwolke. Bernsteinfarbener Dunst wehte hinter einer kleinen Trauergesellschaft her, die die rituellen Früchte, eine Art von blauen Granatäpfeln, verzehrte. Die Totenbahre war aus öligglänzendem Holz, der Leichnam selbst in ein schwärzliches Tuch gewickelt. Die Trauernden zogen langsam über den zerklüfteten Boden hinter dem Battachran. Sie ließen sich Zeit. Einer von ihnen schlug hin und wieder auf einen großen Baßgong. Auf einem Hügel in der Ferne ragten die alveanischen Grabsteine auf, Dreiecke, die sich hierhin und dorthin auf den unebenen Grabfeldern neigten.

„Kommt. Ruht Euch aus."

Er drehte sich um. Joane stand neben ihm, in der Hand einen halbgefüllten Eimer mit Putzwasser.

„Laßt mich Euch ..." Ehe er noch zufassen konnte, hatte sie den Eimer auf den Müllhaufen geleert. Sie lächelte und winkte ihm hereinzukommen.

Der plötzliche Wechsel von alveanischer Sonne zu unbeleuchteten Korridoren überforderte seine Augen für einen Moment. Sie nahm ihn bei der Hand - ein seidiges, kühles Gefühl - und führte ihn ein paar Schritte weit. Dann öffnete sich eine Tür, und er blinzelte.

Es war das runde, hohe Communal, das er schon am Morgen gesehen hatte. Nicht weniger als zwanzig Leute drängten sich um die kleinen Tische; sie aßen und redeten. Das Licht der Öllampen flackerte in den dunklen, von Falten durchzogenen Gesichtern. Jeder Mann und jede Frau schien eine Charakterstudie für sich zu sein, so verschieden waren sie voneinander. Das Ideal auf der Erde war ein fleckenloses, glattes Gesicht. Dank kosmetischer Behandlung hatten die meisten Menschen es beinahe ihr ganzes Leben lang. Man konnte oft nicht sagen, ob eine Frau zwanzig oder sechzig Jahre alt war. Joane zog an seiner Hand, und als er sie ansah, erschien ihm ihre Schönheit um so attraktiver, da er wußte, daß sie mit der Zeit verwittern, verwelken und verschwinden würde.

Es war ein traditionelles Communal. Für diejenigen, die keine Mahlzeit vom Hotel bestellen wollten, gab es ein Sortiment von Töpfen, Röstgabeln und Schlackenfeuern in kleinen, schwarzen Gefäßen. Die Versorgung der Feuer, das Putzen und das Aufräumen wurden vom Hotel ausgeführt, aber eine Aufsicht gab es nicht. In alten Zeiten bedeutete der Zugang zu einem Communal das Leben selbst, Schutz vor dem brennenden Stern. Joane führte ihn zu einem Tisch, setzte sich und sagte: „Ich muß die Arbeit in der Küche beaufsichtigen, aber zwischendurch können wir uns unterhalten. Wollt Ihr etwas essen?“ Skallon nickte. „Was bevorzugt Ihr?“

Er beschrieb eine alveanische Mahlzeit aus dem Gedächtnis. Bei ein oder zwei Gerichten runzelte sie die Stirn und bemerkte, sie seien sehr alt, aber sie wolle sehen. Sie verschwand für einen Moment, und Skallon belauschte die Gespräche an den nahen Tischen. Eine Gruppe von Frauen brütete über dem Schicksal eines Verwandten, den die Seuchen in Armut und Wahnsinn getrieben hatten, der nur noch Gemüseabfälle essen konnte und Unterwäsche aus Zeitungspapier trug, und der sich aus einem Getreidesack Hosen machte, weil er seine Gewänder fortgegeben hatte.

Skallon hörte einen zirpenden Ton und fand auch gleich seinen Ursprung: ein Singvogel in einem winzigen Plastikkäfig, blind. Er erinnerte sich daran, daß man vor ein paar Jahrhunderten in Kalic ausgedehnten Bergbau getrieben hatte, bis sich herausstellte, daß die Region mit zahllosen Giftgaseinschlüssen durchsetzt war. Selbst jetzt noch rissen gelegentlich Spalten auf, und die Communals, tief unter der Erde, waren dann zuerst betroffen. Der Vogel war empfindlich. Er würde sterben, ehe die Menschen das Bewußtsein verloren.

In mancher Hinsicht wirkte Alvea wie die Erde, und dann wieder war es hier völlig anders. In der Erdkruste gab es längst keine Bodenschätze mehr; Skallon war sicher, daß man auf der Erde inzwischen sogar ein tödliches Gas irgendwie nutzbar gemacht hätte.

Kish erschien; er klopfte den Gästen auf die Schulter und machte die rituellen Handbewegungen des Willkommens. Er begrüßte Skallon ohne übertriebenes Theater und entfernte sich abrupt, als Joane hereinkam. „Der erste Gang", sagte sie und setzte eine Platte mit rötlichem, kräutergewürztem Fleisch vor ihn auf den Tisch.

„Warum ist Kish weggegangen?"

„Er überläßt mich meinem Leben", murmelte sie schlicht und setzte sich zu ihm.

„Ihr verspürt keinerlei Beschränkung?"

„Wodurch?"

„Durch Eure Rolle. Gut, Ihr seid mit einem Gastwirt verheiratet. Aber daran seid Ihr nicht für den Rest Eures Lebens gekettet."

„Es ist mein Platz."

„Bis zu Eurem Tod?" Skallon hörte auf, an seinem Fleisch herumzuschneiden; es war unerwartet dick und schwer. „Ihr glaubt, daß Ihr irgendwann ..." – er suchte nach dem richtigen Ausdruck – „... alles und jeder sein werdet, nicht wahr?"

„Das ist bewiesen."

„Gommersets Vierhundert."

„Ja, und auch durch die Forschung seither. Forschung, die hier auf Alvea durchgeführt wurde. Aber sicher wißt und versteht Ihr das. Sonst würdet Ihr Alvea nicht so empfinden, wie Ihr es tut."

„Oh. Ja." Skallon wußte nicht, wie er ihr sagen sollte, daß er all das kannte, aber daß auf der Erde niemand mehr daran glaubte. „Ihr habt teil an dem ... hm ... absoluten Monismus."

„Wir ziehen die Bezeichnung Nondualismus vor, damit auch die Erdler es verstehen."

„Das impliziert so etwas wie ein ... nun, ein zyklisches Universum."

„Das tut es. Vielleicht." Sie lächelte. „Man wird es später verstehen."

Skallon hieb angelegentlich in sein Fleisch. Eine Sauce wurde serviert, und er schaufelte sie auf seinen Teller. Sie schmeckte entfernt nach Grannetnüssen. Er wollte Joane nicht sagen, daß Gommersets Daten schon vor mehr als fünfhundert Jahren widerlegt worden waren.

Die berühmten Vierhundert waren Fälle von hypnotischer Erinnerung gewesen, scheinbar zweifelsfrei verifiziert. In gewöhnlicher Hypnose hatten sie sich an vergangene Leben erinnert, und zwar auf eine beinahe unheimlich zu nennende detaillierte Weise. Wo die Details sich überprüfen ließen, erwiesen sie sich als korrekt. Es gab unter ihnen Schiffsbauer für Ferdinand und Isabella, Bauern aus dem alten East Anglia, Hebammen aus dem Rom des Kaisers Claudius. Manche Versuchspersonen hatten sich nicht nur an ein einziges Leben erinnert, sondern an viele. Die Historiker machten einen Fall mit siebenundzwanzig überprüften Identitäten dingfest.

Als Gommerset seine Untersuchungen veröffentlichte, ging eine Woge von religiösen Sekten um die Welt. Reinkarnation schien eine einfache, harte Tatsache zu sein.

„Der zarte Körper zieht weiter", sagte Joane leichthin, als machte sie gesellschaftliche Konversation. „Wir wandern in eine neue, vergängliche Behausung."

„Wir nennen das - diese Ideen - die ‚Nondualistische Phase'", nuschelte Skallon kauend. Er spürte, daß er etwas sagen mußte, aber belügen konnte er sie nicht.

„Oh?" Höfliches Interesse.

„Unsere intellektuellen Historiker nennen es so. Es entspricht dem zyklischen Repetitionsmodell der irdischen Geschichte. Gommerset - na ja, nicht er, aber die Reaktion auf seine Daten - war ein Produkt des Zusammenbruchs im 21. Jahrhundert."

„Und Alvea ist seine Blüte", sagte sie sanft.

„Hm. So ist es. Die Raketenschiffe haben den Gommersetismus verbreitet, bevor man ihn noch wirklich überprüfen konnte. Das war es auch, was ihn eigentlich vernichtete - auf der Erde, meine ich."

„Dort glaubt niemand daran?"

Skallon schüttelte den Kopf. „Ohne die Raketenschiffe - oder die

Überlicht-Transporte danach – hätte die Nondualistische Phase sich durchgesetzt. So wie sie es auch in der Vorgeschichte getan hat – ich meine, in den wirklich alten Gesellschaften auf der Erde. Im größten Teil Asiens, in diesem Bereich ... das ist ein Kontinent", fügte er hinzu, als er bemerkte, daß sie die Geographie der Erde nicht kannte. „Diese Nationen hörten auf, sich auszubreiten, sie verloren ihren Antrieb und wandten sich nach innen. Nondualistische Soziometrie ist sehr gut geeignet dafür – es fehlt die Spannung zwischen zwei Polen, also passiert nichts."

„Es *muß* doch auch nichts passieren, mein Freund." Sie legte ihre Hand auf die seine. Ihre Finger waren kühl.

„Aber die Dinge *passieren*. Ereignisse haben ihre eigene Dynamik. Hätte die Erde die Raketenschiffe nicht entwickelt, dann wären wir nach und nach in Armut versunken – keine Rohstoffe mehr, ein ganzer Haufen von Problemen." Er sprach mit ernster Miene und stach dabei mit dem Zeigefinger in die Luft.

„Aber Ihr habt jetzt auch keine Rohstoffe."

„Ja, aber wir können sie uns *holen*. Von euch, von den anderen Welten. Das Konzept des Kooperativen Imperiums bildet eine völlig neue Ära in der menschlichen Geschichte. Eine nondualistische Erde könnte die hochentwickelte Technologie, den Transport, die Kommunikation, die soziometrischen Kalkulationen und Theorien überhaupt nicht aufbringen."

„Aber ich frage mich, ob wir sie brauchen."

„Natürlich braucht ihr sie! Raketenschiffe stehen für jedermann zur Verfügung; gerade jetzt sind zwei im Orbit zum Beladen. Aber sie sind zu langsam, um das Kooperative Imperium zusammenzuhalten. Ohne die Überlichtschiffe gäbe es keine echten interkulturellen Kontakte. Alvea wäre in einer kulturellen Sackgasse." Er sagte nicht, daß Alvea in seinen Augen ohnehin schon fast stagnierte. Das war wahrscheinlich auch ein vorübergehender Effekt der Seuchen.

„Die Schiffe haben euren Glauben zerstört."

„Nein, das haben die Daten getan. Niemand konnte Gommersets Resultate wiederholen."

„Nicht einmal mit seinen Vierhundert?"

„Nun, die waren offensichtlich präpariert; jemand hatte sich an ihrem Vorderhirn zu schaffen gemacht, da gab es keinen Zweifel.“

„Gommerset?“

„Weiß ich nicht. Als eine komplette Analyse möglich war, lebte er schon nicht mehr.“

„Es ist auch leichter, einen toten Mann in den Schmutz zu ziehen.“

„Nun, ich will wirklich keine große Sache daraus machen.“

„Ihr wollt nicht glauben. Die Erde will nicht glauben.“

„Ach ...“ Diesmal war es Skallon, der nach ihrer Hand griff. „Glauben, nicht glauben - mir ist es *egal.*“

„Das denke ich nicht.“

„Wenn ich sterbe und in einem anderen Job wieder zurückkomme, als Agrimech oder sonstwas - prima. Ich kann doch daran nichts ändern. Und wenn irgendwann Schluß ist - *pfffft* -, genausowenig. Also mache ich mir auch keine Sorgen.“

„Jeder denkt über diese Dinge nach. Jeder hat Sehnsucht.“

„Ich habe keine Sehnsucht danach, auf jeder Ebene des Lebens noch einmal zurückzukommen. Aber das ist es, was ihr denkt, nicht wahr? Weil ihr eine unbegrenzte Anzahl - oder doch wenigstens eine sehr große Anzahl - von Leben habt, braucht ihr euch auch nicht die Mühe zu machen, eure soziale Rolle *jetzt* zu verändern, nicht wahr?“

„Unser Weg gibt uns innere Ruhe.“

„Ich habe aber lieber die ... die Freude des Neuen.“ Er starrte sie ernsthaft an. Der Kerrinwein in seinem Essen ließ seinen Kopf ein wenig rauschen. Der Raum hallte wider von vielen ineinander verflochtenen Gesprächen; die Luft war schwer und voller Gerüche.

„Auch Ihr braucht die Ruhe. Jeder braucht sie.“

Skallon lehnte die mürben Süßigkeiten, die ihm zum Dessert gereicht wurden, ab, und so verließen sie das Communal frühzeitig, noch ehe das Gedränge am dichtesten war. Von den gedämpften Eß- und Sprechgeräuschen und dem scharfen Knacken des offenen Feuers führte sie ihn in die hinteren Korridore des Hotels. Sie kamen an Fains Zimmer vorbei, und Skallon verspürte einen Impuls anzuklopfen, doch er unterdrückte ihn. Er brauchte Ruhe, und die Durchsuchung der Großen Halle würde später seine ganze Wachsamkeit erfordern.

Joane öffnete ihm eine rohe Holztür, hinter der er zunächst seine Kammer vermutete. Aber der Raum war größer, und durch die Fenster sah man die Felder hinter dem Haus. Die Luft hier war frischer als in den unteren Räumen, und sein Kopf war gleich klarer.

Sie trat zu ihm, als die Tür klickend ins Schloß fiel. Joane war viel kleiner als Skallon, aber sie schien ihn ganz zu umschließen, und der Duft einer neuen, warmen, animalischen Hitze stieg zwischen ihnen auf. Er hatte das Gefühl, nur aus Ellbogen und Knien zu bestehen. Sie murmelte etwas, als sie seinen Hals küßte, aber er verstand es nicht, konnte sich nicht konzentrieren auf das, was er tat.

Allmählich entspannte er sich. Es war nicht wie bei den anderen Gelegenheiten, wo er sich jeder Bewegung, jeder Geste bewußt gewesen war, bewußt auch der Implikationen dessen, was die Frauen wollten und was sie von ihm erwarteten. Hier mit Joane floß alles ineinander. Griffe lösten sich, Glieder glitten geschmeidig hindurch und schlangen sich umeinander. Er verlor das Gleichgewicht, und sie fielen mit traumhafter Leichtigkeit *(die Gravitation?* fragte er sich, aber nein, das war es nicht) und formten einander zu verschiedenen Gestalten, Figuren, Umhüllungen.

Die Zeit verstrich in trunkener Trägheit, und er betrachtete sie unter sich, wie der rosige Ring ihres Mundes ihn in einem tiefen Rhythmus umschloß, und es strömte in Wellen in den Raum zwischen seinem Kopf und seinem Herzen. Etwas in ihm schien zu schmerzen, in weiter Ferne. Das Beben einer merkwürdigen, unangebrachten Angst durchzuckte ihn. Natürlich war er schon früher mit Frauen zusammen gewesen, hatte alles dies getan … aber jetzt schien es tief in seinem Innern auf neue Resonanz zu stoßen und unbekannte Akkorde zum Klingen zu bringen. Er bewegte sie, öffnete sie, schob sich in sie hinein. *Ah.* Ein stampfender Rhythmus. Als er kam, war es, als bräche ein Geräusch aus ihm hervor. Er erwartete, es in dem kleinen Raum widerhallen zu hören. Tiefer eindringend spürte er eine aufgestaute Explosion, er schob sich hinein, und es kam, drängend, tief und erschauernd. Der aromatische, würzige Duft von Alvea tat sich ihm auf, ein Schwall von wogenden Lauten, ein seidiger Schimmer, der ihn in neue Abgründe Joanes wirbelte, tiefer hinab in eine endlose Finsternis, die ihn verschluckte, und keuchend kämpfte er sich zu einem neuen Ufer, außer Atem, den Höhepunkt hinter sich, voll und gesättigt. Er murmelte in ihr Ohr, und sie wisperte kurze, raspelnde, zischende Laute, Worte, die ihn tiefer in eine weiche, sanfte Ruhe drängten; so lag er still, atmete die Luft mit geschlossenen Augen, murmelnd, dösend, er schlief ein mit Joane in seinen Armen, und sie war ein verschwommener Mittelpunkt, in dem er ruhen konnte.

7

Er erwachte, und der schwere, dumpfe Geruch von Joanes Haar erfüllte seine Nase. Er rollte zur Seite und setzte sich auf. Er fühlte sich völlig ausgeruht, obwohl ein Blick auf seine Armbanduhr ihm sagte, daß sie das Communal vor weniger als einer Erdstunde verlassen hatten. Seine Bewegung rief in einer Ecke des Raumes ein trappelndes Geraschel hervor. Skallon erblickte zwei kleine, vierbeinige Tiere, die plötzlich verharrten und ihn ihrerseits beäugten. Ihre dicken, fleischigen Schwänze zuckten hin und her. Ihre boshaften, kleinen Frettchenaugen sahen blitzend zu ihm herauf. Sie ähnelten Ratten, waren allerdings größer. Er fragte sich, ob die Biester ihn anfallen würden, doch dann bezweifelte er es. Falls sie nicht durch Krankheit oder Hunger von Sinnen waren, würde es reiner Selbstmord sein, wenn sie sich an einen Menschen wagten. Seine Überlegungen fanden einen Augenblick später ihre Bestätigung, als die beiden zusammenzuckten, einen Blick zur Seite warfen und mit blitzschnellen Bewegungen in einem Loch in der Wand verschwanden, das aussah, als sei es für sie viel zu klein.

„Hmmmm?“ Joanes Lider flatterten, und dann war sie wach.

„Ich muß gehen.“

„Mmmm. Wohin?“

„Den Änderling aufstöbern.“

„Oh.“

Die Nachmittagssonne, die durch die dick verglasten Fenster hereinströmte, ließ Joane seltsam leicht und luftig erscheinen, und ihre Haut schimmerte wie eine Perle. Sie hatte die gleiche anonyme Farbe wie Skallon und Fain, wie eigentlich jeder auf der Erde nach den Jahrhunderten von homogenisierenden Querströmungen in den Kulturen der Menschen. Die Gommerset-Gläubigen, die Alvea kolonisiert hatten, stammten hauptsächlich aus Afrika. Skallon hatte auf der Straße ein paar dunklere Leute gesehen, aber selbst in diesem relativ unbedeutenden, isolierten Winkel des Kooperativen Imperiums hatten sich die Rassen im Laufe der Zeit miteinander vermischt. Joanes schwarzes Haar entsprach nicht dem Standard; als sie sich seufzend räkelte, sah man schattenhafte, bräunliche Strähnen darin.

„Es ist sehr schnell gekommen, nicht wahr?“ sagte Skallon.

„Beim nächsten Mal können wir uns mehr Zeit nehmen.“

„Nein, ich meine ... wir haben uns erst gestern kennengelernt.“

„Oh. Nun, ich habe ein deutliches Zeichen gegeben.“

„Beim Mittagessen?“

„Heute morgen.“

„Ach so. Als du mir das Frühstück serviertest.“

„Ja. Du kennst Alvea.“

„Du wußtest also, daß ich es richtig verstehen würde.“

„Selbstverständlich.“ Wieder lag diese ruhige Gewißheit in ihrer Stimme, die Skallon schon am ersten Abend im Tempel gespürt hatte. Sie lächelte.

„Es war wunderschön.“

„Das war es.“ Sie beugte sich herüber und küßte ihn. Ihre Brüste pendelten leicht. „Du bist ein guter Mann. Das wußte ich, als wir das erste Mal miteinander sprachen.“

„Ich hoffe, ich habe nicht ... weißt du, ich bin nicht vollständig vertraut mit euren Sitten ... ich habe einfach ...“

„Du machst dir Sorgen um Kish.“

„Ja.“

„Was er sagen wird. Falls er es erfährt. Wie wir so etwas machen.“

„Ja. Alles das.“

„Du brauchst dir keine Sorgen um Kish zu machen.“

Skallon dachte, daß sie zweifellos recht hatte. Er würde noch ein paar Tage hier sein, vielleicht ein wenig länger. Kein Grund, sich knietief in alveanische Verstrickungen einzulassen. Dazu bestand absolut kein Anlaß.

„Du bist ein Löwe auf einem Bauernhof.“ Sie küßte ihn noch einmal.

Skallon lächelte. „Mag sein. Auf jeden Fall *riecht* es hier wie auf einem Bauernhof.“

„Ich werde dir von Kish erzählen.“

Und während sie erzählte, zog er sich an.

Fain ging auf einer Seitenveranda des Hotels auf und ab, als Skallon ihn fand.

„Wo warst du?“

„Ich habe mich ausgeruht.“

„Aber nicht in deinem Zimmer.“

„Nein.“ Skallon äußerte sich nicht weiter, und Fain fragte nicht. Danon kam auf die Veranda geschlendert. Seine Füße wirbelten kleine Staubwolken auf, und er kaute am Stengel einer purpurroten Pflanze. Skallon erkannte sie als gekochtes Quantimakas. „Okay, da ist Danon. Gehen wir.“

„Du bist aber ganz schön munter heute, Skallon“, sagte Fain, und es klang unerwartet bitter.

Skallon ignorierte seinen Ton. „Stimmt was nicht?“

„Wir brauchen Scorpio, um den Änderling in einer Menschenmenge ausfindig zu machen. Unsere Diagnosegeräte allein sind völlig nutzlos.“

„Ja, sicher.“

„Und Scorpio ist krank.“

Fain trat gegen das Geländer. Das Holz riß und splitterte, und man sah einen vermoderten Streifen, der sich wie ein brauner Faden durch den ganzen Balken zog.

„Was?“ Er sah Danon an, aber der zuckte die Achseln - eine universelle Geste. „Was hat er denn?“

„Er hat diesen Scheißfraß nicht vertragen. Das faule Fleisch hat ihm geschmeckt, und er hat es verschlungen. Und jetzt hat er sich über und über mit dem Zeug vollgeschissen.“

„Oh. Hast du schon irgendwas aus der Notapotheke versucht? Wir haben jede Menge Bioreaktanten. Die sind zwar für Menschen, aber ein paar davon ...“

„Ich habe ihm drei gegeben. Ohne Erfolg.“

„Na ja, sie brauchen Zeit. Das System ...“

„Wir *haben* aber keine Zeit. Dort draußen ist der verdammte Änderling, und wir sitzen hier fest in dieser Wanzenbude von Hotel. Siehst du ...“ Mit einer weiten Gebärde umfaßte er die holprige, von ungleichmäßigen Häusern bestandene Straße zu beiden Seiten des Hotels. Die Häuser wirkten zusammengedrängt und schienen nur aus sonderbaren Ecken und falsch eingepaßten Wänden zu bestehen. Ein paar Kilometer weit entfernt ragten die Türme der Stadtmitte von Kalic empor. Sie waren gerade und aufrecht - massive Felsblöcke. Es war offensichtlich, daß sie bedeutender waren als diese schäbige Straße. Der höchste gehörte zur Großen Halle. „Es ist da draußen. Vermutlich hat es inzwischen schon den ganzen, gottverdammten Mischlingsplaneten in der Hand. Und wir ...“

„Dann gehen wir ohne den Hund.“

Fain sah ihn ausdruckslos an. „Unmöglich.“

„Wir können zumindest ein paar Verdächtige identifizieren, und Scorpio kann dann den Richtigen festnageln. Oder wir benutzen die Instrumente.“

„Das gefällt mir nicht“, sagte Fain. Geistesabwesend trat er wieder gegen das Verandageländer und taumelte in seiner schweren Doubluth-Verkleidung einen Schritt zurück. „Zu riskant.“ Aber man sah, daß er darüber nachdachte.

„Wir müssen bald gehen“, gab Danon zu bedenken. „Die Versammlung wird ...“

„Wirklich, ich finde, es ist zu riskant“, sagte Fain abrupt, ohne auf Danon zu achten. „Der Änderling hat Vertil. Du weißt, was das bedeutet? Wir haben jeden Vorteil verloren, den wir hatten, und jetzt auch noch Scorpio.“

„Die Instrumente ...“

„Scheiß auf die Instrumente! Dauert viel zu lange, die aufzubauen. Und alles mögliche kann sie durcheinanderbringen, sogar Kochdunst. Bis du alles zusammengestöpselt hast, ist ein Änderling schon über alle Berge.“

„Nicht wenn einer von uns ihm eine Waffe an den Kopf hält.“

„Wenn er das gestattet, meinst du wohl. Er hat Vertil, erinnerst du dich? Er kann Alveaner gegen uns einsetzen. Zum Teufel, es ist sogar noch schlimmer. Er kann einen Alveaner unter Vertil aushorchen und damit alle Informationen bekommen, die er braucht – und dann nimmt er seine Stelle ein. Das einzige Problem, das die Änderlinge auf der Erde hatten, war, daß sie nicht wußten, was ihre angenommenen Identitäten zu tun hatten, wie sie sich benehmen mußten.“

„Zugegeben, es ist schwierig. Aber wir müssen es machen.“

„Ja“, sagte Fain verdrossen. Er wandte sich um und blickte in Richtung Stadtzentrum.

Fains Ausbruch hatte Skallon tiefer erschüttert als er zeigen wollte. Wahrscheinlich war es die Erkrankung des Hundes; ganz gleich, jedenfalls war Fain etwas unter die Haut gedrungen. Zum ersten Mal begriff Skallon, wie hoffnungslos unterlegen sie bei dieser Operation waren. Zwei Männer, die offensichtlich nicht dafür geeignet waren zusammenzuarbeiten, gegen einen Änderling. Die Erde mußte verrückt gewesen sein, ein solches Manöver zu versuchen. Skallon wußte, daß es ein verzweifelter Versuch war; wahrscheinlich würden sie versagen und wieder abgeholt werden, aber trotzdem – so schlecht hatte es bei ihrer Landung noch nicht ausgesehen.

... versagen und wieder abgeholt werden ... Plötzlich kam Skallon ein Gedanke: Wenn sie den Änderling nicht rechtzeitig zur Strecke brachten und wenn Alvea sich in träges Chaos auflöste, dann würde die Erde vielleicht ihre Verluste möglichst gering zu halten

versuchen und sich nicht mehr die Mühe machen, sie noch abzuholen. Weshalb sollte man einen teuren Überlicht-Kreuzer für zwei Versager verschwenden?

Aber wenn er und Fain hier festsäßen, würden sie sterben. Sie waren nicht für Alvea adaptiert. Es gab komplizierte biologische Justierungen, die ihnen fehlten, und hinzu kam natürlich die erhöhte ultraviolette Strahlung. Ein paar Jahre, und sie würden krank werden. Wenn sie nicht voher schon von Erdgegnern niedergestochen worden wären. Und ...

Fain wirbelte herum. „Wir gehen. Wir müssen es versuchen." Irgend etwas war in seine Stimme zurückgekehrt. Sie hatte den scharfen Klang der Autorität wiedergewonnen.

„Großartig." Skallon winkte Danon. Sie verließen das Hotel rasch durch einen Seitenausgang.

Skallon warf einen Blick zurück; er hoffte, er könnte Joane zum Abschied zuwinken, aber in keinem der Fenster entdeckte er ein vertrautes Gesicht. Er hätte sich gern länger mit ihr unterhalten. Sie hatte sich als ziemlich sensibel erwiesen, indem sie ihm das Frühstück serviert hatte. Auf der Erde hätte ein Mädchen ihm einen Klaps gegeben, ihn angefaßt, vielleicht noch eine Einladung und ihre Pritschennummer gemurmelt. In der nächsten Pause hätten sie sich dann getroffen und wortlos ausgezogen, und dann hätte sie sich zu grunzender Erfüllung geschaukelt und ihn dabei als nützlichen fleischigen Rammbock benutzt. Danach hätten sie unpersönlich miteinander geplaudert und vielleicht vereinbart, sich noch einmal zu treffen und zu bespringen, aber wahrscheinlich hätten sie keinen weiteren Blick füreinander verschwendet, wenn sie sich im Gang begegnet wären. Aber hier auf Alvea, da servierte eine Frau einem eine Mahlzeit, und das bedeutete nichts und alles. Auf Alvea waren Männer und Frauen noch keine hochzivilisierten, neurosefreien Tiere. Noch einmal dachte er sehnsuchtsvoll an Joanes zarte Berührung. Unglaublich, daß ihm schon soviel passiert war, daß eine ganze neue Welt offen vor ihm lag, nach nur zwei Tagen. Er erinnerte sich daran, wie kunstvoll sie ihn beim Essen umschmeichelt hatte. Daß sie bei jenem ersten Frühstück nicht nur ihn, sondern auch Fain bedient hatte, daran dachte er nicht.

8

„Aber es ist die beste Strecke. Nur so kommt man schnell zur Großen Halle“, beteuerte Danon; er wand sich unter Fains hartem Griff. „Jeder andere Weg erfordert, daß man die Straßen betritt, die auch das Vieh benutzt.“

Fain verstand, was das hieß - er war einmal zufällig auf eine solche Straße mit ihrem schweren Mistgeruch gestoßen -, aber trotzdem schüttelte er den Kopf. Er hielt den Arm des Jungen umklammert und wandte sich an Skallon. „Ich glaube, das wäre nicht klug. Es sind heute zu viele Leute auf der Straße. Jeder von ihnen könnte der Änderling sein; wir würden ihn nicht bemerken.“

„Na und?“ sagte Skallon gelassen. „Wir sind verkleidet - er wird uns nicht erkennen.“

Fain wußte, daß das nicht stimmte - nach den Ereignissen auf dem Flughafen würde der Änderling ihn gewiß wiedererkennen -, aber das war nicht der Grund, weshalb er diese Straßen meiden wollte. Nein, der Änderling hatte damit nichts zu tun. Der Grund lag einfach in den Menschenmassen, die er hier vorfand, Hunderte von Menschen, die liefen, spazierengingen, herumstanden und redeten. In seinem ganzen Leben hatte Fain eine so große Menschenansammlung noch nie ertragen können - weder Pseudomenschen noch andere - und schon gar nicht auf so engem Raum. Es verschaffte ihm Unbehagen, es machte ihn nervös und allzu schreckhaft. Er hatte es nie gemocht, wenn Menschen dicht an ihn herankamen, und vor allem mochte er nicht, wenn Alveaner ihn berührten. „Es muß noch einen anderen Weg geben.“

Skallon zuckte die Achseln. „Danon sollte die Stadt eigentlich besser kennen als wir und ...“ - er warf einen Blick auf die gelbe Sonne, die in staubigem Dunst den Horizont erfaßte - „... wir sind schon spät dran.“

„Also gut.“ Da er keine andere Möglichkeit sah, ließ Fain den Jungen los, und dieser hüpfte sogleich davon und schlüpfte zwischen den breiten, schwabbligen Bäuchen zweier entgegenkommender Alveaner hindurch. Fain und Skallon folgten ihm ein wenig langsamer. Die beiden Alveaner nickten knapp und machten ihnen Platz, aber Fain sah, daß hinter ihnen andere kamen - viele, viele andere.

„Der Junge ist clever", sagte Skallon. „Du kannst dir nicht vorstellen, wie sehr er mir bei meinen Streifzügen durch die Stadt geholfen hat. Er ist tatsächlich ebenso gescheit wie die meisten Erwachsenen auf der Erde."

„Das will nicht viel heißen", erwiderte Fain. Er wußte genauso gut wie Skallon, daß die Erklärung dafür in einfacher Genetik lag: Die Weltraumkolonisation hatte nur die Intelligentesten angezogen.

„Natürlich ist Kish nicht sein wirklicher Vater."

„Tatsächlich nicht?" Fain bemühte sich, interessiert zu erscheinen, während er die bedrohlichen Menschenmengen, die sie umgaben, nicht aus den Augen ließ. Sie passierten eine Reihe von Ständen, an denen Lebensmittel, Kleider und Gegenstände, die aus den Häuten toter Tiere gefertigt waren, unter großem Gebrüll, Geschrei und Geheul verkauft wurden. Hier war der Mob noch dichter. Ein fetter Schenkel streifte sein Bein. Fain sog die Luft durch die Zähne und biß sich auf die Lippe.

„Oh nein", sagte Skallon. „Es ist kompliziert, aber wenn man die unterschiedlichen lokalen Kulturmuster versteht, dann wird es schon klarer. Als Kish noch zur Händlerkaste gehörte, war er mit einer anderen Frau verheiratet, die etwa in seinem eigenen Alter war, aber sie starb in einer der Seuchen, ohne ihm einen Sohn geboren zu haben. Nun ist aber in der Händlerkaste ein männlicher Erbe fast eine Notwendigkeit, denn die Handelsrechte und Vertretungen werden immer von Generation zu Generation weitergegeben. Ohne einen Sohn und damit ohne die Garantie, daß sein Geschäft nach seinem Tode weiterbestehen würde, wurde es für Kish sehr schwierig, neue Verträge zu ergattern. Also mußte er noch einmal heiraten, aber auch da gab es ein Problem, denn nach dem, was ich höre, lag die Hauptschuld dafür, daß kein Sohn geboren wurde, bei Kish."

„Das hat er dir erzählt?" sagte Fain flüsternd; an eine Welt, in der elektronische Abhörgeräte unbekannt waren, konnte er sich immer noch nicht gewöhnen. Skallon bestand darauf, daß Lauschen nach alveanischer Auffassung ein schlimmeres Vergehen sei als Mord.

„Nein, nicht er. Joane. Sie hat mir eine Menge über die heimischen Sitten und anderes erzählt."

„Ich verstehe."

„Ja, und das Ergebnis war, daß Kish eine Braut fand, die schon von einem anderen Mann schwanger war, und das war Joane. Ihr Vater war ein sehr unbedeutender Händler, und er war sofort bereit, mit Kish einen Ehevertrag zu schließen, trotz des großen Altersunterschiedes, der normalerweise ein schwerwiegendes Hindernis dargestellt hätte. Es gab nur eine Klausel, die auf Joanes Bestreben hin in den Vertrag aufgenommen wurde. Anscheinend mißfiel Kish ihr von Anfang an, und sie wollte nicht zu sexuellem Verkehr mit ihm gezwungen werden."

„Und er war einverstanden?"

„Ja, natürlich. Er brauchte den Sohn."

„Aber er ist kein Händler mehr. Er ist Gastwirt."

„Ja, es geschah nämlich folgendes: Joanes Vater war anscheinend so stolz auf seinen Vertrag mit Kish, daß er seinen Mund nicht halten konnte. Als Kishs Geschäftspartner die Geschichte erfuhren, lachten sie ihn aus. Kish fühlte sich in den Augen seiner Standesgenossen gedemütigt. Er hatte Glück, das Battachran-Hotel noch kaufen zu können."

„Er war ein Idiot. So schwer sind Frauen nicht zu finden."

„Aber jetzt haßt er Joane. Er gibt ihr und Danon die Schuld für alle seine Probleme."

„Mit Recht."

„Nicht daß ich es ihm verdenken könnte", sagte Skallon mit einem merkwürdigen Beben in der Stimme. „Aber war es ihre Schuld, daß sie ihn nicht ausstehen kann?"

„Sie könnte so tun."

„Wie könnte sie tun?"

„Sie könnte so tun, als hielte sie ihn für den heißesten Typen auf dem ganzen Planeten."

„Aber er verabscheut sie."

„Na und?"

„Also wäre es unmöglich, in dieser Hinsicht irgend etwas zu heucheln."

Fain hätte lachen können, aber er ließ das Thema fallen. Eines Tages würde er Skallon über die Geschichte der Kunst der weiblichen Prostitution aufklären, aber nicht jetzt. Es war offensichtlich, daß Skallon mit der Frau schlief. Das war riskant genug. Fain würde das Problem nicht noch verschlimmern, indem er ihn in die Defensive zwang.

„Ist es dort drüben?" fragte Fain und wies auf das zackengekrönte Dach eines Holzgebäudes, das sich vor ihnen zwischen den wackligen Verkaufsbuden erhob. Danon war mitten in einer Menschenansammlung stehengeblieben und winkte ihnen, sich zu beeilen.

„Ja", meinte Skallon, „das muß die Große Halle sein." Unvermittelt beschleunigte er seinen Schritt, er rannte fast, drängte sich an Danon vorbei und stürmte weiter. Fain hatte alle Mühe, watschelnd mit ihm Schritt zu halten. „Aus solcher Nähe habe ich sie noch nie gesehen. Es ist wundervoll – dies ist der größte Tag meines Lebens."

„Schrei doch nicht so, verdammt!"

„Du kannst das nicht verstehen", sagte Skallon; es verletzte ihn offensichtlich, daß Fain seine Begeisterung nicht teilte.

Aber Fain beeilte sich jetzt ebenfalls. Eines zumindest würde die gepriesene Zentralversammlung in der Großen Halle ihm verschaffen: Erholung von diesen überfüllten, stinkenden Straßen.

Einmal in jedem alveanischen Jahr, so wußte Fain, versammelten sich die Führer der verschiedenen Kasten in allen größeren Städten des Planeten, um in einer Reihe von öffentlichen Zusammenkünften die allgemeinen Leitlinien zu beschließen, denen der gesamte Planet im kommenden Jahre folgen würde. In Fains Augen war dies eine völlig verrückte Idee: Entscheidungen mußten vom Fleck weg getroffen werden – niemals konnte man so weit im voraus planen. Aber Skallon hatte behauptet, daß diese Versammlungen angesichts der schwachen Regierungsstruktur der Alveaner eine notwendige und sehr vernünftige demokratische Institution seien. Fain zuckte die Achseln. Er wußte auch, was für wunderbare Möglichkeiten ein solches System einem Änderling bot.

Danon hatte sie am Eingang verlassen. Auf sich selbst gestellt, gelang es Fain und Skallon, sich ins Innere der Großen Halle zu drängen. Obgleich sie so groß war, platzte die Halle doch schon jetzt aus allen Nähten. Fain fand jede nur vorstellbare Nuance des Regenbogens in den aufgeblähten Gewändern der Leute. Wie an jedem öffentlichen Ort auf diesem Planeten herrschte auch in der Halle ein schaler, stechender Geruch. Ein Durcheinander von schrillen, schreienden Stimmen bohrte sich in seine Ohren.

Fain entdeckte zu seiner Linken einen freien Stuhl und wollte darauf zugehen, aber Skallon ergriff seinen Arm.

„Nein, nicht da."

„Wieso nicht?" Fain mußte brüllen, um sich verständlich zu machen. „Meine Füße bringen mich um." Die zusätzliche Wattierung, die er am Leibe trug, war mehr als ein Ausgleich für die geringere alveanische Gravitation. Seine Beine schmerzten ihn.

„Weil wir bei unserer eigenen Kaste sitzen müssen. Bei den Doubluths." Skallon zeigte auf einen entfernten, dunkelroten Farbklecks. „Da sind sie - dort drüben."

Fain unterdrückte ein Stöhnen. Skallon, eifrig wie stets, begann sich einen Weg durch die Menge zu bahnen. Fain hatte nichts gesagt, aber er fragte sich ernsthaft, ob ihre Anwesenheit hier besonders nützlich sein würde. Konnte man erwarten, daß der Änderling, der ja sehr genau wußte, daß er verfolgt wurde, an einem solchen ungeschützten und übersichtlichen Ort irgend etwas unternehmen würde? Die Logik sagte ihm, daß man damit nicht rechnen konnte. Änderlinge verstanden ihre Arbeit, und es gab hundert subtilere Arten, einen Planeten zu ruinieren, ohne an einer Versammlung wie dieser teilzunehmen. Andererseits liebten Änderlinge dreiste Aktionen. Es machte ihnen Spaß, zu foppen und zu höhnen und verrückte Risiken einzugehen. Änderlinge dachten niemals nach. Sie planten nicht, und das war es, was sie so gefährlich machte.

Am Rande der purpurnen Sitzreihen - Fain nahm betrübt zur Kenntnis, daß sämtliche Stühle besetzt waren - kam Skallon gleitend zum Stehen, faltete die Hände zierlich unter dem Kinn und murmelte: „Wir sind hier, um unserem Wunsch Ausdruck zu verleihen, an der Beratung unserer Brüder teilzuhaben."

Fain, der auf die Erforderlichkeit solcher Rituale ausgiebig vorbereitet worden war, tat desgleichen. Eine ganze Weile jedoch ließ keiner der Doubluths, die in der Nähe saßen, auch nur im geringsten erkennen, daß er sie wahrgenommen hätte. Die meisten schienen eifrig damit beschäftigt zu sein, mit ihrem Nachbarn zu schwatzen. Sie redeten zu schnell, als daß Fain ihnen hätte folgen können.

Dann erhob sich mitten in der Gruppe ein Mann. Er lächelte, winkte und kam auf sie zu. Fain, die Hände immer noch fest gefaltet, sah mit einigem Interesse zu, wie der Mann näher kam. Soweit er sich erinnern konnte, war dies der erste wirklich alte Mann, den er auf diesem Planeten zu Gesicht bekam. Er sah ebenso fett und grotesk aus wie die anderen, aber selbst die weichen Fleischwülste auf seinen Wangen und an seinem Kinn konnten die tiefen Linien und Falten, die sein Gesicht durchzogen, nicht mehr verbergen. „Der Senior", wisperte Skallon. „Du weißt, was du zu tun hast."

Fain brauchte nicht zu nicken. Mit so etwas hatte er nicht gerechnet. Soweit es ihn anging, war dies nur ein weiterer Grund dafür, daß er heute besser nicht hierhergekommen wäre. Lediglich Skallons Ignoranz in praktischer Hinsicht und die Möglichkeit, daß er einen ernsthaften Fehltritt beginge, hatten ihn schließlich davon überzeugt, daß es notwendig sei dabeizusein.

Der alte Alveaner, der Senior, verneigte sich tief vor Skallon. „Ich heiße meine jüngeren Brüder mit großer Freude zu unserem Kongreß willkommen."

„Die Freude ist auf unserer Seite", erwiderte Skallon. Er verbeugte sich leicht und küßte den alten Alveaner auf die Stirn.

Fain nahm sich behutsam zusammen und schob sich auf den alten Mann zu. Ohne ein Wort senkte er den Kopf und vollzog den notwendigen Kuß. Wegen seiner immer noch unzureichenden

Aussprache hatte Skallon ihn davor gewarnt, mehr zu reden als nötig war.

Er spürte einen Geschmack auf den Lippen, der ihn sonderbarerweise an alten Tee erinnerte.

Skallon sagte: „Ich bin Thomas, und mein Begleiter heißt Joseph. Wir sind Männer aus dem Süden, die hierher gereist sind, um die größten Meister unserer Kunst zu begrüßen.“ Skallon hatte erklärt, daß eine solche Wallfahrt, so unüblich sie auch sein mochte, kaum Überraschung hervorrufen würde. Die Umgebung von Kalic wurde von den Finanz- und Handelskasten beherrscht. Doubluths aus den eher landwirtschaftlich geprägten Kontinenten des Südens würden sich für die hier abgehaltenen Versammlungen weit mehr interessieren. Skallon hatte ihn gewarnt, daß der Senior sie womöglich eingehend nach gemeinsamen Freunden und Bekannten ausfragen könnte. Auf diese Weise würde er am schnellsten ihre eigenen Auffassungen und Anliegen in Erfahrung bringen können. Deshalb hatte Fain ein paar Phrasen über die alveanische Ökonomie auswendig gelernt. Darüber hinaus würde Skallon bei diesem Täuschungsmanöver die Führung übernehmen müssen.

Aber der Senior murmelte nur: „Ich bin Jal“, wandte sich ab und eilte zu seinem Platz zurück.

Jetzt sah Fain, daß dort Unruhe ausgebrochen war. Ein Alveaner, umringt von einer Schar purpurn gewandeter Zuhörer, schüttelte seine Fäuste und schrie etwas. Gewisse, ständig wiederholte Wörter konnte sogar Fain verstehen. Das eine war *Erde* und das andere *Seuche.*

Als der Senior dort angelangt war, ergriff er den wild Gestikulierenden am Arm und versuchte, ihn von der Zuhörermenge weg zu einem leeren Stuhl zu führen. Zuerst wehrte sich der Mann, aber dann schien der Senior etwas zu flüstern und mit einem ärgerlichen Achselzucken ließ der Mann sich gehorsam wegbringen.

„Was war da los?“ fragte Fain.

In offensichtlicher Betroffenheit schüttelte Skallon den Kopf. „Es hat keinen Zweck. Der Mann hat sich darüber beklagt, daß das Doubluth-Programm ein Fehlschlag sei, weil es nicht die Forderung nach Beendigung des gesamten interstellaren Handels enthält."

„Na und?"

„Nun, es ist absolut unerhört, daß jemand das Programm seiner eigenen Kaste kritisiert. Man kommt zu diesen Versammlungen, um den eigenen Plan gegen die anderen Kasten durchzukämpfen. Ohne einmütige Front wäre jede Kaste gleich schwach."

„Und was hat der Senior gesagt, um ihn zum Schweigen zu bringen?"

„Ich nehme an, es hatte etwas mit dem Ritual zu tun. Er hat ihn wohl nicht davon überzeugt, daß er im Unrecht war."

Aber in diesem Augenblick hatte Fain etwas erblickt, was seine Aufmerksamkeit von Skallons Erläuterungen ablenkte: einen leeren Stuhl - sogar zwei - im hinteren Teil des Doubluth-Bereichs.

„Beeil dich", sagte Fain und zerrte an Skallons Gewändern.

Sie erreichten die freien Stühle, kurz bevor die beiden Männer, die dort aufgestanden waren, um dem Anti-Erden-Agitator zuzuhören, zurückkamen.

Fain ließ sich rasch auf einen der beiden Stühle sinken und zog Skallon auf den anderen.

Die beiden Alveaner starrten ihn wütend an, aber Fain tat, als sähe er sie nicht.

Nach ein paar Augenblicken gingen die Alveaner davon.

„Das hättest du nicht tun dürfen", meinte Skallon. „Als Pilger sollten wir uns unseren Gastgebern nicht aufdrängen."

„Dann steh auf und geh spazieren", erwiderte Fain. „Ich halte dich nicht fest."

Skallon grinste. „Du nicht, aber meine Füße. Fain, langsam begreife ich, daß du doch zu etwas zu gebrauchen bist."

„Würdest du das bitte dem Änderling sagen?"

„Mach ich. Wenn du mir zeigst, wo er steckt."

„Noch nicht", brummte Fain. „Aber bald - verdammt bald."

Wie Fain es eigentlich erwartet hatte, erwies sich die Versammlung als hoffnungslos langweilig. Er mußte sich zwingen, wachsam zu bleiben, während Kaste um Kaste nacheinander die hölzerne

Plattform in der Mitte der Halle betrat. Nach allem, was er begriff, erhob sich jeder der Redner, um einen detaillierten – und, was Fain betraf, völlig unverständlichen – Plan für die Regierung des Planeten während des kommenden Jahres darzulegen. Falls der Änderling zugegen war, gab er dies durch keinerlei Zeichen zu erkennen. Skallon zufolge brachten die Redner ihre Ausführungen durchweg in sehr milden Worten dar. Angriffe auf die Erde beschränkten sich auf überaus sanfte und allgemein gehaltene Formulierungen. Die Seuchen – wenn sie überhaupt Erwähnung fanden – wurden als medizinisches Problem mit möglichen Lösungen geschildert. Die Hitze in der Halle und das beständige Summen von Gesprächen ringsumher taten das ihre, um Fains Schläfrigkeit zu vergrößern. Unmerklich wurde der Nachmittag zum Abend. Die Nacht sank herab. Skallon saß aufrecht auf der Stuhlkante und verschlang jedes einzelne Wort. Skallon ließ seine Augen zufallen. Es war warm. Es war behaglich.

Der Änderling war weit weg.

Er wußte nicht, wie lange er geschlafen hatte, als Skallon seinen Arm berührte. Augenblicklich war Fain hellwach.

„Sieh mal", flüsterte Skallon, „ich glaube, mit dem Mann dort stimmt etwas nicht."

Fains Blick folgte Skallons ausgestrecktem Zeigefinger. Ein purpurn gewandeter Doubluth hatte endlich das Podium erklommen. Fain glaubte, den Mann als Jal wiederzuerkennen, den Senior, der sie begrüßt hatte. Aber Jal sprach nicht. Statt dessen hielt er die Hände hoch über den Kopf, und seine Gewänder wallten mit den Bewegungen seines Körpers. Er schien zu tanzen.

„Es ist die Seuche", flüsterte Skallon.

Fain brauchte keine Bestätigung für diese Diagnose. Er spürte, daß jedes Auge in der Halle jetzt den zuckenden, sich windenden Tänzer beobachtete. Noch hatte niemand etwas gesagt, gerufen oder geschrien, aber eine Atmosphäre von unterdrücktem Grauen, von kurz vor dem Ausbruch stehender Panik; erfüllte den Raum.

Dann schrie jemand. Fain wandte sich nach rechts und sah den jungen Doubluth, der vorhin den Aufruhr verursacht hatte. Er stand auf einem Stuhl. „Seht nur“, rief der Mann. „Seht, was sie uns jetzt angetan haben.“

Niemand mußte fragen, wen er mit *sie* meinte.

„Es ist unser Senior“, fuhr der Mann fort. In der Stille der Halle, durchbrochen nur von den stampfenden Füßen des tanzenden Seniors, dröhnte seine Stimme wie Kanonendonner. „Es ist mein Senior und Meister. Sie haben ihn ermordet. Wart ihr nicht gewarnt? Wir halten unsere Versammlung ab und sprechen von wunderbaren Plänen, landwirtschaftlichen Quoten und Handelsrecht. Wir reden, während rings um uns her Menschen sterben, ermordet durch die selbstsüchtige Gier des Erdenkonsortiums und seines sogenannten Kooperativen Imperiums. Es ist eine Obszönität in den Augen des Gottes mit den Millionen Namen.“

Skallon ergriff seinen Arm. „Fain, tu etwas!“

Wie alle anderen beobachtete Fain den Tanzenden. Die Bewegungen des Seniors waren jetzt langsamer geworden. Seine Arme hingen nutzlos herunter. Sein Kopf zuckte krampfhaft hin und her. „Was schlägst du denn vor?“

„Bring ihn zum Schweigen. Sorg dafür, daß er still ist. Siehst du nicht, daß er versucht, die Erde verantwortlich zu machen für ... für das, was hier geschieht?“ Er wies mit dem Kopf auf das Podium.

„Vielleicht hat er nicht ganz unrecht.“

„Fain, es kann sein, daß er der Änderling ist!“

„Und es kann sein, daß er es nicht ist. Halt den Mund und überlaß das mir.“ Aber Fain machte keine Anstalten, etwas zu unternehmen. Im Augenblick begnügte er sich damit, zu beobachten und zuzuhören. Allerdings ließ er seine Hand sinken und legte sie auf die beruhigende Wölbung seines Hitzestrahlers.

Der Redner sagte soeben: „Schaut euch diesen Mann an. Schaut nur, wie er tanzt. Seht, wie sein Kopf zuckt und wie er seine Hände gen Himmel streckt. Er ist eine Marionette. Er ist ein Geschöpf in den Händen anderer. Er ist eine Marionette der Erde. Sie lassen ihn tanzen, und so wahr ich hier stehe - sie werden ihn sterben lassen.“

Kaum hatte der Mann das gesagt, wie auf ein Stichwort hin, warf der Tanzende auf der Plattform seinen Kopf in den Nacken, stieß einen furchtbaren Schrei voller Schmerz und Verzweiflung aus und sank zu einem reglosen Bündel zusammen.

„Tot", sagte Fain, ohne etwas zu empfinden.

Die Panik, die Redner und Tänzer bisher in Schach gehalten hatte, brach jetzt aus. Männer schrien, andere brüllten, Stühle wurden umgestoßen. Alles schien gleichzeitig auf die Ausgänge zuzustürmen.

Fain hielt Skallon dicht bei sich. Er mußte schreien, um in dem Höllenlärm verstanden zu werden. „Rühr dich nicht. Bleib wo du bist." Selbst Fain fühlte, wie es ihn unwiderstehlich nach draußen an die frische Luft zog. Aber er hatte nicht die Absicht, sich zu Tode trampeln zu lassen. Nicht hier auf Alvea.

Er führte Skallon in die entgegengesetzte Richtung, weg von der Meute. Er stieß einen Stuhl beiseite.

„Wo willst du hin?" fragte Skallon.

Fain wies auf das Podium vor ihnen. „Ich will mir diesen Mann genau ansehen."

„Aber der ist tot, Fain."

„Das weiß ich."

„Aber ... aber ... wir ..." Skallon drehte den Kopf hin und her. Den anstürmenden Menschenmassen war es gelungen, ein Loch in die Wand zu brechen. Inzwischen waren fast alle ins Freie gelangt. Alle bis auf die zerquetschten Leiber, die verstreut umherlagen, zu Boden geworfen von der alles zermalmenden Menge.

„Skallon, wir sind vor jeder denkbaren Seuchenform sicher. Es gibt keinen Grund zur Besorgnis. Du solltest das besser wissen als jeder andere."

„Ja, ja, natürlich. Du hast recht. Aber ..."

Fain brachte sich dazu, besänftigend den Arm des anderen zu tätscheln. „Du brauchst mir nichts zu erklären. Panik ist eine ansteckende Krankheit. Ich habe es vorhin selbst gespürt."

„Es ist nur schwierig, einen klaren Kopf zu behalten. Bei diesem ... diesem Chaos."

„Ja", sagte Fain trocken. „Genau."

Er bestieg die Plattform. Sie war leer; es war der letzte Ort der Welt, an dem sich irgend jemand freiwillig aufhalten wollte. Das plötzliche Übermaß an freiem Raum war für Fain eine willkommene Erleichterung. Er spürte, daß er jetzt klarer denken konnte.

Er packte den Leichnam des Seniors und wälzte den Mann auf seinen massigen Bauch. Er faßte in das dicke Fleisch an der Rückseite des einen Armes und drückte es kräftig zusammen. „Da“, sagte er und winkte Skallon, sich die Stelle anzusehen. „Ich dachte mir schon, daß es zu schön war, um wahr zu sein.“

Skallon sah hin, aber er schüttelte den Kopf. „Ich sehe nichts.“

„Das Fleisch. Es hat sich verfärbt. Dort, wo ich ihn gekniffen habe.“ Er ließ den Toten los und erhob sich. „Dieser Mann ist mit einem Injektor erwischt worden - und zwar vor kurzem erst.“

„Vertil?“

Fain hatte die Plattform schon verlassen. Er ging schnell, aber er rannte nicht. Von draußen hörte er immer noch das laute Rumoren der Menge, aber das Innere der Halle lag jetzt verlassen da. „Vertil braucht man nicht zu injizieren. Nein, ich schätze, es war die Seuche, die ihn getötet hat.“

„Aber die kann doch der Änderling sich nicht verschafft haben - zumindest keine der lokalen Seuchenformen.“

„Dann hat es vielleicht seine eigene mitgebracht.“

„Aber dann ... wir ... wir ...“

„Genau“, sagte Fain. „Dann sind wir vielleicht nicht immun.“

Wie Fain begann jetzt auch Skallon schneller zu laufen, aber dann schien ihm plötzlich ein Gedanke zu kommen, und er verlangsamte seinen Schritt. Er wußte ebensogut wie Fain, daß Eile ihnen jetzt nichts mehr nützen könnte. „Dann muß der Änderling doch dieser Alveaner gewesen sein. Erinnere dich: Wir haben sie dicht beieinander stehen sehen. Dabei hätte er den Injektor benutzen können.“

„Das hätte er, aber fast jeder andere ebenfalls.“ Fain schüttelte den Kopf. „Nein, ich bin noch nicht soweit, daß ich eine bestimmte Vermutung äußern könnte - noch nicht.“

Ins Freie zu gelangen war einfach genug. Sie stiegen durch das Loch in der Wand, und über ihnen funkelten die Sterne. Die Menge hatte sich zum größten Teil zerstreut. Ein paar verstreute Gruppen von Leuten waren zurückgeblieben. Fain atmete die saubere Nachtluft in tiefen Zügen, und sogleich fühlte er sich besser. Er war zu erschöpft, um herumzustehen und ein paar Idioten dabei zuzuhören, wie sie Schmähreden gegen die Erde führten.

„Was ist dort drinnen geschehen, hohe Herren?“ Es war der Junge, Kishs Sohn - nein, verbesserte sich Fain: Joanes Sohn. Anscheinend hatte er die ganze Zeit draußen gewartet. „Einige sagen, die Seuche sei ausgebrochen.“

„So etwas Ähnliches“, sagte Fain. Er gab dem Jungen einen sanften Stoß. „Bring uns nach Hause, und Skallon hier wird dir alles erzählen.“

Während sie durch die gewundenen Straßen der Stadt wanderten, die jetzt ebenso tot und leer dalagen, wie sie zuvor bevölkert und lebendig gewesen waren, konnte Fain nicht umhin, Skallon dicht zu sich heranzuziehen. „Dieser Doubluth ... ich meine den, der gegen die Erde gewettert hat ... erinnerst du dich an ihn?“

„Ja, natürlich. Und ich meine immer noch, daß er der Änderling war. Es gäbe sonst zu viele Zufälle in der Geschichte.“

„Ist dir an ihm etwas aufgefallen, während er redete?“

„Aufgefallen? Was meinst du?“

„Seine Augen, seine Haltung, seine Art zu reden.“

„Ja. Nein. Ich meine, so genau habe ich ihn mir nicht angesehen. Ich nehme an, ich habe auf den Senior geachtet. Worauf willst du hinaus?“

„Vertil“, sagte Fain. „Wenn jemals in meinem Leben jemand unter dem Einfluß von Vertil gehandelt hat, dann dieser Mann.“

„Dann ... dann war er nicht ... dann kann er nicht der Änderling gewesen sein.“

„Nein“, erwiderte Fain. „Aber er war dort. Er war dort, und er war sorgfältig bemüht, uns wissen zu lassen, daß er dort war.“

Eine Weile sagte Skallon gar nichts. Vor ihnen in der Dunkelheit hörte Fain die Schritte des Jungen, der ihnen vorauslief. „Was bedeutet das, Fain?“

„Ich wünschte, ich wüßte es.“ Fain schüttelte den Kopf langsam hin und her. „Ich wünschte wirklich, ich wüßte es.“

9

Sanft zog Fain den Kamm durch das weiche Fell auf dem Rücken des Hundes. „Na, ist das nicht besser? Fühlst du dich nicht schon sauberer?“ Er war mit Scorpio allein in seinem Zimmer. Es war später Abend, aber Fain war noch nicht müde. Während der Versammlung in der Großen Halle hatte er einen großen Teil des Tages verschlafen.

Scorpio gab ein pfeifendes Keuchen von sich, halb genüßlich und halb schmerzlich. „Sauberer. Aber. Krank.“

„Es geht dir schon besser“, sagte Fain.

„Krank.“

Fain verstand. Trotz der Augmentation war Scorpio immer noch ein Tier und deshalb nicht fähig, feine Unterscheidungen in seinem Gesundheitszustand zu treffen. Aber Fain wußte, daß er recht hatte. Scorpios Zustand hatte sich erheblich verbessert. In ein oder zwei Tagen würde er an der Suche nach dem Änderling wieder teilnehmen können. Wenn es nur eine Möglichkeit gäbe, ihn in die Große Halle hineinzuschmuggeln ... „Du wirst es überleben.“

„Ich. Werde. Nicht. Sterben.“ In der Stimme des Hundes lag ein Unterton von echter Überraschung.

„Nein. Ich meine, es hätte sein können. Du hättest vielleicht sterben können. Aber jetzt bist du außer Gefahr.“

„Gut.“ sagte Scorpio.

„Das finde ich auch.“ Aber Fain bezweifelte, daß der Hund in der Lage war, ein solches Gefühl zu verstehen, vor allem, weil er eigentlich gemeint hatte: Wenn der Hund hier gestorben wäre, hätte er sich das nicht so schnell verziehen - weder sich selbst noch Skallon. Nein, Scorpio war ihm zu ähnlich, als daß ihm an Dingen wie Freundschaft, Mitgefühl oder Schuld gelegen sein konnte. Scorpio lebte, wie Fain, in der Gegenwart, und wenn sich diese Gegenwart für Fain als gerade langweilig genug erwies - wie das endlos mahlende Gerede auf der Alveanerversammlung -, dann mußte es für den armen Scorpio um so schlimmer sein, denn er konnte nur den ganzen Tag in seinem Zimmer liegen, umgeben von diesen grotesken Halbmenschen, und warten. Scorpio war ebensowenig wie Fain zum Warten geschaffen. Er tätschelte den Hund. „Es dauert nicht mehr lange. Bald bist du wieder auf den Beinen und kannst hier raus. Dann fangen wir den Änderling und gehen nach Hause."

„Ich. Bin. Bereit."

Fain legte den Kamm beiseite und kraulte dem Hund die Ohren. „Ich auch."

Aber wann? dachte er. *Und wie?*

Sie trat ein, ohne zu klopfen.

Fain, der längst gehört hatte, wie ihre nackten Füße durch den langen Gang herankamen, bevor sich die Tür tatsächlich öffnete, wandte sich gelassen um. „Leg den Riegel vor", sagte er. „Wir wollen doch nicht gestört werden."

Sie trug nur einen Hauch von Textilien am Leib. Ihr normales Nachthemd? Das hatte er sich beim ersten Mal gefragt. Oder etwas Besonderes? Etwas nur für ihn?

Sie stand bewegungslos da, den Rücken gegen das glatte Holz der Tür gepreßt. „Ich mag dieses Tier nicht." Sie deutete auf Scorpio. „Er ist lästig. Und … und unecht."

Fain konnte sich ein Grinsen nicht verkneifen. *Sie* mußte reden. Unecht? Wofür hielt sie sich denn selbst – sich und ihre sechzig Millionen Mit-Pseudos? „Scorpio bleibt", sagte er, einem plötzlichen Impuls folgend. „Er ist krank. Ich will ihn heute nacht nicht allein lassen."

„Aber war er nicht schon früher krank, wenn ich kam?" Ihre Worte klangen zögernd. Fain nahm an, daß sie wußte, was er tat – und vielleicht verstand sie sogar, warum. „Skallon sagt, dem Tier geht es viel besser, und bald wird es Eurem Feind entgegentreten können."

Achselzuckend ließ Fain den Hund liegen und trat auf die Frau zu. „Leg den Riegel vor, Joane", sagte er leise. „Ich will nicht, daß Skallon hier hereinstolpert."

„Ist es, weil du ihn fürchtest? Seinen Zorn? Seine Eifersucht?"

„Nein, ich fürchte ihn nicht."

„Weshalb willst du die Tür dann nicht offenlassen?" Ihre Stimme wurde schrill, aber sie blieb beherrscht – völlig beherrscht. „Wenn der Hund zusehen kann, wieso dann nicht auch Skallon? Oder Kish? Oder Danon? Warum wollen wir nicht alle zusehen lassen, Fain? Du sagst, auf der Erde tut man das."

„Wir sind nicht auf der Erde." Er wollte sich an ihr vorbeischieben. Dabei fing er Scorpios Blick auf. Der Hund gab ihm kein Zeichen der Warnung. Gut. Sie war in Ordnung. „Leg den Riegel vor", sagte er und blieb stehen.

Sie gehorchte sofort. Eine Hand fuhr zu ihrem Mund, und sie kicherte, hoch und mit angestrengter Beherrschung. Unter einem Gekräusel von durchscheinendem Stoff zeigte sie ihm ihr rundes Hinterteil, während sie den schweren Holzriegel herabfallen ließ. Ihr Gesäß war breit, aber hart. An der Rückseite ihrer Schenkel zeigten sich kräftige Muskeln. Joanes Körper legte Zeugnis ab von all den vielen Dingen, zu denen er gedient hatte. Es gab Falten und Schwielen und harte Stellen, die man bei den Frauen auf der Erde niemals fand. Vielleicht erklärte dies zum Teil, warum er seine eigenen Prinzipien so widerstandslos umgestoßen und ihr verhülltes Angebot angenommen hatte, gleich beim ersten Mal. Auf ihre eigene Weise stellte sie sich der Welt ganz direkt und unerschrokken. Sie hing in diesem dämlichen alveanischen Sumpf fest, aber sie jammerte nicht. Sie versuchte nicht, sich bei ihm einzuschmeicheln wie die meisten Frauen auf der Erde.

Fain schüttelte leicht den Kopf. Es hatte keinen Sinn, sentimental zu werden. Es bestand eine Art Vertrag zwischen ihnen, eine Übereinkunft, sich sexuell miteinander zu vergnügen und einander nicht zu belügen. Und das war alles.

„Wenigstens ist das Ding müde", sagte sie und wies dabei auf Scorpio. Fain sah, daß der Hund seine Schnauze in der Schulter vergraben hatte und eingeschlafen war. Er lächelte schwach. Ihre kleine Rede über das Zuschauen hatte gereicht.

„Du bist immer so angespannt, seit du wieder hier bist. Ich dachte, daß dir vielleicht nicht gefallen hat, was du von Kalic gesehen hast."

„Es ist in Ordnung."

„Es ist ganz anders als ..." Fain griff nach ihr, um den Strom ihrer Worte abzuschneiden. Smalltalk würde sie nicht weiterbringen. So etwas konnte einem helfen, mit manchen Leuten zurechtzukommen, mit der Sorte, die gern über Nichtigkeiten schwatzte, aber er wußte, daß er bei Joane keinen Anschein zu wahren brauchte. Reden konnten sie später miteinander, vielleicht. Dann, wenn es wirklich etwas bedeuten konnte. Jetzt aber war es nur hinderlich. Er preßte sie an sich. Sie reagierte, und er fühlte, wie etwas in ihr sich plötzlich beschleunigte. Ihr Atem wurde sogleich zu einem abgehackten Keuchen. Kurz darauf fielen sie auf das Bett. Er küßte und streichelte sie, aber sie bestimmte das Tempo, führte ihn weiter, fühlte ihn, zupfte und leckte an ihm. Unter ihren Händen spürte er unvermittelt den vibrierenden Druck eines Orgasmus. Er schob sie zurück. Sie erschauerte und zog ihn herab. Sie biß ihn in die Lippen und brachte einen vollen, dunklen Geschmack von Blut in seinen Mund. Fain hob sich und sank wieder herab. Scorpio murmelte etwas im Schlaf. Joanes Beine hielten Fain umklammert wie eine Zange. Ihre Kraft verblüffte, erfreute, verhöhnte und verspottete ihn. Die Frauen auf der Erde waren niemals körperlich stark. Das war nicht notwendig, angesichts der unzähligen Maschinen. Er kam in ihr, lautlos. Sie konnte es nicht wissen, und so fuhr sie fort, unter ihm zu beben, bis er sich hastig zurückzog, gefühllos ihre Schenkel bespritzend. Eine Frau auf der Erde so zu behandeln hätte ihm sofort Verachtung und ein gewisses Schamgefühl eingebracht. Hier aber, Lichtjahre weit entfernt, konnte er tun, was er wollte. Als er sich nach ihr umsah, strich sie gerade ihren Umhang über den Beinen glatt.

„Willst du mich noch einmal?" fragte sie.

„Ja." Er wußte nicht, ob es so war oder nicht, aber er wußte, er wollte, daß sie blieb. Warum? Denn – und auch das wußte er – wenn sie ging, würde sie sogleich zu Skallon gehen. In einer der Nächte war er ihr gefolgt und hatte es gesehen. Ob es anders war mit Skallon, besser für sie? Fain nahm an, daß es das war. Skallon würde sich, von seinem Gewissen gepeinigt, ein Bein ausreißen, um dafür zu sorgen, daß Joane seine Orgasmen teilte. Aber zuerst kam sie zu Fain. Das bemerkte er, und er bemerkte auch, daß es ihn mit Vergnügen erfüllte.

„Jetzt?“ fragte sie und griff nach dem Saum ihres Gewandes.

Er schüttelte den Kopf, aber sein Lächeln war in der Dunkelheit wahrscheinlich unsichtbar. *Jesus.* „Ich glaube, ich sollte noch etwas warten.“ Er ging zur Tür, hob den Riegel auf und schaute in den Gang hinaus. Ein süßlicher, scharfer Geruch stach in seine Nase. Essen. Fleisch. So spät in der Nacht? Die fetten Alveaner machten selten eine Pause bei ihrem hauptsächlichen Zeitvertreib. Es konnte Kish sein, der unten in der Küche war, ebensogut aber auch jemand anders im Communal. Fain beschloß, sich nicht darum zu kümmern. Er wandte sich um und schnalzte mit der Zunge. „Scorpio - hierher.“

Der Hund kam sofort. Er hatte nicht eine Sekunde geschlafen, was Fain nicht überraschte. Anders als viele Menschen kannte Scorpio den Wert einer gewissen Zurückhaltung.

„Fain. Ruft.“ sagte der Hund und tat schlaftrunken.

„Ich glaube, du solltest jetzt wieder in dein Zimmer gehen. Ruh dich aus. Wenn du dich morgen früh noch besser fühlst, finden wir vielleicht etwas, wozu wir dich brauchen können.“

„Gut.“ Scorpio wollte hinausgehen.

„Und Scorpio“, sagte Fain - er wußte, daß es nicht nötig war, aber vielleicht würde es helfen, Joane zu beruhigen -, „wenn du Skallon begegnen solltest, dann sag ihm nichts. Von Joane, meine ich. Daß sie hier bei mir ist.“

„Skallon. Spricht. Nicht. Mit. Mir.“

Fain nickte und trat wieder zurück ins Zimmer. Er verriegelte die Tür und wandte sich dem Bett zu. Joane hatte die Lampe angezündet. Das harte Licht warf seine Schatten über die Flächen und Kerben in ihrem Gesicht. Er legte sich neben sie.

„Fain“, fragte sie, „hast du Angst vor Skallon?“

„Nein.“ Ihre Frage überraschte ihn so sehr, daß er keinen Ärger empfand. „Warum fragst du?“

„Was du dem Tier gesagt hast ...“

„Das habe ich deinetwegen gesagt. Damit du dir keine Sorgen zu machen brauchst.“

„Wegen Skallon?“ Sie lachte. „Aber er ist nur ein Junge. Wie Danon. Er ist überhaupt nicht wie du, Fain.“

Und wie bin ich? fragte Fain sich. *Wie Kish?* Aber er sagte nichts. „Skallon würde sich aufregen, wenn er wüßte, daß wir uns sehen. Er wäre verletzt und wütend. Ich muß mit ihm arbeiten. Ich will ihn bei Laune halten.“

„Aber wir sind nicht verlobt, du und ich. Wir sind nicht verheiratet. Kish müßte zornig sein, nicht Skallon.“

„Skallon würde wütend sein“, sagte er geduldig. „Nicht deinetwegen. Meinetwegen. Skallon haßt mich. Vielleicht liebt er dich. Sicher glaubt er das.“

„Aber ich liebe niemanden.“ Sie sagte es beiläufig, wie ein Kind. Fain mußte daran denken, was Skallon ihm über Kish und Joane erzählt hatte, und zum ersten Mal, seit er die Geschichte gehört hatte, begann er so etwas wie wirkliche Sympathie für Kish zu empfinden.

„Ich auch nicht“, antwortete er.

„Dann sind wir uns ähnlich.“ Sie legte ihre Arme um seine Schultern und streifte seinen Hals mit ihren Lippen. „Wir sind von verschiedenen Welten, aber wir sind gleich. Sag mir, Fain, auf der Erde – sind die Frauen dort wie Skallon? Verlieben sie sich?“

„Die Frauen auf der Erde sind keine Frauen mehr. Ich weiß nicht, was sie sind.“

„Du magst sie nicht.“

„Ich mag sehr wenige Leute, Joane.“

„Aber du magst mich.“

Es war keine Frage. Sie wußte es. „Ich mag dich.“

„Wenn du es wünschst“, sagte sie, „werde ich Skallon nicht mehr sehen. Ich bin sowieso nur mit ihm gegangen, weil er mich gefragt hat. Ich glaube, Fain, du bist wahrscheinlich besser als Skallon. Er bemüht sich zu sehr, wie wir zu sein, wie ein Alveaner. Du bist nur du selbst.“

Ihr Angebot war nicht unerfreulich, das mußte Fain sich rasch eingestehen, aber dann sagte er: „Nein, tu das nicht. Wenn du von einem von uns beiden wegbleiben mußt, dann laß mich derjenige sein. Ich bin es nicht, der dich braucht. Skallon ist es.“

„Aber was ist, wenn ich es bin, die dich braucht, Fain?"

Er glaubte es nicht. Dennoch, als er sie an sich zog, versuchte sie nicht, sich zu wehren. Ihre Finger betasteten ihn geschickt. Er reagierte. Die ganze Zeit hindurch brannte das Licht. Als Joane auf ihn stieg, öffnete Fain die Augen und betrachtete ihr Gesicht: die tiefen Falten, die die Stirn durchzogen, die Krähenfüße, die sich von beiden Augenwinkeln verbreiteten. Joane war hübsch, entschied er, aber nicht schön. Auf der Erde, wo alle Frauen schön waren, war keine hübsch. Joane war hübsch. Das gefiel ihm. Es war anders, und Fain war nicht unfähig, die Schönheit in etwas zu sehen, das anders war.

Ein Geräusch auf dem Korridor ließ ihn augenblicklich hellwach werden. Er sprang auf und griff nach seinem Hitzestrahler. Joane wurde heruntergeschleudert und schrie auf. Fain stürzte zur Tür und riß sie auf.

War der Änderling endlich zu nah herangekommen?

Aber er sah nur Kish. Der Wirt stand mit hoch erhobenen Händen da. Seine Augen quollen hervor wie die eines verängstigten Tieres. Er leckte sich die Lippen und versuchte zu reden.

Fain ließ den Hitzestrahler sinken. Er war verlegen und beschämt, und das Bewußtsein dieser Gefühle machte ihn wütend. „Was wollt Ihr hier?"

„Ich ... ich kam nur vorüber." Kish sprach hastig. Seine immer noch erhobenen Hände zitterten. „Mir war, als ... als hätte ich ein Geräusch gehört. Einen Schrei."

„Das war ich", sagte Fain. „Ein böser Traum. Ein Alptraum."

„Ich dachte, es wäre vielleicht ... Euer Feind. Der, der sich in andere Dinge verwandelt. Ich dachte, er sei vielleicht hergekommen, um ... um Euch zu überfallen."

„Das kann nicht geschehen. Scorpio wird ihn von hier fernhalten." Fain vermutete, das Kish log. Er warf einen Blick hinter sich. Von dort, wo sie standen, war nur das Fußende des Bettes zu sehen. Joane war für Kish unsichtbar. Aber da war dieser Schrei gewesen. Den mußte er zumindest gehört haben, wenn nicht noch mehr. „Habt Ihr Skallon gesehen?" fragte er. Er wollte das Thema wechseln.

Kish ließ schnaufend die Arme sinken. „Nein. Er muß ebenfalls schlafen."

„Dann will ich es auch wieder versuchen, falls Ihr nichts dagegen habt. Skallon und ich, wir haben morgen einen langen Tag. Eine weitere, wichtige Versammlung. Diese Dinge neigen dazu, sich stundenlang hinzuziehen, wißt Ihr." Weshalb schwatzte er hier herum? Es war Smalltalk – und er haßte Smalltalk. Kish bedeutete ihm nichts. Weshalb fühlte er sich schuldbewußt?

„Ich verstehe nichts von den Versammlungen. Ich gehöre nicht zu den Hohen Kasten, um es genau zu sagen." Kish wirkte steif; zum ersten Mal zeigte er wirkliche Emotionen. Er war verbittert. Aber über wen?

Fain trat ins Zimmer zurück. „Ich muß jetzt gehen. Ich will Euch nicht länger aufhalten."

Kish machte einen Schritt nach vorn, als wollte er Fain ins Zimmer folgen, aber dann blieb er plötzlich stehen, schlug seine winzigen Füße zusammen und verbeugte sich aus seiner breiten Hüfte. „Ich wünsche Euch eine geruhsame Nacht, Mr. Fain", sagte er.

„Ja natürlich. Ja, danke." Fain schloß die Tür vor Kishs dunklem, lächelndem Gesicht und verriegelte sie fest hinter sich. Er wartete einen Moment, bis das Geräusch der Schritte im Korridor ihn davon überzeugte, daß er unbehelligt reden konnte. „Geh zurück in dein Zimmer", befahl er Joane.

Sie hatte sich kaum bewegt. Unbekümmert zeigte sie sich in ihrer Nacktheit. Entweder war sie sicher gewesen, daß Kish nicht ins Zimmer kommen würde, oder es war ihr gleichgültig. Wie auch immer, Fain begriff jedenfalls, daß er für diese Nacht genug von ihr gesehen hatte.

„Warum?" fragte sie. „Kish ist jetzt fort. Du brauchst ihn nicht zu fürchten."

„Ich fürchte ihn nicht." Fain fand ihr Gewand zusammengeknüllt am Fußende. Er warf es über ihre Brust. „Geh."

Und da begann sie zu lachen. Es war das letzte, was er erwartet hatte, und einige Augenblicke verstrichen, bevor er verstand, daß sie nicht mehr ganz Herr ihrer selbst war. „Er ... er ... er hat uns gehört", keuchte sie, mühsam die Worte zwischen unkontrollierten

Lachanfällen hervorstoßend. „Er hat uns gehört, er hat gewußt, was wir getan haben, und nichts unternommen. Es ist zum Lachen, Fain. Verstehst du das nicht? Er hatte Angst. Angst vor dir. Vor uns. Kish hatte Angst ... Angst ... Angst ..."

Fain schlug sie. Nicht brutal. Das war nicht notwendig. Er schlug sie nicht, weil sie hysterisch oder laut war, sondern weil er sie einen Augenblick lang haßte. Er haßte sie, weil sie lachte, und weil er wußte, daß er der Grund dafür war. Er erinnerte sich an das, was Skallon ihm über Kish und Joane und über die wahre Natur ihrer Ehe erzählt hatte, und er fragte sich, wieviel davon wohl stimmen mochte, falls überhaupt etwas dran war. Er fragte sich außerdem, warum Joane geglaubt haben mochte, Skallon davon erzählen zu müssen und ihm nicht.

Joane betastete ihre Wange und starrte Fain an. Kein Ausdruck lag in ihrem Blick – weder Schmerz noch Schreck noch Reue. „Ich ... ich habe dir geschadet, Fain."

„Nein, das eigentlich nicht." Sein Haß verebbte so schnell, wie er aufgestiegen war. „Aber ich meine, du solltest jetzt gehen. Kish ist unser Kontaktmann hier. Skallon und ich sind auf ihn angewiesen. Ich finde, wir sollten sein Vertrauen nicht mehr als nötig hintergehen."

Sie zog sich an. „Aber es war so komisch, Fain. Ich habe jedes Wort gehört. Er hatte solche Angst."

„Jeder von uns hat manchmal Angst, Joane." Er setzte sich mit dem Rücken zu ihr auf das Bett.

Sie legte ihre Arme auf seine Schultern. „Dann kann ich also nie wieder zu dir kommen."

„Das habe ich nicht gesagt." Er drehte sich um und sah sie an. „Vielleicht ein anderes Mal. Vielleicht morgen. Aber nicht heute nacht. Heute nacht will ich nachdenken."

„Ich verstehe." Sie erhob sich und ging zur Tür. „Das tut ihr Erdler immer. Immer nachdenken." Sie sagte es nicht vorwurfsvoll. Für sie war es wahr. Eine der Eigenschaften der auf der Erde geborenen Menschen: Ständiges Nachdenken.

Fain wartete, bis sie hinausgegangen war. Wohin, dachte er. Er nahm an, daß sie sich auf den Weg zu Skallon machte, aber er weigerte sich ganz bewußt, dem verhallenden Klang ihrer Schritte zu lauschen, um herauszufinden, in welche Richtung sie ging. Nein, er dachte an etwas anderes. Er dachte daran, wie sonderbar das alles war.

Er konnte sich nicht daran erinnern, Kish auch nur einmal so spät in der Nacht hier in den oberen Korridoren getroffen zu haben, seit er in dieser Herberge war. Was hatte ihn speziell in dieser Nacht hierhergeführt? Und - auch etwas, worüber er nachdenken mußte - Kishs seltsames Lächeln am Schluß. Was für eine Bedeutung hatte es gehabt?

Überrascht und erschrocken erkannte Fain, wohin seine Gedanken ihn führten: Woher wollte er wissen, ob Kish überhaupt Kish gewesen war? Woher wollte er wissen, ob Kish nicht der Änderling war? Es gab wenige greifbare Gründe für diesen Verdacht, aber noch weniger, um ihn zurückzuweisen.

Fain erstarrte. Wenn man Änderlinge jagte, beschlichen einen solche Augenblicke immer wieder: die plötzliche Angst, jedermann ringsumher könnte ein Änderling sein. Die Grundform der Paranoia. Scorpio hatte Joane an diesem Abend durchgehen lassen, und vorher hatte er auch Skallon geprüft. Aber er konnte nicht jeden im Hotel überprüfen. Nein, dachte Fain, das Hotel war sein Stützpunkt, und er mußte davon ausgehen, daß es relativ sicher war, denn sonst würde er keine ruhige Minute mehr finden.

Fain entspannte sich, ließ die Hände baumeln und lockerte seine Muskeln. Er setze sich auf das Bett und meditierte; er atmete beruhigend durch die Nase ein und wieder aus, in einem langsamen, trägen Rhythmus. Er ließ sich los und versank in sich selbst. Er fand den ruhigen Mittelpunkt dort, wo er immer war. Gelassen, kühl und schimmernd wie eine milchige Perle. Er würde leben, ganz gleich, was auch geschehen mochte. Es war nicht nötig, um sein Leben zu bangen, denn das Leben in einzelnen Formen war eine Illusion. Laß es fahren. Konzentriere dich lieber auf den Augenblick. Ein Krieger mußte fest in sich verwurzelt sein. So verankert konnte er hinausgehen und der Welt die Stirn bieten, aber die Verankerung war das Wesentliche. Ohne sie gab es kein Urteilsvermögen, keine wahre Sicht der Welt, wie sie war.

Fain badete in der kühlen Härte, die er im Zentrum seines Geistes mit sich trug, und wieder dachte er an seinen Vater. Er wußte, daß ein Zorn in ihm brannte, ein Schmerz, der niemals vergehen würde. Daraus zog er seine Energie, die ihm jene gewisse, harte Überlegenheit im Umgang mit der Welt verschaffte. Aber im Zentrum lag das milchweiße Rätsel, die Gewißheit.

Nach einer Weile stand er auf. Morgen früh würde er Scorpio nehmen und Kish und Joane noch einmal testen. Er nahm sich vor, immer daran zu denken, wenn er Scorpio bei sich hatte. Und darüber hinaus spürte er, daß da etwas Neues in dem sonderbaren Wettstreit entstanden war, den er mit diesem Änderling ausfocht. Ihr wunder Punkt war der Stolz: Sie widerstanden niemals der Versuchung, mit einfachen Menschen zu spielen; sie hielten sie für schwerfällig und dumm. Wenn dieser Änderling also wußte, daß Fain hier war, dann bestand die Möglichkeit, daß er ihn suchen würde. Schön. Sollte er nur. Ja, es konnte sogar sein, daß sich das Gleichgewicht der Jagd in diesem Augenblick verlagerte. Der öde Tag in der Großen Halle hatte den verspielten, aber tödlichen Geist des Änderling wahrscheinlich gelangweilt, denn er konnte sich ebenfalls langweilen. Für sein Empfinden war Ordnung eine Beleidigung, eine Perversion des natürlichen Stroms der Dinge. Also würde der Änderling sich vielleicht aus dem Gejagten in den Jäger verwandeln. Das konnte passieren, wenngleich es unwahrscheinlich erschien.

Noch immer zog eine gewisse Spannung an Fains Muskeln. Er wanderte im Zimmer auf und ab. Schließlich, um sich zu lockern, trat er hinaus in die knarrenden Gänge des Hotels und durchstreifte sie. Er lauschte auf ferne Geräusche, aber er vernahm nichts Argwohnerweckendes.

Als er an Skallons Zimmer vorüberkam, hörte er das Plätschern von Joanes Lachen.

An einem verschmierten Fenster blieb er stehen. Unten beleuchteten matte, orangefarbene Glühbirnen die Straße. In den trüben Lichtpfützen standen ein paar Alveaner. Sie redeten und gestikulierten, und einige kauerten an einer verfallenen Mauer und schliefen. Dahinter lag die Stadt, nicht strahlend hell und leuchtend wie die Städte auf der Erde, sondern vehüllt vom Mantel der Nacht, und kaum ein Licht brannte in den Straßen. Irgendwo in dieser Finsternis war der Änderling. Fain spürte in diesem Augenblick seine Gegenwart, er fühlte, wie das Ding sie beobachtete. Und irgendwie war es jetzt, als reiche der ruhige Mittelpunkt in seinem Innern nicht aus, um ihn vor dem brütenden Druck dieser fremdartigen Finsternis jenseits der fahlen Lichter zu beschützen. Der Änderling bedeutete Tod, Wahnsinn, endgültige Dunkelheit; Fain spürte es jetzt, wie er es nie zuvor gespürt hatte. War da etwas in ihm, das ihm entglitt? Gab es etwas an Alvea, an seinen trostlosen, düsteren Straßen, seiner alten Religion - etwas, das ihn veränderte? Das Gefühl des Fremden jenseits der Finsternis ... Unwillkürlich fröstelte Fain.

10

„Ist Joane gestern bei dir gewesen?“ fragte Fain Skallon. Die beiden Männer watschelten mit geübter Leichtigkeit durch die vom Morgenverkehr verstopften Straßen von Kalic. Fain, der sich der dicken Wattepolster, die sich um seine Taille schlangen, kaum noch bewußt war, sprach mit lauter Stimme, um den stetigen Rhythmus einer Prozession singender Mönche zu übertönen, die ihnen vorausging. Er glaubte, sich nach all den Tagen hier auf dieser Welt endlich heimisch zu fühlen. Skallon hätte ihm darin allerdings nicht zugestimmt. Skallon hatte fortgesetzt an seinem Akzent, seinen Manieren und seiner Haltung herumzumäkeln. Aber Fain wußte, daß es darum nicht ging. Es ging darum, wie er sich selbst fühlte. Und er fühlte sich wohl. Der Änderling würde - *könnte* - sich niemals wohlfühlen. Kein Änderling fühlte sich jemals irgendwo heimisch, vielleicht nicht einmal auf seiner eigenen Welt. Und das war ein Vorteil. Fain hatte die Absicht, diesen Vorteil zu nutzen.

Skallon schüttelte den Kopf. „Nein, ich habe sie seit gestern morgen nicht mehr gesehen. Hat sie nach mir gesucht?“

„Nein, sie nicht. Kish. Er kam letzte Nacht auf mein Zimmer und fragte mich, ob ich sie gesehen hätte."

„Und was hast du gesagt?"

„Ich habe gelogen. Mir wäre, als hätte ich sie ausgehen sehen, sagte ich ihm."

Skallon zuckte die Achseln. „Wahrscheinlich war es auch so. Sie geht oft nachts aus – zu einem der Tempel."

„Vielleicht war es das."

„Es überrascht mich nur, daß Kish sich die Mühe gemacht hat, nach ihr zu suchen."

„Vielleicht wollte er seine Socken gewaschen haben."

„Alveaner tragen keine Socken."

„Dann eben sein Gewand." Fain sah keinen Grund, das Thema weiter zu verfolgen. Als erstes hatte er am Morgen, genau wie er es sich in der Nacht versprochen hatte, Scorpio stillschweigend in die Küche geschmuggelt und den Wirt aus der Nähe beschnüffeln lassen. Das Resultat war negativ: Kish war nur Kish. Fain hatte eingesehen, daß ein unterschwelliges Schuldgefühl seinem Argwohn der vergangenen Nacht Nahrung gegeben hatte, und er hatte eine seltsame Mischung aus Enttäuschung und Erleichterung empfunden, als der Hund verneinte. Wenn Kish sich schließlich als Änderling erwiesen hätte, wäre alles so einfach gewesen: Ein einziger, kurzer Feuerstoß aus dem Hitzestrahler, und der Job wäre erledigt. Einfach, ja, und vielleicht zu einfach. Fain wußte, daß er eine größere Herausforderung brauchte, um das Vertrauen in seine eigenen Fähigkeiten, das er einmal besessen hatte, zu erneuern. Und jetzt war die Herausforderung wieder da. Aber war er auch bereit, ihr entgegenzutreten?

Eine vorüberziehende Prozession von jungen, leuchtend bemalten Frauen in silbernen Gewändern lenkte seine Aufmerksamkeit für eine Weile von seinen eigenen Gedankengängen ab. Die Gewänder der Frauen endeten weit oberhalb ihrer nackten Knie. Er konnte sich nicht entsinnen, ein öffentlich zur Schau getragenes nacktes Bein gesehen zu haben, seit er auf diesem Planeten angekommen war.

Skallon lächelte. „Kaiserliche Konkubinen", erklärte er. „Es hat niemals so etwas wie einen Kaiser auf Alvea gegeben, aber der Ursprung der Kaste geht auf die Gommerset-Ära der Erde zurück, und die Alveaner haben es nie für nötig gehalten, daran etwas zu ändern."

Kopfschüttelnd starrte Fain den Frauen nach. „Ich glaube ich kann verstehen, warum."

„Und es sind alles Jungfrauen. Sie wohnen in kleinen Häusern in der Nähe der Tempel und leben von öffentlichen Almosen. Man sieht sie nur einmal im Jahr in der Öffentlichkeit, zur Zeit des Festes. Sex ist ihnen verboten, denn sie sind für den Kaiser reserviert, und einen Kaiser gibt es nicht."

„Woher kommt denn dann der Nachwuchs? Ich dachte, der springende Punkt beim Kastensystem sei, daß der Sohn die Zugehörigkeit vom Vater erbt."

„Nicht bei diesen Frauen. Sie werden auserwählt. Die hübschesten Mädchen des ganzen Planeten."

„Ist das kein Widerspruch?"

Skallon zuckte die Achseln. „Ich denke schon. Aber einem Alveaner darfst du das nicht sagen. Ich bin sicher, er hätte eine Erklärung."

„Dann ist es wahrscheinlich am besten, wenn man häßlich auf die Welt kommt."

„Wieso?"

„Weil ich mir nicht vorstellen kann, daß das Leben als jungfräuliche Konkubine besonders viel Spaß macht."

„Für welche Frau macht das Leben auf diesem Planeten schon Spaß?"

Fain fühlte sich versucht, diese Frage zu beantworten, aber er beschloß, Skallons Gefühle nicht zu verletzen. Außerdem, wer war er, daß er Joanes Moral kritisierte? Das, was sie tat, wäre auf der Erde völlig normal.

„Wir sollten machen, daß wir weiterkommen", sagte Fain. Die Menschenmenge, die größtenteils stehengeblieben war, um die Prozession zu sehen, strömte ebenfalls weiter. Fain führte Skallon mitten hinein.

Sie waren ein paar Blocks weiter in Richtung auf die Große Halle zugegangen, als Fain noch etwas einfiel. „Wo ist Danon heute? Hat er beschlossen, zu Hause zu bleiben und zur Abwechslung mal zu arbeiten?“

„Nein. Er mußte heute sehr früh fort, kurz bevor du mit Scorpio herunterkamst. Er wollte versuchen, uns bei der Halle zu treffen.“

„Gut.“ Trotz seiner ursprünglichen Zurückhaltung hatte Fain mittlerweile zugeben müssen, daß die Unterstützung des Jungen hilfreich war. Danons Kenntnis der einheimischen Gebräuche übertraf Skallons Schulweisheiten bei weitem. Mehrmals schon hatte der Junge ihnen aus einer mißlichen Lage geholfen, in die sie aus ihrer eigenen Unkenntnis heraus geraten waren. Fain hatte das deutliche Gefühl: Wenn jemand die gegenwärtige Verkleidung des Änderlings erkennen könnte, dann wäre das Danon.

Der Junge erwartete sie auf dem weiträumigen Platz, der vor der Großen Halle lag. Er wirkte ungewöhnlich aufgeregt, als er auf sie zugerannt kam.

„Ich habe ihn gefunden!“ rief Danon. „Es ist Euer Feind! Ich habe ihn mit eigenen Augen gesehen!“

Fain würde nicht noch einmal einem falschen Alarm aufsitzen. Er befahl dem Jungen, leiser zu sprechen, und fragte ihn dann: „Was hast du denn gesehen, daß du so sicher bist?“

Verständnislos verzog der Junge sein Gesicht und sah Skallon an, der Fains Frage in deutlicherem Akzent wiederholte.

Danon antwortete hastig und erregt. Fain fiel es leichter, ihn zu verstehen, als sich selbst verständlich zu machen. Danon sagte: „Ein Mann in schwarzen Gewändern hat die Halle betreten.“

Fain bemerkte Skallons Überraschung, und er wußte, daß es sich um etwas Wichtiges handeln mußte. „Und?“ fragte er.

„Das geschieht niemals“, erwiderte Danon. „Es ist unmöglich.“

Fain wandte sich an Skallon. „Vielleicht solltest du mich einweihen.“

Skallon runzelte die Stirn; offenbar dachte er daran, wie fruchtlos die Schnellbehandlung in alveanischen Angelegenheiten für Fain gewesen war. „Nur eine einzige Kaste auf Alvea trägt schwarze Gewänder: die Attentäter. Und Danon sagt, einer von ihnen habe tatsächlich die Halle betreten.“

„So? Vielleicht soll er jemanden umbringen. Das ist wohl kaum unser Problem."

Skallon sah jetzt noch ärgerlicher aus. „Begreifst du denn überhaupt nichts, Fain? Diese Leute hier glauben an die Reinkarnation, an Seelen, die von Körper zu Körper wandern. Für sie ist ein Mord eine furchtbare Tat. Er ist eine Unterbrechung des Lebens, bevor es seine wahre Vollendung gefunden hat. Einen Mann töten bedeutet mehr als nur, ihn zu töten: Es bedeutet, daß er dann nicht wiedergeboren werden kann."

„Das ist doch Quatsch."

„Aber nicht für sie."

„Und? Du hast immer noch nicht gesagt, worum es eigentlich geht."

„Es geht darum", antwortete Skallon langsam, seine Wut bezwingend, „daß die Attentäter eigentlich eine Kaste von Ausgestoßenen sind. Sie dürfen nicht mit den anderen Kasten sprechen, nicht mit ihnen essen und überhaupt in keiner Weise mit ihnen verkehren. Wenn jetzt ein Attentäter auf die Straße träte, wäre sie innerhalb von zwei Minuten völlig ausgestorben. Aber das würde keiner von ihnen tun, und das ist der Punkt. Sie zeigen sich niemals in der Öffentlichkeit. Sie fahren in Kutschen, in dunklen Kutschen mit verhängten Fenstern und - dort, siehst du?"

Fain sah in die Richtung, die Skallon ihm wies, und entdeckte, was dieser soeben beschrieben hatte: eine dunkle Kutsche, deren Schlag offenstand.

„Also wissen wir jetzt, wie er herkam. Und was soll das?"

„Die Große Halle zu betreten könnte einem Attentäter nur dann einfallen, wenn er überhaupt keiner wäre, sondern ..."

Fain beendete den Satz: „... der Änderling." Er packte seinen Hitzestrahler und wandte sich wieder an Danon. „Wann? Wie lange ist er schon da drin?"

„Wenige Augenblicke erst", antwortete der Junge. „Gerade bevor ich Euch herankommen sah. Ich sah die Kutsche, sie hielt an und er - der schwarzgekleidete Mann - stieg aus. Ich bin fortgelaufen, aber ich habe gesehen, wie er die Halle betrat."

Fain blickte zu dem hohen Portal hinüber, das vor ihnen lag.

Während sie miteinander sprachen, schritten unaufhörlich Angehörige der Hohen Kasten hindurch. „Wenn es stimmt, was du sagst, warum sind sie dann nicht herausgekommen? Es müßte doch einen Aufruhr geben."

„Vielleicht haben sie zuviel Angst für einen Aufruhr", meinte Skallon.

Fain mußte einen Augenblick nachdenken. War es möglich? Konnte der Änderling einen so schweren Fehler begehen?

Der Änderling würde noch weniger über diese Welt wissen als Fain. Das Vertil konnte ihm helfen. Aber wenn er unvorsichtig geworden war, wenn er einfach die Identität eines Alveaners aus den Hohen Kasten angenommen hatte, dann war es vielleicht möglich. Er hatte schon erlebt, daß Änderlinge solche Fehltritte begingen. Sie waren gerissen, aber sie waren auch dreist und eitel.

„Danon", sagte er mit scharfer Stimme, „du bleibst hier. Klettere auf einen Pfahl oder einen Baum, such dir einen Winkel, von wo aus du die Halle im Auge behalten kannst. Wenn der Attentäter herauskommt, während wir drin sind, dann beobachte, wohin er geht."

„Ich ... ich werde ihm folgen", sagte Danon.

„Nein, das wirst du nicht. Du sollst ihn nur beobachten. Und Skallon ..." – Fain drehte sich um – „... du gehst mit mir hinein. Wenn wir drinnen sind, trennen wir uns und gehen ihn von beiden Seiten an. Wenn du schießt, dann paß auf, daß du ihn sauber triffst. Wir können hier nicht Eingeborene umbringen, ohne daß unsere Tarnung zum Teufel geht. Wenn dies das Ende ist, dann muß es wirklich das Ende sein. Verstanden?"

Aber Skallon schüttelte den Kopf. „Schießen?"

„Ja. Schießen. Töten. Wie ein Attentäter, verstehst du?"

„Aber was ist, wenn wir uns irren? Wenn der Mann nicht der Änderling ist?"

„Ich dachte, du hättest mir gerade erzählt, daß er es sein muß?"

„Aber ... na ja, wir können uns doch irren. Ich meine, vielleicht gibt es eine andere Erklärung für die Anwesenheit dieses Attentäters."

„Zum Beispiel?"

„Ich ... ich weiß es nicht."

„Dann tu, was ich dir sage. Tu, was ich sage, und in ein paar Monaten bist du wieder sicher und behaglich zu Hause in deiner hübschen, warmen Unterkunft."

„Aber Fain, ich finde wirklich, wir ..."

Er packte Skallon beim Arm und stieß ihn auf die Halle zu. „Halt den Mund und beeil dich. Wir müssen diese Chance nützen. Wenn wir es nicht tun, werden wir kaum eine zweite bekommen."

Sie betraten die Große Halle. Fain hatte kaum einen Fuß in den Versammlungsraum gesetzt, als er den Attentäter entdeckte. Es erforderte keine besonders scharfe Beobachtungsgabe. Der schwarzgewandete Mann saß ganz für sich allein mit dem Rücken zur Tür. Um ihn herum stand ein weiter Kreis von verängstigten Alveanern. Fain konnte nur den Hinterkopf und die Schultern des Attentäters sehen. Aber er war schlank – schlanker als alle Alveaner, die Fain bisher gesehen hatte. Er studierte die starren Mienen der Alveaner. Die ganze Szene erinnerte ihn an ein seltsames altes Gemälde, das er einmal gesehen hatte: „Der Tod als Besucher". Der schwarzgekleidete Attentäter war zweifellos der Tod, aber zu wem war er gekommen? Die Alveaner schienen es nicht zu wissen, denn bis jetzt hatte noch keiner von ihnen auch nur einen Muskel gerührt.

Fain merkte, daß er flüsterte. „Von hier aus habe ich kein freies Schußfeld. Wir versuchen am besten, uns durch die Menge zu zwängen. Du gehst dort entlang, und ich gehe nach links."

„Aber Fain, das kann nicht der Änderling sein. Er würde doch nicht einfach dasitzen und nichts ..."

„Woher weißt du das?" Er gab Skallon einen Stoß. „Ich habe gesagt: Geh! Also gehst du."

Fain setzte sich in Bewegung. Die Alveaner, die den Attentäter umringten, weigerten sich, ihm Platz zu machen. Fain mußte die Arme ausstrecken und jeden Mann gewaltsam beiseite stoßen, um voranzukommen. Fains halb geflüsterter Einwand ging ihm durch den Kopf, und er wußte, daß das, was er hatte sagen wollen, eine gewisse Logik besaß. Inzwischen mußte der Attentäter, Änderling oder nicht, ja nun wirklich gemerkt haben, daß er mit dem Betreten der Halle einen ernsthaften Fehler begangen hatte. Müßte er nicht versuchen, so rasch wie möglich zu entkommen, fragte sich Fain.

Was wäre denn vernünftiger? Wenn der Änderling in wilder Flucht hinausstürzte und Fain und Skallon damit jede Möglichkeit gäbe, ihn aus eigener Kraft zu finden? Oder wenn er bliebe, wo er war, allein und isoliert, und wo es sehr schwierig sein würde, ihn unbemerkt zu erwischen? Fain begann sich mit noch größerer Vorsicht zu bewegen. Er zog seine Waffe heraus, hielt sie aber weiter am Oberschenkel verborgen. Er hielt den Kopf gesenkt und versuchte, die Menge zu teilen, ohne dabei ihre Form unnötig in Bewegung zu bringen. Auf der gegenüberliegenden Seite müßte Skallon das gleiche tun. Wenn er es nicht tat - und Fain war verflucht sicher, daß Skallon seine Sache wieder verpatzen würde -, dann müßte das zumindest die Aufmerksamkeit des Änderlings von der Ecke ablenken, aus der die wirkliche Gefahr nahte.

Als Fain hinter der ersten Reihe der Alveaner angelangt war - immer noch gut zehn Meter von dem einsamen, schwarzgekleideten Mann entfernt -, blieb er stehen. Er versuchte, sich den Attentäter genau anzusehen, aber da gab es nicht viel zu sehen. Soweit er es erkennen konnte, sah der Mann nicht anders aus als jeder andere dunkel gekleidete, hellhäutige Alveaner.

Der Änderling?

Fain sah keinen Grund zu glauben, daß er es nicht war.

So, dachte er, *wer immer und was immer du auch bist, Änderling und Infiltrant oder alveanischer Attentäter, ich werde dich töten.*

Er hob den Hitzestrahler, schob ihn zwischen den Schultern der beiden breiten Alveaner vor ihm hindurch, richtete ihn aus, kniff ein Auge zu, zielte und drückte sanft den Abzug.

Jemand schrie. Erschreckt fuhr der Alveaner zur Seite.

Fain fuhr zusammen; der Schrei war direkt hinter ihm ausgestoßen worden. Der Hitzestrahler ging los, und der Strahl folgte dem Alveaner, ohne ihn jedoch zu treffen. Es war, wie Fain erwartet hatte. Der Mann war der Änderling, und er hatte nur darauf gewartet, daß Fain sich zeigte. Jetzt rannte der Mann. Er stürzte auf die Menschenansammlung bei der Tür zu. Die Alveaner wichen ängstlich zurück, um die schwarzgekleidete Gestalt vorbeizulassen. Fain hätte noch einmal feuern können, doch er zögerte einen Augenblick lang.

Eine Faust schlug heftig gegen seinen Arm. Fast wäre ihm der Strahler aus der Hand geschleudert worden. Er wirbelte herum.

Skallon stand neben ihm. „Fain, wir können nicht ... noch nicht. Es ist Mord. Es ist glatter, kaltblütiger ...“

Fain schlug ihn. Nicht sehr hart. Gerade genug, um ihn zurückzustoßen. Er fuhr herum, aber kostbare Sekunden waren verloren.

Alles was er sah, war ein wehendes, schwarzes Gewand, als der Attentäter unbehelligt durch die offene Tür ins Freie entkam.

Er wandte sich zurück, packte den verblüfften Skallon und schüttelte ihn. „Du dummes, dämliches, bescheuertes, einfältiges Arschloch. Wenn das Ding uns entwischt – ich schwöre dir, ich bringe dich eigenhändig um.“

Skallon hielt sich das Kinn. „Fain, was ist, wenn wir uns irren?“ fragte er leise.

„Dann irren wir uns eben, verdammt. Sonst noch was?“ Fain rannte zur Tür. Er hörte, wie Skallon hinter ihm herstolperte. Es gab immer noch eine Chance.

11

Als sie draußen auf dem weiten Vorplatz standen, klopfte Skallons Herz so herftig, daß er spürte, wie es mit seinem eigenen Rhythmus das Singen und Trommeln der Prozessionen im Hintergrund übertönte. Ringsumher wimmelte es von Alveanern. Skallon suchte die Menge ab, und er schmeckte ihre schwitzende, stinkende Euphorie.

„Siehst du ihn?“

„Nein“, erwiderte Fain. „Verflucht, er hat ja auch eine Ewigkeit Zeit gehabt, um zu verschwinden.“

„Wo steckt Danon?“

„Den sehe ich auch nicht. Es ist gut möglich ...“

„Da! Dort oben auf der Zinne. Das ist Danon.“

Fain kniff die Augen zusammen. „Ja, da ist der Bengel. Er winkt.“

„Schlau von ihm. Er ist hinaufgeklettert, um von oben in die Menge sehen zu können. Er zeigt uns etwas."

„Das ist unsere Richtung. Los!" Fain begann, durch die sich drängende Menge der Alveaner zu traben.

„Ich komme schon."

Die nächsten zehn Minuten waren woller Hektik. Sie trafen Danon am Fuße der massiven Befestigungsmauer. Er führte sie in eine übervölkerte Gasse, einen der kanonischen Durchgänge für die Auserwählten der Hohen Kasten. Bis die Kastenangehörigen zu ihren Beratungen zurückkehrten, dienten diese Gassen öffentlichen Andachtsversammlungen. Sie rannten, so schnell sie konnten, durch die wogenden Massen der Betenden. Hin und wieder erhaschten sie einen Blick auf den fliehenden Mann vor ihnen. Mit flatterndem Gewand drängte er sich schnell und geschickt durch die Menge. Die Atmosphäre war fieberhaft, und alle drei waren wie Jagdhunde auf der Fährte ihrer Beute. Wenn sie an eine Kreuzung kamen, trennten sie sich, und jeder von ihnen folgte einer der weiterführenden Straßen. Mit ihren Armbandradios hielten sie die Verbindung untereinander. Nach einer kurzen Wegstrecke hatte einer von ihnen den Flüchtenden gefunden, und die beiden anderen, die der falschen Straße gefolgt waren, beeilten sich, wieder zu ihm zu stoßen. Mit dieser effektiven Methode blieben sie dem Mann auf den Fersen. Danon, der die diagonalen Abkürzungen in der Stadt kannte, ging nicht selten in Führung.

Der Mann nahm jetzt seinen Weg durch enge Gassen; offenbar wußte er, daß er verfolgt wurde. Das Gedränge lichtete sich. Er rannte schneller. Skallons Atem ging keuchend, als er unter seinen schweren Doubluth-Gewändern vorwärts hastete.

Unverhofft verschwand der Mann in einem klobigen, mehrstökkigen Gebäude aus grauem Stein und Holz. Im selben Augenblick stampfte Fain an Skallon vorüber und rief Danon zu: „Hinten herum!", bevor er den Vordereingang erreichte, durch den der Mann einen Moment zuvor hereingerannt war.

Fain winkte Skallon, die Seitenfront zu übernehmen. Hier war die Jagd zu Ende, denn der Mann erschien nicht wieder, und Fain wollte keinen Ausgang unbewacht lassen, so daß einer von ihnen ins Innere des Hauses folgen konnte. Skallon wartete versteckt wenige Schritte von dem kleinen Seiteneingang entfernt, und seine Muskeln zuckten wie von selbst.

Nach wenigen Augenblicken tauchte Fain wieder auf. Bei ihm war ein Alveaner mit einem Handwagen. Skallon runzelte die Stirn.

„Schiebt den Wagen vor den Eingang", befahl Fain dem Alveaner in einem schrecklichen, beinahe unverständlichen Akzent. Der Mann gehorchte. Der Wagen versperrte den Eingang vollständig. „Jetzt haben wir ihn."

„Willst du hineingehen?"

„Das hat Zeit." Fain wirkte jetzt zuversichtlich. „Wir haben ihn in der Falle. Danon sagt, es gibt keinen weiteren Ausgang."

„Worauf warten wir dann?" Skallon trat vor, um mit Fain zu reden, der hinter einem verzierten Pfeiler lehnte.

„*Zurück*", schrie Fain. „Aus diesem Winkel kann er dich in Stücke schießen."

„Oh." Skallon wich belämmert in seine Deckung zurück. „Aber ... warum wollen wir denn warten?"

„Der Kleine und ich werden warten. Er sagt mir Bescheid, wenn der Änderling bei ihm herauskommt, und ich behalte die Straße im Auge. Ich habe beschlossen, daß wir es auf deine Art machen, Skallon - keinen kaltblütigen Mord. Du gehst zurück zum Hotel, holst Scorpio und bringst ihn her."

„Das hätten wir schon früher tun sollen", bemerkte Skallon.

Aber Fain grinste. „Nein. Früher hatte es keinen Sinn - aber jetzt schon. Ich bin keine Bestie, Skallon, und ich benutze gern meinen Kopf."

Das Hotel lag kaum einen Kilometer entfernt von der Stelle, wo sie den Änderling gestellt hatten. Skallon begann zu laufen, aber dann entdeckte er einen Boten, der ihm gegen ein Entgelt sein Fahrrad überließ. Skallon stürzte ins Hotel und eilte die Treppen hinauf. Oben fand er Scorpio gesund und offensichtlich völlig erholt von seiner Erkrankung vor. Er packte den Hund in einen Karton, schleppte ihn mühsam nach unten und befestigte seine Last auf dem Gepäckträger des Fahrrads. Wenig später war er bereits wieder unterwegs. Das Gedränge in den Straßen hatte sich zu einem großen Teil aufgelöst. Es wurde rasch dunkel. Der Tag war lang gewesen. Mit etwas Glück würde es ihr letzter Tag auf diesem Planeten gewesen sein. Bei diesem Gedanken runzelte Skallon die Stirn. Er würde die Lebenslust und die Farbenpracht von Alvea vermissen.

Wider Willen mußte Fain grinsen, als Skallon herangeradelt kam. Mit leuchtenden Augen und wehenden Gewändern, energisch in die Pedale tretend, tauchte er in einer Seitengasse auf, ohne sich einem Beschuß aus dem Vordereingang des hohen grauen Gebäudes auszusetzen. Es dauerte einen Augenblick, bis Fain sich daran erinnerte, daß ihre Eskapade hier nur deshalb erforderlich war, weil Skallon in der Großen Halle alles verpatzt hatte. Dennoch fiel es ihm schwer, wütend zu bleiben. In seinem Innern meldete sich ein Warnsignal. Er sollte sich seinen langsamen, glimmenden Zorn bewahren; er würde ihn vorwärts treiben und seine Sinne schärfen. Aber als er über dieses Problem nachdachte, erkannte Fain, daß er seine Emotionen in dieser Hinsicht nicht mehr in der Hand hatte. Etwas in ihm war dabei, ihm zu entgleiten.

„Überprüf deinen Strahler", knurrte er und hob Scorpio aus der Kiste. Der Hund winselte leise und drückte sich in die Schatten. Die Fahrt hatte ihn offenbar angestrengt. „Alles in Ordnung, mein Junge?"

„Ich. Glaube. Schon."

Fain erklärte ihm langsam und unter häufigen Wiederholungen, daß sie sich nun durch die Vorder- und Hintertür gleichzeitig ins Haus schleichen würden. Und plötzlich, während er dies tat, erinnerte Fain sich an die große, warme Gegenwart seines Vaters, der sich über ihn beugte und auf ein paar Ziffern und eine statistische Graphik deutete; seine Lippen bewegten sich, und er sprach mit sanfter, ruhiger Stimme ... die Geborgenheit ... er erklärte ein paar Fakten ... irgend etwas ... der Ort, von dem die innere Gewißheit kam ... so viel. So viel, und alles verloren, die Jahre eingetrocknet, das milchweiße Rätsel in seinem Innern eine Krücke jetzt und nicht mehr die lodernde Realität, die es gewesen war, als sein Vater es ihm gesagt hatte. Jetzt kniete der Sohn hier auf diesem fernen Dreckloch von Planeten. Und alles, was der Sohn noch hatte, waren ein Hund und ein paar Erinnerungen.

Fain schüttelte gereizt den Kopf, um sich von diesen Gedanken zu befreien, und fuhr mit seinen Erklärungen fort.

Es schien ein vernünftiger Plan zu sein, fand Skallon. Danon würde draußen bleiben, um darauf zu achten, daß der Änderling nicht auf unvorhergesehene Weise entwischte. Skallon würde den Hintereingang nehmen, und Fain und Scorpio würden sich vorn hineinschleichen.

Skallon schlängelte sich zur Rückseite. Er erkannte Danon in einem zusammengeduckten Schattenfleck neben der Umfriedung eines Abfallhaufens. „War etwas?" Der Junge schüttelte den Kopf. „Dann bleib hier sitzen. Wenn du jemanden herauskommen siehst, benutzt du das Armbandradio. Ganz gleich, wer es ist. Denk daran, der Änderling kann völlig anders aussehen, wenn du ihn das nächste Mal siehst."

Im nächsten Augenblick war Skallon von Schatten zu Schatten gehuscht und stand im Hintereingang vor einer schweren, messingbeschlagenen Tür. Er vernahm ein leises, schlurfendes Geräusch von der Vorderseite. Vielleicht Fain und Scorpio. Die Tür öffnete sich in einen schmalen, von Öllampen erleuchteten Gang. Alle zehn Meter ließ eine Tür aus schmierigem Holz auf ein Zimmer schließen. Es sah aus wie in einer schäbigen Herberge.

Skallon schob sich lautlos den Gang entlang, bis dieser von einem zweiten, trübe erleuchteten Gang geschnitten wurde, an dessen hinterem Ende er in einer Lichtpfütze einen Schreibtisch und einige Stühle erkennen konnte.

Der Form des Hauses nach zu urteilen müßte Fain aus dieser Richtung kommen. Skallon bewegte sich behutsam auf das Licht zu. Es war ihm bewußt, wie ungeschützt er hier war. Wenn jetzt jemand eine Tür aufrisse und eine Waffe herausstreckte, dann wäre er aller Wahrscheinlichkeit nach ein toter Mann. Dazu kam die Möglichkeit, daß er und Fain sich in dem düsteren Licht auch gegenseitig erschießen konnten.

Der Lichtfleck kam immer näher. Er hörte ein leises, keuchendes Geräusch. Jemand atmete. Ein Mann stieß die Luft aus, als sei er ein wenig außer Atem. Lautlos glitt Skallon weiter.

Zwei Dinge geschahen auf einmal.

In einem der Stühle richtete sich jemand auf. Gewänder flatterten zu Boden. Aus dem Augenwinkel sah er, wie ein Schatten am Eingang vorbei in einen anderen Gang huschte, der nach links führte. Er fuhr herum und schwenkte seine Waffe in diese Richtung.

„Skallon!“ Der Schatten hatte Fains Stimme.

Er richtete seinen Strahler wieder auf den Mann, der eben von seinem Stuhl aufstand. Es war der, den sie gejagt hatten.

„Keine Bewegung“, sagte Skallon ruhig.

Mit gleichgültigem Gesicht drehtc der Mann sich um und sah ihn an. Er war noch jung, und seine fast kindlichen Wangen waren von dünnem Flaum bedeckt. Vielleicht war es seine Schlankheit, die ihn anders erscheinen ließ. Der Attentäter - der Änderling - sah eher aus wie ein Mensch als wie ein Alveaner.

Fain trat aus dem Schatten. Scorpio war bei ihm. Skallon beobachtete sie, wandte sich dann wieder um und betrachtete seinen Gefangenen. Seine Hand spannte sich um den Abzug des Hitzestrahlers. Plötzlich wußte er, wie leicht es war zu töten. Nur den Abzug drücken. Kein Problem.

„Nicht. Er.“ Das war Scorpios Stimme.

„Bist du sicher?“ fragte Fain. „Verdammt, bist du wirklich sicher?“

„Paßt. Nicht.“ Scorpio klang müde. „Nicht. Er.“

Mit kurzen, abgehackten Schritten kam Fain zu dem Alveaner herüber und schlug ihm ins Gesicht. „Weshalb seid Ihr gerannt?“

Seine Stimme war ruhig.

„Ich renne gern.“ Eine Kinderstimme. Schrill.

„Nein. Redet.“ Fain schlug ihn noch einmal.

„Ich ... liebe den Wind ... Er ist so kühl ... ich ...“

Skallon ließ seine Waffe sinken. „Ich hatte recht“, sagte er. „Beinahe hättest du einen unschuldigen Mann getötet - einen Jungen.“

„Vertil", sagte Fain. „Wir haben einen gottverdammten Vertil-Strohmann gejagt. Eine Attrappe. Wann zum Teufel kommt er endlich zur Sache und hört mit diesen Spielchen auf?" Fain sah Skallon an, und sein Gesicht war dunkel vor Wut.

12

Der Abend war längst herabgesunken. Skallon wanderte durch die kühler werdende Luft zwischen einzelnen Gruppen von feiertäglichen Alveanern, Nachzüglern, die alle von den Versammlungen in der Stadtmitte von Kalic kamen. Sein Gang war gelassen, beinahe unbekümmert; er versuchte, den Eindruck zu vermitteln, als dächte er nicht daran, daß er verfolgt werden könnte. Gelassen, ja. Achtlos.

Ein oder zwei Blocks hinter ihm, das wußte er, hielt Fain sich im Schatten der Straße. Scorpio war bei ihm, froh, daß er endlich einmal frei umherstöbern konnte, geschützt von der alles umhüllenden Dunkelheit. Wenn Kalic eine Stadt auf der Erde gewesen wäre, wären immer dort, wo ein Lebewesen vorüberging, die Leuchtkörper aufgeflammt und hätten so eine Lichtspur auf der Straße gebildet - das kostete nur die nötigste Energie, vermittelte aber vollständige Daten über jeden, der sich in den Straßen herumtrieb, und damit leicht zugängliche Informationen für die Computerüberwachung. In Kalic gab es willkommene Schatteninseln und ganze Blocks ohne eine einzige Laterne. Arme Planeten hatten eben auch ihre Vorteile.

Skallon blieb stehen, sah sich müßig um und kaufte sich ein Brötchen aus heißem Quantimakas-Samen, bestreut mit Dollegen-Kräutern. Er verzehrte es und genoß den aromatischen, knusprigen Geschmack. Lungerte da jemand an einer Straßenecke herum, einen halben Block weit hinter ihm? Er konnte es nicht genau erkennen. Fain konnte ihm so nah nicht sein.

Also funktionierte es vielleicht tatsächlich. Fain hatte diesen alten Doppelverfolger-Trick vorgeschlagen, als sie das Haus verließen. Sie funkten Danon an und sagten ihm, er solle bleiben, wo er war und sich noch wenigstens eine Stunde in den Schatten versteckt halten. Dann war Skallon unerschrocken losmarschiert, in der Hoffnung, daß der Änderling in der Nähe geblieben war, um zuzusehen, wie seine List aufging. Fain würde ihm auf einer leicht veränderten Route folgen und ihn beschatten, um zu sehen, ob ihm jemand folgte.

Erst als Skallon auf der Straße stand, begriff er, welches Risiko er damit einging. Was sollte den Änderling daran hindern, ihm ein sauberes Brandloch in die Brust zu schmoren, wenn er aus dem Hause trat? Auf der beinahe ausgestorbenen Straße war er eine einfache, dumme Zielscheibe.

Krachend biß er in das Quantimakas-Brot, und Ärger stieg in ihm auf. Er war jetzt sieben Blocks weit gekommen. Entweder hatte Fain jemanden ausgemacht, der ihn verfolgte, oder nicht. Vielleicht war Fain auch allzu sehr mit seinem kostbaren Hund beschäftigt, um ein Auge auf die vorübertreibenden Gestalten und ihre Gewänder zu haben. Das wäre typisch.

Vor ihm ergoß sich helles Licht über die geschnitzte, mahagonifarbene Fassade eines öffentlichen Gebäudes. Das Planetarische Museum, beaufsichtigt von zwei in safrangelbe Gewänder gekleideten Wächtern aus der Kaste der Spatemper, die im Torbogen standen. Skallon streichelte über das polierte Holz; es war natürlich kein Mahagoni - dieses alte Holz gab es nicht mehr -, aber etwas Ähnliches, mit sanften Wirbeln und Strudeln in der Maserung. Er zögerte. Hier herein würden Fain und Scorpio ihm selbstverständlich nicht folgen können, aber der Änderling sehr wohl. Allerdings bezweifelte er, daß der Änderling ihn an einem öffentlichen Ort überfallen würde. Dazu hatte er den ganzen Tag über reichlich Gelegenheit gehabt.

Und es wäre ein unerwarteter Schachzug. Vielleicht gefiel es ihm deswegen. Fain würde frustriert sein - aber was scherte ihn das? Fains alberne Wutanfälle bei dem Fiasko der Jagd waren geradezu lächerlich. Warum konnte der Mann nicht mit kühlem Kopf über diese Dinge nachdenken? Zugegeben, der Änderling ließ sie immer wieder in eine Sackgasse laufen. Aber warum auch nicht? Vielleicht dachte er, er könne seine Aufgabe ohne viel Blutvergießen erledigen. Vielleicht hatte auch die Erde überhaupt nicht begriffen, aus welchem Grund der Änderling hier war.

Skallon schluckte sein würziges Brot hinunter und trat durch den Torbogen in das Gebäude, ein Gewölbe mit hoher, gerippter Decke und durchbrochenen Steinverzierungen. Fain konnte draußen stehenbleiben und aufpassen, ob ihm jemand nachging. Falls nicht, würde Skallon wenigstens ein paar erfreuliche Minuten haben.

Hinter dem Gitter des Eingangs stand eine alte, polierte Außenhaut. Skallon betrachtete sie, in der Hoffnung, daß sich jemand darin spiegeln könnte, der im Eingang herumstand und darauf wartete, daß er herauskam. Eine junge Frau verließ mit unsicherem Gang das Gebäude, aber niemand kam herein.

Skallon las, was auf der Erläuterungstafel stand: Es war ein Fragment des ersten unbemannten Orbiter-Landers, der Alvea erforscht hatte. Darüber hingen Hochglanzphotos, die noch früher entstanden waren, aufgenommen von der vorüberziehenden, raketengetriebenen Sonde. *(Wo mag sie wohl jetzt sein?* dachte Skallon. *Wahrscheinlich schon jenseits der Grenzen der Galaxis.)* Dieses vormenschliche Alvea war eine fleckige Welt aus Ozeanen, und seine Kontinente waren braune Kleckse. Die ersten Kolonisten hatten sich die Mühe gemacht, die Landungssonde aufzustöbern, und einer der alten Künstler hatte dann mit dem Laser facettenartige Szenen darauf angebracht, Bilder aus den ersten Jahren der Kolonie, aus den Dekaden des Reichtums und aus dem ersten Jahrhundert, bis zu der Zeit der ersten Seuchen: Stockatem und Krampffäule. Eine dieser beiden Krankheiten hatte wahrscheinlich auch diesen Künstler dahingerafft.

Skallon schlenderte weiter und betrachtete den leeren Bogengang. Er fand sich in einer historischen Bildergalerie. Sozialdokumentarische Arbeiten zum größten Teil, und von erstaunlicher Qualität. Viele Pastelle und ein paar Ölgemälde. Die Armen waren auf allen schlank, und ihre Gesichter waren düster, bleich und ernst. Alle offensichtlich guten Menschen - diejenigen, die ohne Murren ihren Platz in der Gesellschaft einnahmen - waren hingegen korpulent, dickhalsig und prall von satter, unerschütterlicher Tugend. Sie strahlten ihn an. Glückliche Leute, die sicher waren, daß ihr Weg sie durch alle Schichten der alveanischen Hierarchie führen würde, und die wußten, daß Gommerset ihnen den einzigen wahren Weg gewiesen hatte, und so waren sie hier verewigt, die einzigen Spuren, die von ihnen geblieben waren.

Es sei denn, dachte Skallon, *Gommerset hätte recht gehabt.* Joanes ruhige, schlaue Einwände waren unter die Schale seiner eigenen, glasharten Gewißheit geglitten, und jetzt bohrten sie dort, wo er es am wenigsten gebrauchen konnte. Es *stimmte,* daß man Gommerset nach seinem Tode diskreditiert hatte, als er sich nicht mehr zur Wehr setzen konnte, und seine Jünger hatte man in alle Winde zerstreut. Die Regierung der Erde *war* dem Gommersetismus gegenüber feindlich eingestellt, und sie war es immer gewesen. Hatte sie die neuen Daten manipuliert? Es wäre der Regierung zuzutrauen, daß sie eine solche folgenschwere Tatsache unter den Teppich kehrte.

Etwas regte sich in Skallon. Wenn Gommerset recht hätte, und sei es auch nur teilweise …

Er schüttelte sich. Dieser Glaube implizierte ein unermeßlich viel größeres Universum, als Skallon es sich jemals vorgestellt hatte. Es würde eine Weile dauern, bis er das begreifen könnte. Aber wie sollte er tatsächlich zu einer Entscheidung gelangen? Die Gommersetismus-Forschung war auf der Erde schon vor Jahrhunderten eingestellt worden, verboten durch die Verordnungen über Wesentliche Aktivitäten. Nein, der einzige Ort, an dem man den Gommersetismus ungehindert untersuchen konnte, war Alvea. Vielleicht konnte er etwas in Gang bringen, solange er noch hier war. Es war ein komisches Problem: geringe Wahrscheinlichkeit dafür, daß Gommerset recht hatte, aber ein buchstäblich grenzenloser Gewinn an Verständnis, *wenn* er recht hatte. Plötzlich verlangte es Skallon danach, zu *wissen;* er wollte sehen, ob es möglich war, daß der Rest der Menschheit sich in einer so ungeheuerlichen Frage irrte. Wenn er nur etwas tun könnte …

Ein Wächter der Spatemper-Kaste schritt durch die widerhallende Galerie und mahnte die Besucher zum Aufbruch. Das

Museum wurde geschlossen, wenngleich es noch früh am Abend war. Die Alveaner wollten sich auf den Weg machen, um sich in ihren Communals zu versammeln und das Fest zu feiern.

Skallon begab sich vorsichtig hinaus. Er studierte jede Person, die aus den angrenzenden Gewölben kam. Die rötliche Steintäfelung reflektierte das plappernde Geschnatter dieser Menschen, und Skallon entspannte sich. Er fühlte eine Geborgenheit, die er schon seit Stunden nicht mehr empfunden hatte.

Auf der Straße wandte er sich nach rechts, ging rasch einen Block weiter und blieb dann in einem versteckten Bogengang stehen. Einen Augenblick später hörte er ein Keuchen in der Dunkelheit, und dann erschien Fain, gefolgt von Scorpio.

„Was zum Teufel sollte das?“

„Es sollte zeigen, ob mir jemand folgte.“

„Hat es aber nicht.“

„Na, voher hast du doch auch niemanden gesehen, oder?“

„Nein“, antwortete Fain widerstrebend.

„Dann war dieser Schlenker immerhin einen Versuch wert. Stimmt's? Komm jetzt. Laß uns zum Hotel zurückgehen. Vielleicht hat Danon etwas gesehen. Wir haben über einiges nachzudenken.“

13

Joane saß neben Skallon auf einer verfallenen Mauer, die den Hof des Hotels teilweise umgab, und wartete. Fain war ins Haus gegangen, um Scorpio - der sich immer noch nicht richtig wohl fühlte - zu füttern und um nachzudenken. Skallon hatte ihm diese Aufgabe freudig überlassen. Er hatte das Schattenboxen gegen einen Änderling satt, den sie niemals zu sehen bekamen und an dessen Absichten er allmählich zweifelte.

Im letzten Lichtschimmer des frühen Abends sah er, wie Danon die Maraban Lane heraufgetrottet kam. Skallon empfand gelinde Schuldgefühle ob der Anforderungen, die sie an Danon stellten; er war schließlich noch ein Kind. „Hast du etwas gesehen?“

„Nein.“ Danon ließ sich gegen die Mauer sinken. „An der Rückseite ist niemand gegangen oder gekommen. Und wie war es bei Euch?“ Er hob hoffnungsvoll die Stimme.

„Wir haben versucht, ihm eine Falle zu stellen. Nichts.“

„Der Hund und Commander ...“

„... Fain? Sie sind im Haus. Ich glaube, uns sind die Ideen ausgegangen.“

„Mama? Ich habe Hunger.“ Danon war zunächst eifrig dabei gewesen, aber jetzt verlor er sichtlich das Interesse an diesem neuen Spiel.

„Ja, mein Kleiner.“ Sie streichelte Danons Hinterkopf und sah ihn an. Skallon, der sie mit liebevollen Augen betrachtet hatte, fand diese Geste, die Mutterschaft, Familie und ähnliche Rollen denotierte, leicht unpassend für ihre Person.

„Laßt uns hineingehen“, sagte er. „Der Änderling kann bis morgen warten.“ Joane führte sie in die Hauptküche des Hotels, wo Köche schwitzten und Kellner mit dem Geschirr klapperten. Skallon war überrascht, große Berge von Lebensmitteln zu sehen, während draußen eine Seuche wütete: gelbe, schweineartige Tiere mit glasigen, toten Augen, Butter in dicken, weißlichen Klumpen, Ketten von seltsamen grünen Würsten und mühlsteinförmiger Käse. Joane trug für Danon ein Abendessen auf, und der Junge nahm es mit hinaus. Er nickte Skallon zu wie ein Kriegskamerad und ging in sein Zimmer. Vor Erschöpfung lagen seine Augen tief in den Höhlen.

Skallon unterhielt sich mit Joane, tastend und mit einer gewissen Ungezwungenheit. In der Küche roch es nach Essen und Schweiß. Gelegentlich unterbrach sie das Gespräch, um mit sanfter, klarer Stimme irgendwelche Befehle zu erteilen, und die Köche und Helfer gehorchten ihr aufs Wort. Kellner mit halbmondförmigen Schweißflecken in den Achselhöhlen gaben bellend ihre Anweisungen und brachen zähe Wurzeln in einen Salat; gelegentlich tauchten sie den Daumen in Sahnenäpfe, um das Gemisch damit zu aromatisieren. Einer wusch sein Gesicht über einem Spülbekken, in dem sauberes Geschirr abgespült wurde. Joane ertappte ihn dabei, stauchte ihn zurecht und schickte ihn an eine niedere Arbeit.

Skallon genoß es zu sehen, wie sich diese Facette ihrer Persönlichkeit entfaltete. Sie inspizierte die Kellner und schickte sie hinaus, um das Communal zu eröffnen. Es war instruktiv, ihnen dabei zuzusehen. Eine plötzliche Veränderung kam über sie. Ihre Schultern strafften sich, sie rafften ihre verrutschten Gewänder und richteten sie sorgfältig, Hast und Gereiztheit der Küche fielen von ihnen ab, und von einem Hauch von Feierlichkeit umgeben schwebten sie hinaus.

Joane winkte ihm, sie gingen hinüber zum Communal und betraten es durch den öffentlichen Eingang.

Der mit Ziegeln gepflasterte Raum war bereits gedrängt voll von Menschen, die redeten und aßen. Einige saßen in kleinen Gruppen zusammen und sangen. Kish stand hinter einer kleinen Bar an der Seite, die vor ihm winzig wirkte. Skallon entdeckte Fain, der auf einem Schemel an einem Tisch neben der Bar hockte und eine grüne Flüssigkeit aus einer Schale löffelte. Er aß gleichmütig und mit gesenktem Kopf, alles um sich herum ignorierend. Kish war sichtlich verunsichert durch die Nähe des schweigsamen Erdlers; alle paar Sekunden wanderte sein Blick zu Fain hinüber. Als er Skallon und Joane sah, hellte sich sein Gesicht auf, und er winkte sie herüber an die Bar.

„Euer Freund ist nicht zufrieden mit Eurer Arbeit?“ Kish sprach mit gesenkter Stimme, obwohl es in dem Durcheinander des Communals nicht notwendig war.

„Er wird es überstehen“, antwortete Skallon trocken.

„Ich glaube, seine Laune hat sich auf Danon ausgewirkt“, meinte Joane. „Er war sehr müde und deprimiert, als er zurückkam.“ Kish nickte, als ob dies seine Überzeugung bestätigt hätte, daß Erdler einen schlechten Einfluß ausübten, wenn ihnen etwas in die Quere kam.

„Er ist ständig in Eile“, sagte Kish. „Kann ich ihm nicht etwas anbieten?“

Skallon nickte. „Einen Drink.“

Er erhaschte Fains Blick und winkte ihm herüberzukommen. Kish stellte zwei Becher vor ihnen ab.

„Probier das mal“, sagte Skallon. Er mußte die Stimme heben, weil eine Woge von Gesang aus der Gruppe am anderen Ende des Raumes emporstieg.

Fain nippte und nahm dann einen tiefen Zug. Skallon stellte fest, daß es sich um ein dickes, sämiges Bier mit einem sonderbaren Nachgeschmack nach Eisen handelte. „Mm", sagte Fain unentschieden. „Nicht schlecht."

„Ein Starkbier. Sammetbier." Kish goß ihre Becher wieder voll.

Sie sprachen über alles mögliche; Fain sagte wenig, und Kish plauderte munter daher, ohne Fains Schweigen zu bemerken. Er erzählte Geschichten von diebischen Kaufleuten und Angriffen gegen seine Ehre, alles am Ende wieder ins Lot gebracht durch ein paar schneidige geschäftliche Manöver. Joane lauschte ihm pflichtbewußt, obwohl sie all das zweifellos nicht zum ersten Mal hörte. Skallon beobachtete die Menge.

„Versucht dies!" Kish setzte krachend volle Becher vor ihnen ab. Ein leichteres Gebräu diesmal. Blasen stiegen perlend an die bernsteingelbe Oberfläche.

„Tja..." begann Skallon, nachdem er daran genippt hatte.

„Das ist Dreck", brummte Fain.

„Ihr habt recht. Ganz genau." Kish nickte zustimmend – ein Kritiker seiner eigenen Waren.

„Ein Exkret, das besser wäre geblieben im Pferd", sagte Skallon, dem ein alter alveanischer Satiretext einfiel.

„Ihr trefft den Nagel auf den Kopf!" Kish strahlte glücklich. „Aber versucht *dies.*"

Die Becher landeten dröhnend auf dem Tisch, so daß ein Teil des Inhalts herausschwappte, als wollte er dem kommenden Urteil entgehen. „Hervorragend", sagte Skallon schlicht, und er meinte es ehrlich. Das dunkle, milde Zeug rann durch die Kehle wie Öl.

„Mmmm. Gut", stimmte Fain zu. „Gut."

Kish strahlte noch mehr. Er ging nach hinten zu einer Nische und brachte neue, klirrende braune Flaschen. Er zog das Drahtgeflecht von den Korken, öffnete sie und goß den Inhalt in saubere Becher. „Der Abend singt!" sagte er und bat sie weiterzutrinken.

Skallon wechselte ein paar Worte mit Fain, und beide nahmen

eine kleine Pille aus dem Gürtel und schluckten sie, um ihren Blutkreislauf vom Alkohol zu befreien. Das erwies sich als gute Vorsichtsmaßnahme. Kish wurde immer herzlicher und ausladender und setzte ihnen Proben von seltenem Ale und Bitterbier aus entlegenen Provinzen vor. Dies war offensichtlich so recht nach seinem Herzen.

Danon trat ein, ausgeruht und bereit für sein zweites Abendessen. Sie gaben ihm einen Schluck Bier, und der Junge nahm neben Skallon Platz und sah sich um, während immer mehr Menschen sich im Raum drängten und dicke Rauchschleier in der Luft hingen. Die gesamte Nachbarschaft versammelte sich hier, im größten Communal der Umgebung, vor allem zur Zeit des Festes. Da waren Schmiede, Töpfer, Metzger, Obsthändler, Quantimakas-Schäler und Gepäckträger wie auch Dienstmädchen der verschiedensten Art. Skallon genoß die Vielfalt von Gesichtern aus allen Altersgruppen. Hier und dort saßen kadaverhafte, schweigsame Trinker, mit Bier vollgesogen wie die Schwämme, die die braune, schäumende Flüssigkeit ohne Unterlaß in sich hineinschütteten. Ein paar Frauen gingen halb tanzend, halb taumelnd von Tisch zu Tisch und murmelten Gedichte und Lieder, die sie sich ausdachten, während sie daherwankten, wobei ihnen jeder Reim recht war. Alle waren glücklich, es herrschte eine überwältigende Gewißheit, daß die Welt ein wundervoller Ort war, daß die Seuchen diesen schäumenden, strahlenden Kreis nicht mit rauchigen Fingern umklammern würden und daß die Anwesenden in diesem Raum noble und bemerkenswerte Leute seien. Ein Mädchen tanzte umher, die Knie mit einem Seil zusammengebunden, und mit schwerfälligen Bewegungen folgte ihr ein Mann, der einen gelbbemalten, hölzernen Phallus von der Größe eines Nudelholzes vor sich hertrug. Der Raum bebte von Gelächter. Das Mädchen rollte die Augen, leckte sich erwartungsvoll die rosigen Lippen und ließ sich von dem zuckenden, stoßenden Mann besteigen. Dann brach der Mann mit offenem Mund zusammen. Sie lachte auf und wirbelte davon. Ein anderer ergriff ihren Ellbogen und leitete sie an seinen Tisch. Das schallende Gelächter der wogenden Menge folgte ihnen.

Fain wurde unruhig. Er leerte seinen Becher. „Ich glaube, ich gehe für einen Augenblick hinaus."

„Warum?" fragte Skallon.

„Um mich ein wenig umzusehen. Der Änderling muß ja irgendeine Wirkung auf diese Stadt haben."

„In der Nacht wirst du ihn nicht finden."

„Er muß irgendwo in der Nähe sein."

„Unwahrscheinlich."

„Er macht uns eine lange Nase - falls er eine hat. Uns, Skallon. Diese dämliche Jagd - das war ein Witz!"

„Deshalb mache ich mir Gedanken über die Motive des Änderlings. Vielleicht versucht er ja gar nicht, an die Spitze der alveanischen Gesellschaft zu gelangen. Vielleicht schert er sich einen Dreck um die Hohen Kasten."

„Ich weiß es nicht. Es ist das gleiche System wie früher."

„Auf Revolium? Wo du ihn schon einmal gefangen hast?"

„Ja. Da und auch an allen anderen Orten. Wo ich sie umgebracht habe."

„Aber dieses Wort ‚System'. Das ganze Problem mit den Änderlingen ist doch, daß sie keinem System folgen. Sie handeln rein intuitiv."

„Deswegen glaube ich, daß er in unserer Nähe ist. Wenn wir ‚zick' machen, macht er ‚zack'."

„Auf diese Weise bekommt er niemals irgendwelche Macht in Kalic."

„Wieso nicht? Schließlich lungern *wir* hier herum und warten, daß er sich zeigt."

„Das stimmt." Skallon nippte an einem dickflüssigen, aromatischen Bitterbier, das Kish ihm eingegossen hatte.

„Ich glaube, er beobachtet das Hotel."

„Du meinst, er wohnt hier? Als Gast?"

„Nein. Zu riskant - Scorpio würde es merken."

„Deswegen willst du also nachts hinaus. Mit Scorpio."

„Richtig. Der Änderling erkennt uns, wenn er uns sieht. Na schön, nehmen wir ihm diese Möglichkeit. Scorpio kann einen Änderling auch im Dunkeln ausmachen."

„Ich ..."

„Bis später." Abrupt wandte Fain sich um und watete durch die Menge davon.

Wenn er wußte, was zu tun war, dann handelte er. Skallon empfand eine gewisse Bewunderung dafür. Kein langes Nachdenken, keine Zweifel, keine alternativen Theorien. Reine Aktion.

„Versucht dies", durchbrach Kish seine Gedanken. „Ein ungewöhnliches Brauverfahren. Hier ..." Er reichte Danon die beiden Becher. Das Trinken zeigte deutlich Wirkung bei dem Jungen. Unsicher ergriff er die Becher, ließ eine dünne, braune Schicht auf die Bar schwappen und hielt sich dann mit zitternden Händen aufrecht. Als er einen der Becher zu Skallon hinüberschob, murmelte er: „... glaube ... muß ... klaren Kopf."

Kish lachte, und seine Stimme dröhnte durch das Communal. „Der Junge muß noch lernen." Er zwinkerte Skallon zu. Als Joane zu ihm herübersah, nahm sein Gesicht sogleich einen gesitteten, unbeteiligten Ausdruck an.

Schichten von Qualm hingen in der schweren Luft. Verschwommen dachte Skallon daran, schlafen zu gehen und vielleicht Joane zu bedeuten, ihm nach einer Weile des diskreten Wartens zu folgen. Das Getöse im Communal hatte sich ein wenig gelegt; ein paar der Gesichter waren erschlafft und starrten ins Leere. Die Sänger murmelten untereinander. Andere sogen den Rauch von Euphoricum durch die Nase. Skallon hatte ein wenig von dem beißenden Zeug eingeatmet, als es durch den Raum geweht war. Er glaubte eine leichte Wirkung davon zu spüren. Das Communal erschien kleiner, die Wände zogen sich um ihn zusammen, und er balancierte benommen auf seinem Schemel.

Die Gesichter im Licht der flackernden Öllampen wirkten in sich gekehrt. Es schien, daß sie jetzt, da es nach dem anfänglichen Trubel des Abends wieder bergab ging, erkannten, daß sie keine strahlenden Wesen in einer wundervollen Welt waren, sondern Arbeiter mit rauhen Händen und Frauen, die sich elendig und trostlos betrunken hatten. Fürwahr eine heruntergekommene, schäbige Horde. Aber Skallon durchschaute diese Schicht von

Reue und Offenbarung, die sich auf alles herabgesenkt hatte. Er sah einen harten Kern in diesen Leuten, stärker als alle Seuchen. Aber sie trieben haltlos dahin, das konnte man riechen. Eine stabile Gesellschaft bezahlt ihre Sicherheit mit Unbeweglichkeit.

Danon kam wieder herein. Seine Augen leuchteten.

„Ein paar Blocks von hier geschieht irgend etwas. Ich kann den Lärm hören. Ein Menschenauflauf", sagte er atemlos.

„Ist Fain dort?"

Danon schüttelte den Kopf, und seine Kapuze flog hin und her. „Ich weiß es nicht."

Skallon kam auf die Beine; der Nebel des Communals in seinem Kopf lichtete sich nur langsam. „Gehen wir. Aber bleib im Schatten." Er nickte Kish und Joane zu, und dann drängten sie sich durch die Menge hinaus.

Als sie auf die Straße traten, hörte Skallon aus der Ferne den gedämpften Lärm einer Menschenmenge, die lauthals durcheinanderredete. Die Maraban Lane war in der Dunkelheit versunken, aber aus einer angrenzenden Straße drang ein Lichtschein herauf. Die beiden eilten darauf zu.

Die Luft war überaus klar. Sie hasteten durch ebene, menschenleere Straßen, ihre Schritte knirschten und klapperten, und der Wind liebkoste Skallons Gesicht. Der weiche Lichtschein wurde zu Straßenlaternen und Handfackeln. Schließlich erblickten sie gut tausend Menschen, die in einem unregelmäßigen Halbkreis eine erhöhte Plattform umringten und einem fetten Alveaner lauschten. Skallon sah, daß der Mann auf einem Gemüsekarren stand. Seine Füße versanken fast in zertretenen Quantimakas-Stielen.

Die Menge raschelte und murmelte, wie um den Redner zum Weiterreden zu drängen. Er sprach über die lästerliche Verunreinigung des Festes durch die Seuchen. Durch bösartige Eindringlinge. Durch die Erdler, die das Leben selbst von den blutigen Lippen der hungrigen Armen rissen.

Skallon hörte aufmerksam zu und sah sich suchend in der Menge um, aber von Fain fand er keine Spur. Gab es Anzeichen dafür, daß der Änderling hinter dieser Sache steckte? Skallon runzelte die Stirn. Schwer zu sagen.

Unterdessen wandten sich hin und wieder Gesichter aus der Menge zu ihm herüber, und forschende Blicke trafen den seinen. Vielleicht stimmte irgend etwas mit seinen Gewändern nicht. Skallon schaute an sich hinunter, schüttelte sich und strich hier und da eine Falte glatt. Es schien alles in Ordnung zu sein.

Die Gesichter der Menschen wurden zu einem Gewebe, wirr und wogend und so fein wie bunte Spitze. Jedes der knotigen Gesichter, jedes starrende Augenpaar, jeder Mund saß haargenau an seinem scharf umgrenzten Platz. Eingerahmt, ja, in unnatürlicher Aufteilung, frisch und sauber, wie in einem wohlkomponierten Gemälde. Ein Gemälde, ja. Unsigniert natürlich. Ja.

Der Redner brüllte seine versimpelten Wahrheiten heraus. Abtrünnig. Treulos. Skrupellose Erdler. Ungeziefer. Alvea hatte sie verbannt, aber die Seuchen dauerten an. Sie hatten ihren Stempel hinterlassen.

Skallon nickte, schüttelte den Kopf, nickte wieder. Der Alveaner verstand nicht, worum es ging. Offenbar wußte der Mann nichts von sozialer Dynamik, von Genetik, von Geschichte. Der Fettwanst spulte plausible, aber hohle Argumente ab und verfehlte die wesentlichen Punkte. Skallon erinnerte sich an ähnliche Menschenmengen, in denen er gestanden hatte, versammelt in Höfen, auf Plätzen und in Unterkünften. Ausbilder hatten ihnen gesagt, was man von ihnen erwartete, wie man sie bestrafen würde, wenn sie sich nicht richtig verhielten, und warum das alles notwendig war. Niemand hatte jemals widersprochen, immer stand die Menge dumpf da und nahm jedes Wort in sich auf.

Aber dieser Haufen von Alveanern war anders. Bei jedem Schmähruf raschelten sie wie Blätter im Wind, und von dem gestikulierenden, schwitzenden Redner wehte eine wütende Brise herab. Jemand feuerte ihn brüllend an.

Skallon lauschte voller Aufmerksamkeit und versuchte, jeden Augenblick, jedes Wort neu zu begreifen. Er spürte, wie er durch den Rand der Menge trieb. Danon flüsterte etwas, drängte ihn zur Rückkehr. Finger griffen nach ihm. Der Junge blieb hinter ihm zurück. Worte spülten über Skallon hinweg. Ein Gewirr von Phrasen. Gesichter wandten sich ihm zu, flatternd im Sturm.

Der Karren ragte vor ihm auf, höher als er erwartet hatte. Ein Mund, der Fragen stellte. Ein Stoß mit dem steif ausgestreckten Arm, und er verschwand. Er bewegte sich vorwärts auf zitternden Knien. Die Hand auf dem Karren, mit keuchendem Atem, und hinauf. Der Redner drehte sich um. Noch ein Gesicht, mehr nicht, ein Gesicht wie alle anderen.

Skallon brüllte einen Satz heraus und dann noch einen. *Ich bringe Klarheit.* Hände griffen nach ihm. Er stieß sie von sich. Sie wichen zurück. Stille legte sich über die künstlichen Gesichter unter ihm. Unheimlich, dieses erwartungsvolle Schweigen. *Die Gemeinsamkeit der Ziele.* Danon in der Ferne, ein klar umrissenes, gespanntes Kindergesicht. Aufwärts gerichtet wie die anderen, um die Wahrheit zu hören. *Hört zu* ... Ein frischer, erleuchtender Atemzug. *Kraft durch Wissen* ...

Um es ihnen zu zeigen, warf er seine Kapuze zurück. Löste die Spangen und Falten und falschen Fassaden seiner Doubluth-Gewänder. Seine irdischen Züge hoben sich klar und deutlich in das trübe Licht. *Und doch kenne ich Euch* ... Ein Aufschrei. *Und Euren Planeten, eine Welt, so reich* ... Aufruhr ... *und doch heimgesucht von Verfall* ... Hände ... *historisch falsch* ... Sie greifen nach ihm. Ein gedämpftes, wütendes Grollen von unten. *Ihr müßt verstehen* ... Langsam und deutlich, damit sie die Feinheiten verstehen, auf die er hinauswill.

Aber die Hände. Greifend, zerrend. Verschwommene Bewegung. Gesichter gleiten vorüber in dem matten, gelblichen Licht. Eisige Luft. Ein Wagenrad, verkehrt herum. Ein Polster von Lärm umhüllte ihn. Irgendwie war irgend etwas schiefgegangen.

14

Menschen, so viele Menschen. Sie drängen von allen Seiten. Wütende Gesichter. Lärm, Gebrüll. Keine Worte, nur Geräusche.

Dann Fain. Ein hartes Gesicht, und er sagt etwas. Laufen? Fliehen?

Seine Füße berührten den festen, verzeihenden Boden. Fain führte ihn. Erschreckte Alveaner stoben in dem wäßrigen Licht auseinander. Fain. Schatten. Durch enge Gassen. Fain schaut sich um und stürmt weiter. Schnell. Flieh.

Maraban Lane. Ins Hotel. Schnelles Fußgetrappel von hinten. Jemand ragt auf, in einer Insel von Licht. Danon? Nein. Joane.

Durch einen Korridor. Die Küche. Warm, würzig. Aromatische Luft. Er spürte, wie er nach vorn sank, mit dem Kopf nach unten, das Gesicht auf dem Tisch.

Die Zeit wehte vorüber. Joanes hastige Worte, schnell wie Pfeile. Fain, mit schneidender Stimme, keuchend. Flache Atemzüge. Ein Winseln von Scorpio.

Kishs Stimme, verwirrt und plötzlich abgeschnitten. Worte, unverständlich und wirr. Skallon versuchte nicht länger, das Puzzle zusammenzufügen. Ein warmes, dumpfes Summen senkte sich auf ihn herab. Mit geschwollener Zunge strich er forschend über seine Zähne.

Auf. Hoch. Hände hoben ihn in die Höhe, bis die Schwerkraft wieder einsetzte, und er stand auf den Füßen. Die Küche begann sich um ihn zu drehen. Die feuchte Luft aufsaugen. Einen Schritt. Zwei. Joane, flüsternd.

Weitergehen. Schatten. Skallon? Hier entlang. Hier. Scorpios rauhe Stimme: Sicher. Im. Haus.

Höhlen. Verschimmelte Steinmauern. Gehen, drücken, gehen. Trübe, rubinrote Lichtpunkte auf den Wänden. Fain stolpert, flucht. Dicke, steinerne Pfeiler. Holzbalken. Kalte, feuchte Luft. Platschende Schritte, watend durch ein Bachgerinnsel. Murmelnd. Endlich, ein Platz zum Sitzen. Zusammensinken. Schritte verhallen zwischen den längerwerdenden Schatten. Ferne Stimmen.

Ein dumpfes Summen im Kopf. Dann Schlaf. Schlaf.

15

Joseph Fain saß mitten auf seinem zerknüllten Bett und trank Kishs dunkles Bier aus einem Becher. Der eisige, bittere Geschmack traf seinen Magen wie eine Faust, aber Fain wußte, daß er es brauchte, um seine Gedanken zu konzentrieren. *Der Änderling,* dachte er. *Immer verschlagen, und immer anders.* Nach der dämlichen Scharade im Hotel hatte er beschlossen, seine Taktik zu ändern. Er hatte sich bei diesem Job zu sehr an Skallons Ratschläge gehalten, und so hatten sie sich beide zum Narren gemacht. Man machte immer Fehler, wenn man in einer fremden Kultur arbeitete, aber diesmal war es geradezu lächerlich. Na schön. Fein. Geben wir es zu. Im Hotel hatte Fain beschlossen, diese Tatsache gegen den Änderling einzusetzen. Versuchen wir, weiterhin dämlich auszusehen. Sollte Skallon nur weiter über seine eigenen Füße stolpern. Dämlicher und immer dämlicher - und irgendwann würde der Änderling sich übernehmen. Das war eine Methode, die Fain schon früher angewandt hatte, und er wußte, daß sie funktionieren konnte. Wo immer der Änderling sein mochte, er würde sich über die schwachsinnigen Erdler totlachen. Gut. Sollte er lachen. Er mußte zugeben, daß der Änderling gestern abend wirklich einen Coup gelandet hatte, indem er Skallon derartig unter Stoff setzte und ihn dann dazu benutzte, die Menge aufzustacheln. Wenn Fain nur ein wenig schneller gewesen wäre, hätte er den Änderling noch an Ort und Stelle festnageln können. Beim nächsten Mal würde es anders laufen. Fain hob seinen Becher wie zum Gruß. „Auf unser Wiedersehen", schnarrte er und trank.

Ein sanftes Klopfen an der Tür.

„Ich bin hier", sagte Fain.

Joane trat zögernd ein. Sie ließ erkennen, daß ihr die veränderte Situation bewußt war und daß sie über ihren gegenwärtigen Status im Ungewissen schwebte. Fain nahm an, daß sie noch nie zuvor einen Mann voller ruhiger, berechnender Wut gesehen hatte. Sie hatte ihr Leben damit verbracht, kleine Jungen zu beherrschen: Kish, Danon und auch Skallon. Fain konnte sie nicht beherrschen, und er wußte, dies war es, was sie verwirrte. Er wußte es, aber im Augenblick kümmerte es ihn nicht. „Nun?“ sagte er mürrisch; er versuchte nicht erst, ihr Unbehagen zu mildern. „Was hast du herausgefunden?“

„Wir … wir haben getan, was du gesagt hast, Kish und ich. Wir sind hinausgegangen und …“ Unbewußt drehte sie sich um und begann, die Tür zu verriegeln.

Fain unterbrach sie. „Verschwinde da.“

Sie fuhr herum, das Gesicht rot vor Verlegenheit. „Aber ich wollte doch nur …“

„Ich weiß, was du wolltest. Und jetzt komm her. Rede. Ich will wissen, was da draußen los ist. Heraus damit.“

„Ärger“, sagte sie hastig. „Sehr viel Ärger. Kish und ich, wir haben beide das gleiche gehört. Die Erdler sind hier - auf Alvea. Sie sind verkleidet, und sie verursachen die Seuchen. Einer wurde letzte Nacht entdeckt, aber es gibt noch viele andere. Der Pöbel hat in der Nähe der Großen Halle drei Männer in Stücke gerissen. Ein Redner behauptete, es wären Erdler.“

„Und waren es welche?“ fragte Fain spöttisch.

„Nein, natürlich nicht. Du weißt, daß …“

Er hob die Hand. „Es war ein Scherz. Aber was macht Skallon? Hattest du heute Zeit, hinunterzugehen und ihn zu besuchen?“

„Danon ist bei ihm, nicht ich. Ich war mit Kish zusammen, wie du … wie du befohlen hast.“

„Es freut mich, das zu hören“, antwortete er trocken. „Aber was ist mit mir? Hast du irgend etwas über einen zweiten Erdler gehört? Ich muß wissen, ob ich gefahrlos auf die Straße gehen kann.“

„Das ist schwer zu sagen. Niemand weiß genau, wie der Erdler entkommen konnte. Manche sagen, er sei gar nicht entkommen, sondern tot. Andere behaupten, eine Gruppe von Erdlern habe ihn fortgebracht. Einige glauben, daß er fliehen konnte, sich aber jetzt versteckt hält. Auf jeden Fall suchen jetzt alle nach Erdlern. Wenn du ausgehst, wird man dich sicher entdecken. Du mußt hierbleiben und abwarten.“

Er schüttelte den Kopf, nicht weil er nicht einsah, daß es stimmte, was sie sagte, sondern weil er im Augenblick keine Ratschläge von ihr hören wollte. Das Vertil hatte letzte Nacht seine Spuren also tatsächlich verwischen können. Das zumindest war ein erfreuliches Zeichen. Er hatte sofort eine Injektion genommen, als er Skallon inmitten der Menge entdeckt und begriffen hatte, was dieser vorhatte. Das Vertil hatte es ihm ermöglicht, einen großen Teil des Mobs abzulenken, so daß er Skallon in Sicherheit bringen konnte. Er war sicher, daß er ungesehen ins Hotel hatte fliegen können. Danon, der bei Skallon gewesen war, hatte ein Versteck vorgeschlagen: die Katakomben unter der Stadt, die man jetzt nur noch selten benutzte, anders als in den Anfangsjahren der Kolonie, als es noch notwendig gewesen war, zu gewissen Zeiten unter der Erde zu leben, um nicht von der Sonne knusprig gebraten zu werden. Dort war Skallon jetzt.

„Skallon wurde unter Drogen gesetzt, weißt du“, sagte er. „Ja ... ja, so etwas haben wir bereits vermutet.“

„Das bedeutet, daß du darauf achten mußt, was er ißt. Du mußt jeden Bissen selbst zubereiten. Das Essen für ihn - und auch das für mich. Weder Kish noch sonst jemand darf dabeisein. Sag ihnen, daß ich es angeordnet habe, und wenn sie Einwände haben, sag's mir.“

„Ich habe es heute morgen bei Skallons Frühstück schon so gemacht. Nur Danon war bei mir.“

„Nun, dann halte es auch weiterhin so.“

„Du vertraust mir also.“

„Nein, nicht unbedingt. Aber wenn auf diese Weise einer von uns beiden vergiftet werden sollte, dann weiß ich wenigstens genau, an wen ich mich halten muß.“ Sie lächelte, aber auch daran lag ihm nichts. „Wann erwartest du Danon?“

„Es ist bald Mittag. Er müßte gleich kommen, um Skallons Essen zu holen.“

„Wenn er da ist, schick ihn herauf. Vielleicht will ich ihm folgen, wenn er zurückgeht.“

„Du wirst auch etwas essen müssen. Das Bier brennt wie Feuer auf leerem Magen.“

Er funkelte sie an. Was wollte sie? Sex, Liebe, Herrschaft oder bloß Freundlichkeit? Im Augenblick hatte er ihr nichts zu bieten. Er wies mit dem Daumen auf die Tür. „Verschwinde hier, Joane. Laß mich allein.“

Sie nickte mit gekränktem Gesicht, biß sich auf die Lippe und ging leise hinaus. Fain blickte auf die geschlossene Tür und seufzte.

Er hatte versagt. Das war es, was ihm zu schaffen machte. Schlicht und einfach und ganz gewöhnlich versagt. Zum Teufel, so etwas passierte an jedem Tag der Woche irgend jemandem. Man versuchte etwas, es klappte nicht, man gab auf und hatte versagt. Aber Fain war nicht irgend jemand. Ihm dürfte es nicht passieren – niemals. Dieser Planet erinnerte ihn allmählich allzu sehr an Jado. Wieder spielte der Änderling mit ihm, hielt ihn zum Narren. Sollte er sich weiterhin als Dummkopf ausgeben, auch ohne Skallons Hilfe, und darauf hoffen, den Änderling damit hervorzulocken? Das schien ihm einfach nicht genug zu sein.

Der Änderling hatte ihn nicht nur lahmgelegt. Er hätte ihn sogar leicht schlagen können.

Anzeichen dafür erreichten ihn durch die Wände seines Zimmers. Er hörte den Lärm von schrillen, wütenden Stimmen auf der Straße. Die ganze Zeit über hatten er und Skallon sich über den prekären Zustand der Ordnung auf dieser Welt unterhalten. Ein einziger Anlaß konnte genügen, um das Gleichgewicht in Chaos umschlagen zu lassen. Und die letzte Nacht hatte diesen Anlaß gegeben: die Entdeckung eines getarnten Erdlers in den Straßen der Stadt. Sie hatten es ganz allein fertiggebracht – der Änderling hatte nur den letzten, entscheidenden Stoß dazu beigetragen.

Wieder klopfte es an der Tür – diesmal lauter. Fain grunzte, und Danon kam herein. Der Junge wirkte hager und ernst. Fain begriff, daß er wahrscheinlich die ganze Nacht bei dem betäubten Skallon gewacht hatte. Fain selbst war sofort auf sein Zimmer gegangen, nachdem sie Skallon in sein Versteck gebracht hatten. Aber geschlafen hatte er nicht. Dafür würde später noch genug Zeit sein. Jede Menge Zeit, falls sich nichts Neues ereignete. Auf der Erde. Als Versager.

„Wie geht es ihm?“ fragte Fain.

Danon rieb sich die Augen. „Skallon geht es gut. Er fragt nach Euch."

„Hat er irgendwelche Erinnerungen an letzte Nacht?"

„Nur wenige. Er wußte nicht, was er getan hatte."

„Hast du es ihm erzählt?"

Danon nickte.

„Was hat er gesagt?"

„Er sagte, der Änderling habe ihn wahrscheinlich unter Drogen gesetzt."

Fain erhob sich. Er hatte lange genug untätig herumgesessen. Es war an der Zeit, etwas zu unternehmen, selbst wenn er noch keine Ahnung hatte, was er tun sollte. „Ich werde mit dir in die Katakomben gehen und mit Skallon reden. Warte auf mich. Ich muß noch meine Polsterung anlegen."

„Wollt Ihr allein mitkommen?"

Fain sah ihn verwirrt an. „Sicher. Wen sollte ich denn mitnehmen?"

„Den Hund. Scorpio. Das war Skallons Vorschlag, nicht meiner. Die Katakomben sind dunkel und manchmal geheimnisvoll. Skallon befürchtet, der Änderling könnte sich ebenfalls dort unten verbergen."

Fain dachte einen Augenblick darüber nach und nickte dann. „Der Gedanke ist nicht so abwegig." Und er hätte ihm selbst kommen müssen.

„Das dachte Skallon auch. Wißt Ihr noch, wo der Raum liegt, in dem er sich versteckt? Er liegt am Ende eines engen Tunnels."

„Daran erinnere ich mich, ja." Er war darauf trainiert, sich an solche taktischen Details zu erinnern.

„Nun, Skallon meinte, wenn Ihr mit mir zurückkommt, könntet Ihr Scorpio vielleicht in diesem Tunnel lassen. Während Ihr mit Skallon redet, könnte der Hund dort Wache halten. Falls der Änderling in die Nähe kommt, könnte Scorpio ihn fassen."

„Es ist einen Versuch wert", erwiderte Fain. Er hatte soeben das letzte der unförmigen Wattepolster angelegt und streifte jetzt hastig seine Doubluth-Kleidung über. „Ich hole Scorpio, und dann treffen wir uns in der Küche."

Danon verneigte sich grinsend, und seine Zähne leuchteten wie winzige Lampen in seinem dunklen Gesicht. „Ich bin froh, daß es Euch gefällt."

Als Fain über den Gang zu Scorpios Zimmer watschelte, fragte er sich beiläufig, wessen Idee es wohl wirklich gewesen sein mochte: Skallons oder die des Jungen. Es gab Zeiten, da legte Danon eine wesentlich größere Gewitztheit an den Tag, als ihm nach Jahren eigentlich zugestanden hätte.

Scorpios Zimmer stank nach dem Müßiggang vieler Tage. Die Luft war schwer vom Geruch nach Futter, Kot und den muffigen Ausdünstungen des Tieres. Fain rümpfte die Nase. So rasch es ging, erklärte er Scorpio, wozu und weshalb er ihn brauchte. Als Scorpio erst begriffen hatte, war er mehr als angetan. Ebenso wie Fain schien er jede Abwechslung von diesem ständigen, ermüdenden Warten zu begrüßen.

Die beiden gingen hinaus. Fain bewegte sich vorsichtig durch die Korridore, aber es war niemand zu sehen. Fast fühlte er die völlige Leere der Räume, an denen er vorüberkam. Weshalb, fragte er sich. Wo waren sie alle? Draußen? Er glaubte es zu wissen. Der Mob hatte sie vereinnahmt. Alvea war wie eine Trommel, die zu straff gespannt gewesen war. Skallons Verhalten in der vergangenen Nacht hatte das dünne, empfindliche Fell zerreißen lassen.

Joane war allein in der Küche. Als sie Fain sah, wollte sie etwas sagen, aber dann zögerte sie.

„Wo steckt Kish?" fragte Fain.

Wieder zögerte sie, und er sah, daß er in der Tat die Ursache für ihre Angst war.

Er wies mit dem Kopf auf die Wand. „Draußen?"

Sie nickte angespannt.

„Und der Rest? Eure Köche, die Angestellten? Die auch?"

„Ja. Es ist wie ... wie ein Fest draußen. Es herrscht Erregung und ... und Wut. Die Männer haben das Gefühl, es sei besser herumzulaufen und zu toben, besser als auf den Tod zu warten."

„Und du glaubst das nicht?"

Sie zuckte die Achseln. „Ich glaube, daß der Tod nicht das Ende ist."

Fain unterdrückte einen Impuls, ihr zuzustimmen. Er erkannte, daß sie ihm einen Teil ihrer selbst offenbarte, den sie bislang wohlverborgen gehalten hatte. So muß es sein, wenn sie mit Skallon redet, dachte er, und einen kurzen Moment lang empfand er fast so etwas wie Neid. „Aber kann ich ihm vertrauen? Kish? Rennt er zum Spaß da draußen herum, oder wird er am Ende seine Freunde hierherführen, um mich in Stücke zu reißen?“

Sie war nicht bereit, ihn zu beruhigen. „Ich weiß nie, was Kish tun könnte.“

Aber Fain wußte, daß er keine Wahl hatte. Wenn er die Herberge verließ, würde er nur noch fliehen können, und das würde bedeuten, die Stadt - und den Planeten - fest in der Hand des Änderlings zu lassen.

„Wo ist Danon?“ fragte er. „Er sollte sich hier mit mir treffen.“

„Er ist mit dem Essen für Skallon schon vorausgegangen.“ Sie schien froh, zu einem Thema zurückkehren zu können, das weniger emotionsgeladen für sie war. „Er sagte, daß Skallon unruhig würde, wenn er ihn allein ließe. Er hat mir beschrieben, wie man zu dem Versteck gelangt. Soll ich es dir erklären?“

„Nein, ich finde es schon. Wenn nicht, wird Scorpio es finden.“

„Du kommst zurück?“

Er nickte. „Ja. Bald. Und du wirst hierbleiben? Du wirst verhindern, daß mir jemand folgt?“

„Ich will es versuchen, Fain.“

„Danke.“ Er meinte es ehrlich, obgleich er wußte, daß ihre hilfreiche Geste so gut wie nutzlos war: Keine Frau konnte sich dem Änderling in den Weg stellen. Dennoch ... Joane war die einzige Person auf dieser Welt, der er vertraute. Zumindest Scorpios Anwesenheit in der Küche war ein Beweis für ihre Ehrlichkeit und Zuverlässigkeit. So war Joane wenigstens, was sie zu sein vorgab.

Hinter der Küche befand sich ein kleiner Raum, in dessen Ecke eine Falltür direkt in die unterirdischen Gewölbe führte. Den Raum unter dem Hotel benutzte Kish oft als Vorratslager. Fain bahnte sich seinen Weg vorbei an Stapeln von Konserven und Branntweinflaschen; dann schaltete er die Handlampe ein, die er bei sich trug, und folgte dem verschlungenen Weg, der ihn zu Skallon bringen würde. Die Gänge waren gemeinhin weit und geräumig und mündeten häufig in hohe Gewölbe, groß genug, um mehreren hundert Menschen Platz zu bieten. Es bereitete Fain keinerlei Schwierigkeiten, sich an den Weg zu erinnern, den er in der vergangenen Nacht genommen hatte. Wieder zeigte sich sein Training, und er war angenehm berührt. Die Luft war überraschend sauber, beinahe frisch. Ein wenig Wasser drang durch Risse im steinernen Boden an die Oberfläche, aber Fain konnte den vereinzelten, seichten Pfützen mit Leichtigkeit ausweichen.

Sie hatten vielleicht die Hälfte der Strecke bis zu Skallons Unterschlupf hinter sich gebracht, als Scorpio laut zu schnüffeln begann und zurückblieb. Fain wartete in einem Gewölbe auf ihn. Ein paar Meter entfernt blieb Scorpio stehen und senkte die Nase auf den Boden. Dann hob er den Kopf und sagte zu Fain: „Mag. Sein. Es. Ist. Das. Eine."

„Der Änderling? Bist du sicher?"

„Nein. Nicht. Sicher. Schwach."

„Alt?" War es möglich, daß der Änderling die Gewölbe und Tunnels die ganze Zeit über als Versteck benutzt hatte?

„Nicht. Sicher. Schritte. Durch … Wasser."

„Dann ist es vielleicht noch frisch." Der Änderling würde sich nicht die Mühe machen, seine Spuren zu verwischen, es sei denn, es fürchtete, verfolgt zu werden - von Scorpio. „Dann sollten wir uns beeilen. Aber sei vorsichtig. Ich will ihm nicht hinter der nächsten Ecke in die Arme laufen."

„Ich. Werde. Schnüffeln. Fain."

„Gut." Fain setzte seinen Weg fort, jetzt allerdings mit einer Mischung aus Vorsicht und Hast. Nach ein paar hundert Metern meldete Scorpio, daß die Spur schwächer geworden sei. Jetzt war er sicher, daß die Fährte nicht frisch war, sondern wenigstens ein paar Stunden alt. Fain war erleichtert. Er konnte sich keinen Ort vorstellen, der schlechter dazu geeignet war, dem Änderling entgegenzutreten. Die Finsternis und der beengte Raum hier unten würde so gut wie jeden Vorteil, den er hatte, zunichte machen. Er wäre dem Änderling auf Gedeih und Verderb ausgeliefert.

Als sie den Eingang zu dem engen Gang erreichten, der direkt zu Skallons Kammer führte, ließ er Scorpio eine kurze Bestandsaufnahme der Umgebung durchführen. Scorpio meldete dieselbe schwache Spur wie zuvor, und so beschloß Fain, Skallons Plan weiter zu verfolgen und den Hund Wache halten zu lassen. Er befahl ihm, vorsichtig zu sein. „Sollte der Änderling - oder sonst irgend jemand - kommen, greife erst an, wenn du sicher bist, daß du es gefahrlos tun kannst. Laß es in den Gang eindringen, und dann heulst du. Ich werde sofort dasein, und auf diese Weise haben wir es zwischen uns in der Falle."

„Ein. Guter. Plan. Fain."

Er nickte; ganz so sicher wie der Hund war er allerdings nicht. „Das hoffe ich. Aber wenn nicht ... wenn nichts geschieht, dann sollte ich in etwa einer Stunde wieder draußen sein."

„Mach's. Gut. Fain."

„Mach's gut, Scorpio."

Die Stelle, an der er Skallon nach dem Aufruhr der letzten Nacht in Sicherheit gebracht hatte, lag etwa zweihundert Meter weiter. Er mußte sich bücken, um den Gang betreten zu können, und noch bevor er am Ende angelangt war, kroch er auf allen vieren. Ein hervorragender Ort für einen plötzlichen Überfall, dachte er, und ganz lausig für jede rasche Bewegung. Skallons Plan gefiel ihm allmählich immer weniger. Er machte sich Sorgen um Scorpio; das Risiko für den Hund erschien ihm zu groß. Aber er kehrte nicht um. Wenn er selbst einen besseren Plan gehabt hätte - oder auch nur eine bessere Idee -, hätte er vielleicht darüber nachgedacht. Aber er hatte keinen. Sein Kopf war beunruhigend leer. Im Augenblick hatte er keine andere Wahl, als Skallon - oder Danon - die Führung zu überlassen. Während er sich vorwärtsschob, richtete er den Strahl seiner Lampe nach vorn und nach hinten. Aber da war nichts. Nur er selbst. Ein wenig Wasser. Der dunkle Tunnel.

Er erreichte die Tür der Zelle und klopfte. Das war es, was der Raum vor Jahrhunderten gewesen war - eine Zelle. Die Tür war doppelt so dick wie sein Schenkel, und das einzige Fenster war vergittert. Danon war als kleiner Junge auf die Zelle gestoßen und hatte nie vergessen, wo sie lag.

Skallon sagte: „Komm herein, Fain."

Eine einzige, trübe Laterne mühte sich verzweifelt, den ganzen Raum zu erleuchten. Eine Pritsche, ein Tisch und ein Stuhl waren das ganze Mobiliar. Danon hatte sie vor langer Zeit heimlich hierhergeschafft, als er die Zelle als einsames Versteck benutzte. In der gegenüberliegenden Wand befand sich eine Tür, aber sie führte nur in einen flachen Wandschrank. Der Eingang war zugleich der einzige Ausgang, und den bewachte Scorpio. Fain ließ die Tür offenstehen, damit er den Hund hören konnte. Skallon lag auf dem Rücken auf der Pritsche. Er war allein.

„Ich habe mich gefragt, ob du dir die Mühe machen würdest zu kommen." Skallon setzte sich langsam auf.

Fain zuckte die Achseln, mit einem Ohr immer nach Scorpio lauschend. „Weshalb sollte ich nicht kommen?"

„Wegen der Dummheit, die ich letzte Nacht gemacht habe."

„Das warst nicht du. Das war der Änderling. Du standest unter Stoff. Wie ein Alveaner unter Vertil. Du konntest nichts dafür."

„Bist du sicher? Weißt du, daß ich unter Stoff stand?"

Skallon schien dringend ein wenig Trost zu brauchen. Fain sah keinen Grund, ihm den zu verweigern. „Ich bin sicher. So sicher zumindest, wie ich es allgemein bin. Es hätte mich genauso leicht treffen können wie dich. Du hast dein Bier nur zufällig aus dem falschen Becher getrunken."

„Ich bin froh, das zu hören, Fain, aber es ist immer noch nicht vorbei, oder? Danon sagt, daß oben ein scheußliches Durcheinander herrscht. Die Leute sind in Aufruhr und machen überall Jagd auf getarnte Erdler. Es ist nur eine Frage der Zeit, wann sie uns erwischen, Fain. Wir können nicht bleiben, und wir können nicht weg."

Skallons Analyse unterschied sich nicht sonderlich von Fains eigener, aber im Augenblick fand er es nicht erforderlich, darauf weiter einzugehen. Statt dessen konzentrierte er sich auf einen anderen Punkt, den Skallon angesprochen hatte: Danon. Wo war der Junge? „Hat Danon dir nicht dein Essen gebracht? Er soll schon vor mir gegangen sein."

„Nein, ich habe ihn nicht gesehen", antwortete Skallon.

„Das ist sonderbar."

„Was wäre nicht sonderbar auf dieser Welt?" Skallon sprang plötzlich belebt, von seinem Lager. „Ich sage dir, wir hätten überhaupt niemals herkommen sollen, Fain. Das war unser erster Fehler - unser einziger wirklicher Fehler. Wir hätten den Änderling einfach gewähren lassen sollen. Dies ist nicht unsere Welt. Diese Menschen sind Pseudo-Menschen und dem Änderling ähnlicher als uns. Wieso sind wir für sie verantwortlich, wieso sollen wir uns um sie kümmern?"

Fain schüttelte den Kopf. Skallon verlor jetzt wohl die Beherrschung und ließ seinem Zorn freien Lauf. „Ich dachte, du wärest derjenige gewesen, der sie so sehr bewunderte."

„Das war, bevor sie versuchten, mich umzubringen. Denk doch mal nach, Fain. Überleg nur, wie wir unsere besten Köpfe daran gesetzt haben, ihre Seuchen zu besiegen. Und wie haben sie es uns gelohnt? Fain, wenn sie uns erwischen könnten, würden sie uns in der nächsten Sekunde töten, in Stücke reißen. Das liegt auch nicht nur an dem Änderling. Der Änderling folgt dem Chaos, wie Scorpio eine Spur verfolgt. Er erschafft es nicht. Er verstärkt nur, was schon da ist. Diese Alveaner sind keine Menschen. Sie sind nichts - absolut *nichts.*"

Fain trat näher und versuchte, Skallon zu beruhigen, aber Skallon riß sich los und stürzte zur Tür. „Ich muß pissen. Ich bin gleich zurück."

„Klar", sagte Fain. Noch immer konnte er Skallons Ausbruch nicht ganz verstehen. Er hatte eher wie Fain als wie er selbst geklungen. War das sein Ernst gewesen? Gab es einen echten Grund für diese Wut?

Dann hörte er es. Es war mehr als wahrscheinlich, daß das Geräusch schon einige Zeit im Raum gewesen war, aber Skallons zornige Worte hatten es übertönt. Es kam aus dem Schrank. Es klang wie die erstickte Stimme eine Mannes.

Fain ging zu dem Schrank hinüber. Das Geräusch kam von dort. Vorsichtig öffnete er die Tür.

Dahinter fand er einen Mann, gefesselt und geknebelt mit zerrissenen Laken. Seine Augen quollen vor Anstrengung aus den

Höhlen, und er versuchte verzweifelt, durch den dicken Knebel hindurch etwas zu sagen.

Der Mann war Skallon.

Fain fluchte. Er wirbelte herum und zog mit derselben blitzartigen Bewegung seinen Hitzestrahler. Er spurtete zur Tür, warf sich nach vorn und hetzte durch den Tunnel, so schnell er konnte.

Er stieß mit der Schulter gegen die steinerne Wand und zuckte zusammen. Vor ihm lag Finsternis, erwartungsvolle Finsternis, und er jagte besinnungslos weiter, mit starrem Gesicht, dem Änderling nach.

Vierter Teil

1

Gleitend, laufend, singend schwebt der Änderling glatt und geschmeidig durch die Straßen von Kalic. Doubluth-Gewänder flattern um seine Beine. Sein Gesicht kräuselt sich mitfühlend, wenn er den Widerhall der fremden Gesichter aufnimmt, die ihm begegnen. Hier ein Mann, schwer und mit dicken Wangen. Dort, eine Frau, das Gesicht ernst und straff, die Lippen geschürzt. Echos. Sein Gesicht ist Teil des Tanzes, ist aus dem Tanz. Echos.

Er nähert sich dem Ort der Erdler. Die Welt schaut zu, murmelt, singt erwartungsvoll. Hier, die gelben Lichter. Ein verwittertes Gebäude, glatt von den Jahren.

Er hat die Stadt in sich hineinsickern lassen, hat gebadet in den vielen, dahinwelkenden Augenblicken der Alveaner. Jetzt weiß er, und die Antwort schwebt aus dem Nichts in seine Gedanken: Der Augenblick, das Nest der Erdler zu betreten ist da.

Die Türen des Battachran-Hotels stehen offen. Drinnen lauert Fain und - schlimmer - sein Hund. Behutsam, vorsichtig, dringt er in dieses Heiligtum ein. Die purpurnen Roben seiner neuen Kaste stinken von den Ausdünstungen des anscheinend Toten. Da sind Stimmen - menschliche Stimmen. Er weicht zurück. Einer - Fain? - spricht wie ein Erdler. Wenn Fain in diesem Hinterzimmer ist, dann muß auch der Hund in der Nähe sein.

„Ehrwürdiger Herr, darf ich ...?“

Er fährt herum, der massige Körper schwankt unbeholfen. Ein Hitzestrahler, verborgen in seinem Gürtel. Aber nein, er entspannt sich. Ein Junge, ein Kind, ein Alveaner, mit den ersten Anzeichen der Rundlichkeit. „Ich suche ... beginnt er im sanften, melodiösen Tonfall eines eingeborenen Doubluth.

„... Pilgerkameraden“, sagt der Junge, und er weicht zurück, auf eine Treppe zu. „Wenn Ihr ein Zimmer haben wollt, kann ich ...“

Er packt seinen Arm, zieht. Gesicht an Gesicht. Er atmet rauh, wartet, wispert: „Diese Männer dort hinten - wer sind sie?"

„... Männer von der Erde", sagt der Junge mit der flachen Stimme des Vertil-Betäubten. „Fain und Skallon."

„Ein Tier ist bei ihnen?"

„Ein Hund. Er spricht."

„Und du? Dein Name? Wer bist du?"

„Ich bin Danon. Meine Mutter - Joane - ist mit dem Wirt verheiratet, mit Kish."

„Du wohnst hier?"

„Ja."

Es ist zu leicht - das kichernde Geschenk eines chaotischen Universums. „Hinaus." Hier sind tiefe Schatten - leere Straßen. Er befragt den Jungen gründlich. Aus langer Erfahrung kennt er die Bereiche genau, die zu durchdringen sind. Allmählich wird die Droge dünn. Der Junge nickt, schläft, erwacht. Er packt ihn bei den Händen. „Noch nicht ... nein. Noch eine Frage ... bitte."

Die Augen des Jungen flackern in flachem Bewußtsein. „Ja ... ich ... ja."

„Dein Leben", fragt er, unsicher dessen, was geschehen wird. „Sag mir, ob es dir gefallen hat."

Der Junge stammelt, zögert. Trotz des Vertil vermag er keine angemessene Antwort zu formulieren.

Er schüttelt den Jungen brutal, schleudert seinen Kopf vor und zurück. In seiner Betäubung wehrt er sich nicht. „Antworte mir - ja oder nein. Ich brauche eine Antwort auf meine Frage."

„Ich ... nein. Nein, es hat mir nicht gefallen, mein ... Leben. Ich glaube ..." Er schläft. So schnell. Sanft, beinahe zärtlich, läßt er den Jungen auf das Pflaster sinken, richtet seine Glieder zu einer bequemen Haltung. Dann kauert er sich nieder, sinkt auf die Knie, beugt sich schwer über den Jungen, umklammert seine Kehle mit fetten Händen, preßt sie zu.

Nein! Es ist nicht leicht. Der Junge erwacht, stöhnt, schlägt um sich. Dies ist kein fetter Doubluth, der da stirbt, sondern ein Junge, ein bloßes Kind. Pressen. Es liegt keine Bedeutung im Akt des Tötens. Keine Geburt - kein Tod. Alles ist Nichts, eine kosmische

Illusion, Teil des Einen. *Ich verfluche dich,* denkt es, *ich verfluche dich ... dich, das Eine, weil du dieses Universum geschaffen hast, in dem Jungen sterben müssen, ohne gelebt zu haben. Du bist Alles, aber Alles ist Chaos – es ist böse.*

Etwas schnappt. Der Kopf des Jungen baumelt schlaff herab.

Nein, nicht leicht. Schwer atmend richtet er sich auf den Knien auf, und seine Haltung verhöhnt das Gebet. In den Tod zu gleiten ist etwas Schönes, etwas Trauriges, es ist Tränen wert und wahnsinniges Gelächter. Die bloßen Erdler und Alveaner spüren das nicht. Den Verlust und die neugegebene Freude.

Der Leichnam muß verschwinden. Ein flaches Grab. In einer versteckten Gasse findet er weiche Erde, und er gräbt sie mit den Händen auf. Auf einer Welt, wo der Tod für viele so rasch kommt, wird ein Grab mehr kaum Aufmerksamkeit erregen.

Er kreischt, als die willkürliche Transformation beginnt. Der fette, ungeschlachte alveanische Körper zerreißt. Die Doubluth-Gewänder sind zu groß. Er legt sie ab und schlüpft in das Gewand des Kindes. Er stolpert, beendet den Strom der Tränen und kehrt zum Hotel zurück. Stille. Die Erdler – Fain und Skallon – sind fort.

„Danon, wo warst du? Ich habe dich überall gesucht."

Eine alveanische Frau nähert sich ihm mit ausgestreckten Händen. Er erkennt sie nach der Beschreibung des toten Jungen. „Mutter", sagt er, und er läßt sich von ihr umarmen, „ich bin hinausgegangen. Diese ... diese Männer. Ich habe Angst vor ihnen."

„Nein", sagt sie, über sein Haar streichend, „es sind gute Männer. Sie sind gekommen, um uns zu helfen." Eine Wärme geht von ihr aus, die er fast fühlen kann. Ein seltsames Gefühl. Liebe, so glaubt er. Auch auf anderen Welten, die er besucht hat, gibt es sie. „Und du solltest niemals ausgehen. Vor allem nicht nachts. Draußen gibt es Krankheit und Siechtum und schlechte Menschen. Du mußt mir versprechen, daß du nicht wieder hinausgehst. Bitte. Versprich es mir."

„Ich verspreche es, Mutter." Ein einfacher Akt. Jetzt ist er Danon. Er ist er. Der tote Junge in dem flachen Grab ist nichts als verwesendes Fleisch.

Lächelnd steht sie da und berührt immer noch sein Haar. „Und jetzt ins Bett mit dir. Kish legt Wert auf frühes Aufstehen, das weißt du."

„Kish legt Wert darauf, daß ich arbeite, weil er faul ist."

Sie will protestieren, aber dann lacht sie. „Wie wahr." Sie führt ihn sanft auf die Treppe zu. „Aber ich habe eine andere Idee, eine, bei der du nicht für Kish zu arbeiten brauchst."

Er bleibt stehen. „Was für eine, Mutter?"

„Es wird erforderlich sein, daß man den Erdlern hilft. Bist du sicher, daß du nicht allzu große Angst vor ihnen hast?"

„Ich habe überhaupt keine Angst vor ihnen. Du hast gesagt, das brauchte ich nicht."

„Gut." Sie lächelt. „Es geht um Skallon, den sanfteren der beiden Erdler. Er sucht jemanden, der ihn in der Stadt herumführt. Ich kann es nicht, und Kish will es nicht. Du könntest es. Es wird leichte Arbeit sein, und du und der Erdler, ihr könnt euch gegenseitig beschützen."

Er tut, als müsse er sich konzentrieren. „Ich werde es tun, Mutter. Es ist der andere Erdler, den ich hasse – ihn und sein Tier."

„Dann werde ich dich morgen früh wecken, mein Liebling."

Das Zimmer, das er bewohnt, ist klein. Es ist voller Spielzeug. Weiche Puppen. Da ist ein Flugzeug, das sanft durch die Luft gleitet, wenn man es wirft. Ein bunter Metallkasten mit einem Hebel. Er legt den Hebel um. Musik. Eine einschmeichelnde Melodie. Er dreht weiter. Ein Druckpunkt. Plötzlich fliegt – *twang* – der Deckel auf, und eine Puppe auf einer Spiralfeder hüpft heraus. Er läßt sich zurückfallen, lacht in kindlichem Erstaunen über diesen Trick und über seine eigene, dadurch hervorgerufene Angst. Dann rollt er sich auf dem Boden zusammen und versucht zu schlafen. Wesen wie er müssen selten wirklich schlafen, aber seine Erschöpfung ist größer als gewöhnlich; die vielen Identitätsveränderungen haben ihn ausgelaugt. Träume tanzen in ihm, drehen sich nebelhaft. Gelb, grün. Häßliche Visionen zum größten Teil. Schmerz. Leiden. Seuchentod. Mord. Fröstelnd erwacht er nach wenigen Stunden. Ein winziges Fenster gestattet den schrägen Blick hinunter auf die leeren, dunklen Straßen. Er steht da und schaut hinaus, wartet auf das Morgengrauen. In einem Flammenmeer erhebt sich die rote Sonne. Ein sanftes Klopfen an der Tür hinter ihm. „Danon, bist du wach?" sagt die Mutter.

„Aber es ist die beste Strecke. Nur so kommt man schnell zur Großen Halle", sagt er, und er windet sich schwach unter Fains hartem Griff. „Jeder andere Weg erfordert, daß man die Straßen betritt, die auch das Vieh benutzt."

Tage sind vergangen, und seine schwierigste Aufgabe bestand darin, dem Hund aus dem Weg zu gehen. Zum Glück hat eine leichte Krankheit, hervorgerufen durch die wilden Instinkte dieses Viehs, den Hund niedergeworfen. Dadurch, daß er Skallon durch die Stadt führte, hat er diesen Mann gründlicher kennengelernt als jeden anderen Erdler. Bei Fain, dem großen Killer der Änderlinge, geht er mit größerer Vorsicht zu Werke. Alles dies ist Teil eines Planes, der kein Plan sein kann. Fain zum Narren zu halten. Ihn zu frustrieren und zu ärgern. Ihn dazu zu zwingen, an sich selbst zu zweifeln. Ihn zu sorgenvoller Untätigkeit zu verdammen. Und dann zuzuschlagen. Der Schlüssel zum Chaos auf Alvea liegt bei Fain selbst. Nur er kann es abwenden.

Zur Großen Halle. Wo die Hohen Kasten des Planeten zusammenkommen, um verzwickte Pläne zu entwerfen. Ein Witz. Das Eine muß lachen. Eine Täuschung. Er selbst beschließt jetzt nichts. Zum Beispiel: Als Fain und Skallon in ihrer Verkleidung die Große Halle betreten, könnte er mit Leichtigkeit ihre wahre Natur offenbaren. Dann jedoch ... was würde geschehen? Fain würde seinen Vertilvorrat zu Hilfe nehmen und den wütenden Mob zurückdrängen und ungehindert entkommen. Nein, zuerst muß Fain gebrochen werden. Er muß die Wahrheit des Chaos sehen. Alvea ist nicht so wichtig wie Fain. Der Planet ist leicht zu zerschlagen, der Mann nicht.

Er wartet draußen, aber nicht untätig. Die Drogen, die er unter seinem Gewand verbirgt, bieten sich wiederum an. Ein wenig Vertil ist übrig, doch er wählt einen Seuchenerreger. Veitstanz, faulige Krankheit, nicht heimisch auf Alvea, doch sicherlich tödlich. Mord ist ohne Bedeutung an diesem Morgen. Ein klärender Wind peitscht durch die Straßen der Stadt. Früher einmal hat er eine örtliche Wasserversorgung mit dem Erreger infiziert. Nun, als ein alter Doubluth vorüberhumpelt, dem gebeugten Rücken und den runzligen Händen nach zu urteilen offenbar ein Senior der Kaste, handelt er. Der alte Mann schreit auf: „Au." Er greift nach seinem Arm, zuckt die Achseln. Insektenstich. Betritt die Halle. Wird sterben.

Einige Stunden vergehen. Er erinnert sich an Momente des Spiels auf der Heimatwelt. Der Tanz des Todes. Kinder in einem Kreis. Rundherum im Takt der Musik. Das Lied bricht ab. Die Kinder lassen sich fallen. Den letzten, der den Boden berührt, können die anderen töten. Gewöhnlich stirbt er nicht. Man kann ihn sogleich begnadigen oder auch, nachdem er wüst verprügelt wurde. Manchmal aber ist es sein Tod. Beliebte Kinder sterben, aber die verhaßten ebenso. Seine erste Liebe, ein hellblonder Junge, fiel zu spät, und der Kopf wurde ihm vom Rumpf gerissen. Ströme von Blut. Der Tanz des Todes. Kein Schema konnte entstehen. Ein kindliches Spiel.

Als die Langeweile sich in der Großen Halle ausgebreitet hat, ist es leicht hineinzuschlüpfen. Fain döst, Skallon ist wie in Trance, aber er meidet sie. Ein junger Mann in purpurnen Doubluth-Gewändern. Selbstinjektion. Vertil. Er schiebt sich dicht an ihn heran, atmet rauh ein und aus und flüstert: „Guter Herr, ein Mann in dieser Halle wird bald sterben. Wenn er stirbt, müßt Ihr aufstehen und die Erde beschuldigen, ihn getötet zu haben." Dann wieder hinaus. Der Wind hat sich gelegt, und eine wärmende Sonne badet seinen Rücken in sanfter Hitze. Schönheit liegt in den Pausen des Universums. Er bewundert die toten schwarzen Sonnen. Die luftlosen Satelliten. Die unveränderliche Pracht eines Neutronensterns. Er nickt kurz, aber ein furchtbarer Alptraum wirbelt ihn ins Bewußtsein, und er schreit. In der Halle erheben sich jetzt rauhe Stimmen. Gleich bricht Panik aus. Flucht. Er sucht Schutz hinter einem Pfahl und beobachtet die flüchtende Menge. Nach einer Weile erscheinen Fain und Skallon. Er stürzt auf sie zu. „Was ist dort drinnen geschehen, hohe Herren? Einige sagen, die Seuche sei ausgebrochen."

Doch Fain weiß es besser. Fain weiß, was man ihm angetan hat und warum es geschah. Plötzlich fürchtet er – der Junge und der Änderling – diese kalte Hülse eines menschlichen Wesens. Fain ist die Antithese jeder wahren Unordnung. Fain weiß alles, sieht alles. Fain ist der lebende Überrest des längst toten Gottes.

Er schreit voller Angst vor Joseph Fain.

Aber nur innerlich.

Angst ist nur ein Teil der wechselnden Unordnung des Kosmos.

Er schaut zu, als Fain mit der Frau Joane schläft. Eine gefährliche, riskante Laune. Ein Guckloch in der Wand eines Nebenzimmers. Der Hund ist bei Fain. Er ist zwar krank, doch vielleicht wittert er die Gegenwart eines Eindringlings. Fleisch in Fleisch. Fain und Joane. Ihre schweren Beine schlagen krampfhaft um seine zuckenden Schenkel. Er stöhnt, sie bebt. Auf der Heimatwelt werden zu beliebigen Augenblicken Lose gezogen. Ein grüner Kiesel ist männlich, ein blauer weiblich. Zweimal hat er Grün gezogen und viermal Blau. Noch kürzlich, den blauen Kiesel tragend, schwoll er an von einem Kind. Der Vorgang der Geburt erwies sich als endloser Schmerz, als sengendes Feuer, und linderndes Wasser blieb wirkungslos. Er lachte im Angesicht des letzten Augenblicks. Das neugeborene Kind weinte. Sein Sohn. Oder seine Tochter. Fortgerissen von den Medizinern. Niemals wiedergesehen. Und nicht vergessen.

Die Geburt ist erforderlich, um die Spezies fortzuführen. Doch das Eine hat, scherzend, den Schmerz zur Vorbedingung für die Geburt gemacht. Und – ein weiterer, noch größerer Scherz – es machte den Sex zur Vorbedingung für die Schwangerschaft. Vergnügen, dann Schmerz, dann schlichte Notwendigkeit – ein seltsames, chaotisches, sinnloses Muster. Was empfindet Fain jetzt? Er bewegt sich brutal und leidenschaftslos in der Frau hin und her. Nein, Vergnügen ist es nicht. Joane, die schon einmal ein Kind zur Welt gebracht hat (das jetzt dahingeschieden ist), erscheint dem Beobachter reif für ein neues. Schmerz ist es auch nicht. Ihre Hüften sind breit und ihre Gesäßbacken, emporgereckt, wie Klumpen von schwarzem Fleisch. Notwendigkeit? Nein, auch das nicht. Der Akt ist nichts als ein maßvoller Scherz. Es ist offensichtlich. Fain leidet an einer Schwäche des Fleisches. (Skallon ebenfalls, aber das ist nicht wichtig in diesem tanzenden, singenden Augenblick.) Und während er zuschaut, erblüht eine brennende Wahrheit, schwerelos aufschwebend.

Fain ist verdammt. Er muß fallen. Der Höhepunkt kommt belustigend nahe. Er zieht sich von dem Guckloch zurück und verläßt auf leisen Sohlen das Zimmer. Unten in der Küche tritt er zu Kish, der sich ein spätes Nachtmahl bereitet. „Mutter und Fain sind oben in seinem Zimmer", sagt er. „Sie machen komische Geräusche."

Er stürzt auf Fain und Skallon in ihrer Verkleidung zu. „Ich habe ihn gefunden!" ruft er. „Es ist Euer Feind! Ich habe ihn mit eigenen Augen gesehen!"

Er hat gewöhnliches Vertil benutzt, um den schwarzgewandeten Attentäter in die verbotene Halle zu locken. Fain müßte das wissen, aber im Eifer der Jagd denkt er nicht nach. Seit er zum ersten Mal von Alvea gehört hat, bewundert er die Kaste der Attentäter mehr als alle anderen. Furchtbar in den Legenden, ohne jemals zu handeln. Darin liegt der Widerspruch, und darin liegt für ihn auch die Schönheit.

Während Fain und Skallon in die Halle eilen, um ihrem Feind entgegenzutreten, klettert er auf eine steinerne Zinne und beobachtet den wogenden Mob auf dem Platz unter ihm. Die Menschen sind wie wimmelnde Insekten, die in irrwitziger Hast über den grauen, glatten Bauch eines verwesenden Tieres krabbeln. Was wird jetzt geschehen? Wird Fain den Schwarzgekleideten töten? Oder Skallon? Wird der Mann fliehen und eine Jagd entfachen, oder wird er vielleicht Fain töten, oder Skallon, oder beide? Deswegen sind seine Pläne niemals wirkliche Pläne. Bewußt läßt er viele Möglichkeiten, viele Alternativen offen. Kein Augenblick ist jemals sicher. Der Zufall ist willkommen. Als der Attentäter endlich auftaucht und über das graue Pflaster hastet, empfindet er nichts. Fain und Skallon folgen. Sein Plan ist gelungen, doch er verspürt keine Befriedigung. Kann ein Fischer stolz auf die Fische sein, die er gefangen hat? Nein, mit Berechtigung kann er es nicht, denn das Eine hat längst beschlossen, diese Fische existieren zu lassen. Und so ist es auch mit seinen Plänen des Chaos. Er ist ein Agent, aber niemals ein Schöpfer.

Er steigt hinunter und sagt Fain, wo der Attentäter ist. Er nimmt teil an der Verfolgung, wohlwissend, wo - wenn auch nicht wie - sie enden muß. Der Attentäter sitzt in der Falle. Fain sagt: „Der Kleine und ich werden warten. Er sagt mir Bescheid, wenn der Änderling bei ihm herauskommt, und ich behalte die Straße im Auge. Ich habe beschlossen, daß wir es auf deine Art machen, Skallon - keinen kaltblütigen Mord. Du gehst zurück zum Hotel, holst Scorpio und bringst ihn her."

Scorpio! Er lächelt an seinem Platz an der Rückseite des Gebäudes. Eine unerwartete Wendung in seinem Plan. Flüchtig sieht er die Vision einer alternativen Zukunft: Der Hund kommt und erkennt Danon als den Änderling. Fain zieht seinen Strahler, tötet den Jungen. Er kehrt zum Hotel zurück, sagt kein Wort, schläft mit Joane und reist im Triumph zur Erde zurück.

Aber als der Hund dann kommt, ist er zu gewitzt, um sich ihm gefährlich zu nähern. Die alternative Zukunft ist abgewaschen von der Palette der Möglichkeiten. Statt dessen ergreifen sie den Attentäter. Er stirbt nicht, denn Fain entdeckt allzu schnell den Deckmantel des Vertil. Zorn folgt, ein heftiger Wutausbruch. Fain weiß, er wurde verspottet, frustriert, zum Narren gehalten.

Er erinnert sich, wie er auf der Heimatwelt einmal einen Film sah, geschaffen vor langer Zeit im antiken Amerika auf der Erde, den die urspünglichen Philosophen auf den Planeten gebracht hatten, als heiliges Zeichen all dessen, was sie wußten und glaubten. In einem Volk, für welches Kunst nicht existieren konnte - denn Kunst ist nichts als der fruchtlose Versuch von Blinden, den geschmolzenen Strom des Chaos in eine Ordnung zu pressen -, genoß dieser Film eine ungeheure Popularität. Er erzählte, wie an einem freundlichen, gewöhnlichen Tag die sanftesten und passivsten aller Geschöpfe, die Vögel, sich in Massen erhoben, um ihre menschlichen Herren zu vernichten. Er saß unter den Zuschauern und lachte mit den anderen, denn für ihn lag die Komik in den unaufhörlichen Versuchen der Erdler, irgendeine Erklärung für eine Serie von Ereignissen zu finden, die selbstverständlich ganz und gar sinnlos waren. Diesen Film zu sehen erfüllte ihn mit einem starken Gefühl der Freude, denn er begriff die Wahrheit, die darin lag, und bewunderte das Genie derer, die es vor so vielen Jahrhunderten ebenfalls gewußt hatten. Aber er erinnert sich auch daran, wie er den Film ein zweites Mal sah und wie ihn diesmal nicht Freude, sondern Schrecken erfüllte. Er stand auf und schrie. Er versuchte, die Kopie zu vernichten, und nur mit Gewalt war er davon abzuhalten. *Es ist dasselbe!* schrie er ihnen zu. Jede Szene, jedes Bild, jedes Wort des Dialogs. Eine Beschreibung des Chaos, gegeben in der geordnetsten Weise, die sich vorstellen ließ. Der Wahnsinn dieses Widerspruchs erfüllte ihn mit Grauen. Seither hat er sich standhaft geweigert, diesen oder irgendeinen anderen Film anzuschauen.

Und auch jetzt ist er schreckerfüllt. Aus ähnlichen, wenn nicht aus identischen Gründen. Sein hüpfender, schwebender Tanz zur Vernichtung Fains funktioniert zu glatt. Jeder Augenblick ist wie das gefrorene Bild in einem vollendeten Film. Nur der Schluß, die Auflösung, die schließliche Enthüllung von Sieg oder Niederlage liegt tatsächlich im ungewissen. Ein fließender, singender Zweifel. Jetzt, zum ersten Mal, beginnt er sich auch davor zu fürchten. Alles geht zu reibungslos, zu sicher vonstatten. Wann immer er handelt, ergibt sich das Nächstliegende:

... Während Fain und Skallon mit dem Versuch beschäftigt sind, den Änderling in Reichweite des Hundes zu locken, bewegt er sich durch die wogenden Mengen der Stadt und verbreitet mit konspirativem Flüstern den Gedanken an die Möglichkeit einer irdischen Infiltration der Stadt. Sorgfältig seinen verbliebenen Vorrat an Vertil einsetzend, bemächtigt er sich einer Anzahl von Agenten und schickt sie aus, ähnliche Gerüchte zu verbreiten.

... Den Rest des Nachmittags verbringt er ruhend in seinem Zimmer. Die nächsten Stunden werden entscheidend sein, das weiß er, und schon beginnt sein Zögern, seine Angst sich bemerkbar zu machen. Er nickt ein, aber schon nach kurzer Zeit wecken ihn die üblichen, schlechten Träume. Joane hört sein Schreien, und sie kommt, ihn zu beruhigen. Er gleitet in ihre Arme und legt seinen Kopf auf ihre weichen Brüste. Dunkel, warm und dumpf sind sie, singende Anmut, gebend, ja.

... An diesem Abend präpariert er Skallons Bier mit einem milden Euphoricum, das er von einem Straßenhändler erstanden hat. Zuvor hat es ihm besonderes Vergnügen bereitet, Fains Erörterungen in bezug auf Änderlinge zu lauschen. Doch dann sagt Skallon: „Das ganze Problem mit den Änderlingen ist doch, daß sie keinem System folgen. Sie handeln rein intuitiv." Und einen Moment lang hat er Angst. Skallon sagt nur die Wahrheit, aber er hat inzwischen erkannt, daß sein gegenwärtiger Plan durch seinen Erfolg diese Regel verletzt. Eine Vorahnung von künftigem Versagen und schließlichem Tod erfüllt ihn. Er vertreibt diesen Gedanken. Im Chaos läßt sich die Zukunft niemals vorhersehen. Nur das Eine darf sehen, was bald sein wird, und das Eine, zwänge man es zu reden, würde nur lügen.

... Er verläßt das Hotel und tritt auf die Straße. Er stößt auf eine wütende Menge, die über die mögliche Existenz von irdischen Eindringlingen in den Straßen von Kalic redet, und mit Hilfe von Vertil vergrößert er noch die Wut des Aufruhrs. Er sagt zu Skallon: „Ein paar Blocks von hier geschieht irgend etwas. Ich kann den Lärm hören. Ein Menschenauflauf." Er spricht atemlos und erregt, und es ist nicht nur gespielt. Skallon, willfährig durch das präparierte Bier, kommt mit ihm. Während sie sich der Menge nähern, flüstert er Skallon Vorschläge zu. Dieser nickt, er ist mit allem einverstanden. Inmitten des Mobs enthüllt Skallon seine wahre Identität. Aber Fain kommt. Und Fain zerstreut den Mob mit seinem eigenen Vertil. Fain steuert Skallon wie ein Lotse durch die tobende See. Er packt Fain am Ärmel, deutet: „Hier entlang. Ich weiß einen Ort, wo wir Skallon verstecken können."

„Wo?" Fain hat noch immer kein Vertrauen.

„Das Hotel."

Fain schüttelt den Kopf. „Nein, das ist zu offensichtlich. Vielleicht hat ihn jemand erkannt - oder mich. Wir müssen ganz aus der Stadt verschwinden."

Aber er hat diesen Einwand schon bedacht und einen Weg gefunden, ihn zu umgehen. „Ich meine nicht *im* Hotel - ich meine darunter."

„Noch mal", sagt Fain.

Auf der Heimatwelt, bei seinem anfänglichen Studium des Planeten Alvea, hat er Hinweise auf die Existenz eines Systems von unterirdischen Katakomben unter den größeren Städten gefunden. Seit er hier ist, hat er diese Gewölbe mehrmals untersucht. Er hat bereits ein vollendetes Versteck für Skallon ausgewählt. Fain zögert, dann nickt er - er hat keine wirkliche Alternative. Sie kehren zum Hotel zurück und bringen Skallon nach unten. Fain betrachtet die Kammer am Ende des Tunnels und spitzt die schmalen Lippen. „Das wird vielleicht gehen." Er geht auf und ab. „Bist du sicher, daß es sonst keinen Eingang oder Ausgang gibt?" Er öffnet die Tür zum Wandschrank und schaut forschend hinein. „Es muß so sein, daß nichts und niemand sich an dich und Skallon heranschleichen kann."

„Das ist hier unmöglich."

„Und du wirst bei Skallon bleiben? Ich will zum Hotel zurück, um nachzusehen, was los ist. Er ist betäubt worden. Ich kann ihn nicht allein lassen."

„Ich werde gern bleiben."

„Ich sage deiner Mutter, daß du hier bist."

Allein, als Danon, starrt er auf die schlummernde Gestalt Skallons und erwägt die Möglichkeit eines plötzlichen Mordes. Zitternd, zuckend soll es kommen. Das Eine. Er nähert sich dem Bett und beugt sich nieder. Langsam senken sich seine Hände. Plötzlich ist Skallon wach. Er starrt. „Danon. Wo ... wo bin ich? Was ... was ...?"

Sanft drückt er Skallon hinunter. „Hier seid Ihr sicher. Fürchtet Euch nicht. Es wird alles gut sein."

„Aber Fain ... er ..."

„Fain wird zurückkommen. Ich soll Euch bewachen. Habt Vertrauen, Skallon. Sind wir nicht gute Freunde?"

Bald ist Skallon wieder eingeschlafen. Er gleitet weg vom Bett, steht am Eingang zum Tunnel. Unter seinem Gewand steckt der

Hitzestrahler, doch er wird ihn nicht benutzen. Fain ist sein Feind – Fain und der Hund –, aber nicht Skallon. Wenn er allein ist, wird Skallon nichts unternehmen, um den rechtmäßigen Triumph des Chaos auf dieser Welt zu verhindern. Fain und sein Hund – sie müssen sterben, aber Skallon soll leben.

Geduldig erwartet er das unsichtbare Morgengrauen.

Die Dinge ereignen sich jetzt mit der Präzision aufeinanderfolgender Schnappschüsse:

Klick: Er holt Skallons Frühstück.

Klick: Er lockt Fain und Scorpio nach unten.

Klick: Er weckt Skallon, bindet ihn, nimmt seine Identität an, versteckt ihn im Schrank.

Klick: Er spricht mit Fain, verhöhnt ihn ein letztes Mal.

Klick: Er eilt davon, rennt durch den schmalen Tunnel.

Klick.

Es ist besser, viel besser, wenn Skallon noch ein paar Augenblicke länger lebt. Bis zu diesem Moment hat er getötet, wann immer es möglich war. In den Augen der Norms ist Tod gleich Unordnung. Aber Skallon leben zu lassen vertieft den Tanz, und es wird Fain weiter verwirren.

Ah ... die unbändige Freude, wenn er an Fain denkt. Fain endlich zu haben, ihn zu vernichten im tiefsten Sinne – das ist eine Erfüllung. Der Augenblick naht, er drängt heran. Alles andere ist makellos aufgegangen in diesen letzten, gesegneten Stunden: Die Erdler sind bekannt, die Alveaner toben. Dieser Norm-Planet schwankt, bald wird er stürzen, vor dem Einen zerschmettern.

Ein Fieber ergreift ihn. Das Ende wartet jetzt nur noch, es ist schon bereit. Ein paar Augenblicke vielleicht. Aber bevor Norm-Alvea, dieses tosende Trugbild, zerschellt, kommt die Erfüllung, die das Eine fordern muß. Fain selbst muß auf eine neue Art zermalmt werden, auf eine endgültige, totale Art. Nicht durch eine einfache Niederlage. Nicht dadurch, daß er geschlagen zur Erde zurückkehrt. Nicht durch einen freundlichen, raschen Tod. Nein. Das Eine wird nur dann zu seiner ganzen Fülle gelangen, wenn Fain sich am Ende als Narr sieht, wenn er sieht, wie seine Ordnung sich auflöst. Der Änderling muß Fain durch weitere, stolpernde Tänze wirbeln, damit der Mann es sieht. Er muß ihm immer näher kommen, immer dichter vor ihm tanzen, bis sich Fains Augen in einem verglühenden Moment vor Überraschung und Angst weiten und das Eine ihn durchbricht, zerschmettert und Vollendung und Tod bringt. Darin liegt Gefahr für den Änderling, aber das stampfende, springende, singende Lied des Einen verlangt es. Jeder Moment fließt in den nächsten, bringt frische Welten, frische Wege. Der Änderling weiß, daß Fain zu wichtig ist, er hat zu viele Änderlinge getötet, hat eine riesige, ekelhafte Flut von Ordnung gebracht. Also muß Fain auf die richtige Art erledigt werden. Er muß sein Ende im Angesicht des Einen finden. Die quecksilbrigen Gedanken des Änderlings blitzen über Rinnsalen des Möglichen. Seine Welt ist nicht blockiert durch die Dominanz der linken Hirnhälfte wie die der Erdler. Er sieht das, was ist, was wirklich ist, was das Eine ist. Er läßt sich nicht von bloßen Worten leiten, nicht von plappernden Zungen täuschen. Er kann reden, er kann aussehen wie ein Norm, aber die Intuition, die in und von dem Einen ist, springt höher, und sie beherrscht das bloße Wort. Was auch kommen muß, wird kommen - das ist das Eine. Und hier in den Katakomben, in der gesegneten Dunkelheit, in der alles umhüllenden Stille - hier kommt Fain, der große Jäger der Änderlinge.

2

Fain blieb stehen. Nein, dachte er, so geht es nicht. Die ruhige Gewißheit in ihm redete durch seine wachsende Wut und legte eine kühle Hand auf seine Stirn. *Kein Grund zur Sorge. Nichts ist endgültig, mein Sohn.* Seine Hände zitterten. Stocksteif stand er in dem engen Tunnel und ließ seinen Zorn über sich hinwegfluten, in sich hinein, hindurch und hinaus. Er konnte warten. Er würde ruhig sein. Er würde nachdenken. Er hatte zuviel getan, zu schwer gekämpft, um sich jetzt von diesem Änderling aufs Kreuz legen zu lassen. Was hier vor sich ging, war ein ausgeklügeltes Spiel. Wenn es ihm gelänge, noch für eine Weile den Schwachkopf zu spielen und den Änderling damit tiefer hineinzulocken, dann würde sich möglicherweise eine Lösung finden lassen. Aber es war nicht leicht, sich einen klaren Blick zu bewahren. Einen kurzen Moment lang war der Änderling Skallon gewesen. Er war verdammt gut, wenn er das tun konnte und noch dazu so schnell. Und lange vorher war er schon Danon gewesen. Jetzt klärte sich allmählich alles auf. Aber er mußte über die Gegenwart nachdenken, nicht über die Vergangenheit.

„Scorpio!" rief er und machte sich wieder auf den Weg. Seine Hände streiften die glitschigen Wände des Tunnels, und erst jetzt erinnerte er sich an die Lampe in seinem Gewand. Er schaltete sie ein, und die gelbe Lichtpfütze erfüllte ihn mit Erleichterung. „Scorpio!" Der Hund würde irgendwo vor ihm warten und aufpassen. Fain hatte keine Ahnung, wie weit ihn sein erster, hektischer Spurt gebracht hatte. Nicht weit genug - Scorpio antwortete nicht.

Konnte es sein, daß der Änderling in der Gestalt Skallons Scorpio überrascht hatte?

Ein Teil seiner Hast erwachte wieder. Der sichere Mittelpunkt versank. Er trabte weiter und hielt Ausschau nach dem Ende des Tunnels. Er rief Scorpios Namen und hielt kurz inne, um dem Hund Gelegenheit zum Antworten zu geben. Endlich glaubte er in der Ferne etwas zu hören - seinen eigenen Namen. Jetzt rannte er wieder. Es kam ihm so vor, als hätte er das Ende des Tunnels schon längst erreicht haben müssen. Aber Zeit und Entfernung waren elastische Mengen, leicht zu verlängern durch Dunkelheit und Angst. „Scorpio!" Er blieb stehen. „Scorpio, hörst du mich?"

„Fain." Diesmal hörte er es ganz deutlich ... eine Stimme ... ja, Scorpios Stimme.

Fain rannte. Er rannte, bis die Luft in seinen Lungen brannte, und blieb wieder stehen. Mühsam rief er: „Scorpio, hör zu."

„Ich. Höre. Dich. Fain." Die Stimme klang jetzt viel deutlicher. Er mußte dicht vor dem Ende des Tunnels sein.

„Scorpio, hast du jemanden gesehen? Ist jemand oder etwas an dir vorbeigekommen?"

„Nur. Eines."

„Wer? Was?“

„Es. War. Skallon.“

„Wie lange ist das her?“

„Nicht. Lange.“

„Siehst du ihn noch? Hörst du ihn? Scorpio, kannst du seine Fährte aufnehmen? Skallon ist der Änderling. Verstehst du? Was da vorbeikam, war der Änderling.“

„Ich. Versuche. Es. Fain.“ Die Stimme ließ keinerlei Überraschung erkennen. Natürlich nicht - sie konnte es nicht. Das war ein Vorteil, den Scorpio jedem Menschen gegenüber immer haben würde. Die Wege des Universums beunruhigten ihn niemals. Er wußte nie, was er zu erwarten hatte, und so war er niemals überrascht.

Fain trabte weiter. Der Tunnel endete abrupt, und unvermittelt überkam ihn ein überwältigendes Gefühl von freiem Raum. Er taumelte, und beinahe hätte er die Lampe verloren. Er leuchtete in jeden Winkel. „Scorpio, wo bist du?“

„Hier. Fain. Hier. Ich. Rieche. Änderling.“

Fain richtete den Lichtstrahl in die Richtung, aus der die Stimme kam, und sah eine schattenhafte Bewegung. „Hinterher. Ich komme.“ Die Mündung seines Hitzestrahlers wies in die vor ihm liegende Dunkelheit. „Wenn wir uns beeilen, erwischen wir ihn diesmal vielleicht.“

Der Weg, den Scorpio eingeschlagen hatte, schien nicht zurück zum Hotel zu führen. Fain versuchte nicht darüber nachzudenken. Es konnte alles mögliche bedeuten - ein anderes Versteck, vielleicht eine neue Identität. Er befahl Scorpio, sich zu beeilen, und ging rasch weiter. Seine Beine versuchten immer wieder zu rennen, aber er hielt sich zurück; er wußte, daß er mit seinen Kräften sparsam umgehen mußte. Gelegentlich, wenn die Gewölbe sich erweiterten, erhaschte er einen Blick auf Scorpio, der vor ihm herhetzte. Sie bewahrten lediglich Sprechkontakt. Scorpio glaubte dem Flüchtenden näher zu kommen. Fain blieb stehen und lauschte, aber er hörte keine Schritte. Die Fährte war hier unten sehr ausgeprägt. Es gab keine anderen Gerüche, die den Hund verwirren konnten.

Fain stieß auf eine kahle Wand und blieb stehen. Er leuchtete umher und entdeckte zwei Gänge an den beiden gegenüberliegenden Enden der Wand. „Scorpio!"

„Hier. Fain. Hier."

Der Tunnel zur Linken.

Fain ging hinein.

Der Änderling wußte offensichtlich, wohin er wollte. Fain wünschte sich, es ebenfalls zu wissen. Schon jetzt hatte er sich hoffnungslos verirrt. Die Fährte, die er auf Scorpios Spuren verfolgte, verlief in einem irrsinnigen Zickzackkurs. Das konnte Zufall sein - weil der Änderling verzweifelt versuchte zu entkommen -, aber Fain zweifelte daran. Der Änderling hatte zuviel Zeit gehabt. In Danons Gestalt hatte er keinen Grund gehabt, sich vor Fain zu fürchten. Er hatte jederzeit genau gewußt, was er vorhatte. Fain gab sich selbst die Schuld daran. Er hätte es wissen müssen. Danon hatte so große Angst vor dem Hund gehabt. Danon war bei jedem Änderling-Zwischenfall dabeigewesen. Danon hatte problemlos Zugang zu den Straßen der Stadt und zur Großen Halle gehabt. Fain hätte es wissen müssen - und er hatte es nicht gewußt. War es jetzt zu spät, zurückzugewinnen, was er durch sein Versagen verloren hatte? Der Änderling glaubte es anscheinend. Er hatte sich offenbart, wo er hätte verborgen bleiben können. Er hatte über ihn gelacht und ihn offen verhöhnt. Der Aufruhr oben in der Stadt. Die Explosion von Haß gegen die Erde. Der offensichtliche Fehlschlag bei der zentralen Versammlung. Der Änderling hielt sich für den Sieger, aber Fain selbst war davon weniger überzeugt. Vielleicht hatte er noch eine Chance. Wenn er den Änderling jetzt zu fassen bekäme, wenn er ihn töten könnte, dann wäre Skallon - oder sonst jemand - vielleicht in der Lage zu reparieren, was zerstört worden war. Die Chance war gering, aber zumindest würde er das Vergnügen haben, seinen Feind tot zu sehen. Zuletzt gelacht. Das war doch etwas.

„Fain. Hier. Entlang." Er folgte der Stimme des Hundes, schlüpfte unter einem niedrigen Bogen hindurch und überquerte eine Brücke, die über einen schmalen Bach führte.

„Scorpio", rief er. „Wie nah sind wir?"

„Sehr nah, Fain. In der Tat sehr nah."

Er erstarrte. Das war nicht Scorpios Stimme. Sie gehörte jemand anderem - jemandem, den er nicht kannte.

„Scorpio, was ist los?"

Schweigen.

„Scorpio, bist du da?"

Dann leuchtete er umher. Während der letzten paar Sekunden, bevor er den Hund gerufen hatte, hatte er ein gewisses Gefühl der Vertrautheit empfunden: Er war hier schon einmal gewesen.

Jetzt, im Lichtkreis der Handlampe, sah er die runde Mündung des Tunnels, hinter dem er Skallon versteckt hatte.

Er sah auch die Nische, in der Scorpio hatte warten sollen. Und in der Nische hing eine Pfote. Eine Hundepfote. Scorpios Pfote.

Fain ging hinüber, richtete den Strahl der Lampe nach oben und sah hinauf. Das rote, versengte Loch in der Flanke des Hundes war groß genug, um einen Laternenpfahl aufzunehmen. Die Augen waren offen, aber sie sahen nichts. Tot. Fain berührte das kalte Fell. Tot, und zwar schon seit einiger Zeit.

Und das bedeutete, daß er die ganze Zeit, im Zickzack durch Tunnel und Gewölbe stolpernd wie ein Narr, dem Änderling gefolgt war - und nur dem Änderling.

Etwas in Fain wallte auf, strömte über. Er vergaß Skallon, der gefesselt in der Zelle saß, vergaß die Lampe in seiner Hand. Scorpio. Scorpio. Fain stolperte. Er stürzte. Prallte mit dem Gesicht gegen eine massive Wand. Spritzte bis an die Hüften versunken durch einen stinkenden Tümpel. Er mußte hinaus, den Änderling finden.

3

Skallon wand sich in seinen Fesseln. Eine schemenhafte Gestalt ragte vor ihm auf. Wäßrige Augen huschten forschend hin und her. Skallon blinzelte und schaute ins Licht. Der Mann zerlief, er knirschte. Der Kopf verformte sich langsam, die Haltung straffte sich, die Ohren rundeten sich, und die Nase senkte sich. Der Raum drehte sich um ihn, und Skallon kämpfte gegen die Bewußtlosigkeit an. Die dunkle Gestalt über ihm veränderte sich, grunzend vor Anstrengung, Gelenke schnappten, und Haut sickerte in neue Falten und Dellen. Die Droge zerrte an Skallon, und plötzlich schaute er in die Welt dieser seltsamen, sich windenden Gestalt. Für den Änderling mußte die Welt starr, schwerfällig, unfruchtbar wirken. Das sich wandelnde Gesicht lächelte auf Skallon herab und zupfte an den Saiten seiner Erinnerung. Es genoß diesen Vorgang, es schwelgte darin und strahlte eine brennende Freude aus. Eine Gewißheit, eine innere Anmut legte sich über das zuckende Gesicht. Das Kinn formte sich in geschmeidig fließender Bewegung.

So zu sein, dachte Skallon. *Sich gänzlich neu machen zu können. Mein Gott, was für ein Segen! So zu leben ...! Kein Wunder, daß es heißt, die Änderlinge fürchten den Tod nicht. Mit dem Universum so vollkommen zu verschmelzen, daß man hineinfließen kann, daß man ein Teil dessen werden kann, was der Augenblick erfordert ...* Skallon spürte fremdartige Gefühle, die ihn wie Blitze durchzuckten. Im Augenblick zu leben, den Tod nicht zu fürchten. Unsterblichkeit. Mehr als das blasse Versprechen von Gommerset ... obgleich Skallon in diesem Augenblick in der sich kräuselnden, stöhnenden Gestalt des Änderlings den Beweis dafür erblickte, daß Gommerset recht hatte, recht haben mußte. Der ächzende Änderling wand sich in dem gleißenden Licht. *Er kreuzigt sich,* dachte Skallon. *Qual und Pein und Ekstase. Er kreuzigt sich, um zu sein, was er sein muß. Verzückung. Offenbarung. Glückseligkeit der Bewegung. Der verzehrende, verschlingende Tanz des Lebens.*

Wovon Menschen sprachen, wonach sie blind tasteten, was sie Unsterblichkeit nannten, das erlebte dieses Wesen ganz direkt. Der Augenblick als Ewigkeit. Die unendliche, gleitende Anmut der Welt. Er war fremd, ja, jenseits alles Menschlichen. Vielleicht war es am Ende richtig, daß die Menschen diese Wesen jagten, diese Geschöpfe der menschlichen Technologie. Wenn man sie am Leben ließe, wäre der Kontrast zu groß, als daß Menschen ihn ertragen könnten. *Sie würden alle unsere marmornen Monumente, unsere vergängliche Pracht, in den Schatten stellen. Sie würden unsere*

Bemühungen, unsere nichtigen Werke verschlingen. Sie wären das Ende für uns Menschen, für alle Zeit.

Der Änderling streckte sich, verzog das Gesicht, entspannte sich. Er starrte herab. Skallon spürte, wie seine Augen sich vor Erstaunen weiteten. Das Gesicht war sein eigenes. Und Änderlinge töteten jeden, dessen Platz sie einnahmen.

Er versuchte zurückzuweichen, aber der Änderling bewegte sich mit geschmeidiger Anmut. Sein schattenhafter Körper trat zwischen ihn und das Licht. Skallon wußte, was jetzt kommen würde.

4

Fain stolperte durch die engen Gänge, ohne etwas zu sehen. Bilder seines Vaters schwebten vor ihm, sie schienen aus den Tunnelwänden zu sprießen. Vater ... der ruhige Mittelpunkt, den er einmal gehabt hatte ... alles entglitt ihm jetzt. Seine Pläne, mit denen er den Änderling immer näher locken wollte, das subtile Spiel ... alles war verschwunden. Und auch seine innere Sicherheit war verflogen; geblieben waren nur das Gesicht seines Vaters und das Echo seiner Schritte, während er vorwärts taumelte - das, und ein dumpfes Brennen in seinem Innern.

Er erreichte die Falltür unter dem Hotel, stieß Kishs Vorratskisten beiseite und öffnete die Tür.

Joane war allein in der Küche. Fains Auftauchen mußte sie erschreckt haben. Sie legte eine Hand auf den Mund und wich zurück. „Fain, was ist passiert?“ Ihre Augen waren vor Schreck weit aufgerissen.

Er packte sie hart am Arm. „Skallon. Ist ...?“ Er schluckte und versuchte, die Worte über die trockenen Lippen zu bringen. „Skallon oder Danon. Hast du einen von ihnen gesehen? Sind sie oder sonst jemand vor mir aus diesem Loch gestiegen?“

Sie antwortete: „Ja“ und nickte dabei viel zu schnell. „Ich wollte es dir sagen. Ein Mann kam. Ein Mann, den ich nicht kannte.“

„Wie war er gekleidet?"

„Wie ein Doubluth. Wie du."

„Skallons Gewänder?"

„Das weiß ich nicht. Es kann sein, aber ... ich ... ich ..."

Er ließ sie los; er wußte, daß es ihm nicht helfen würde, wenn sie Angst hatte. Die Gedanken schienen ihm jetzt mit verblüffender Klarheit zu kommen, aber seine Wut hatte sich keineswegs verringert. Er dachte an den toten Scorpio. Armes, freundliches, dummes, sanftmütiges Tier. Arglos gegen alles und jeden. „Hat er das Hotel verlassen? Kann ich ihn noch einholen? Wohin ist er von hieraus gegangen?"

Sie wies an ihm vorbei nach draußen. „Er ist sehr schnell fortgelaufen. Ich habe versucht, ihn aufzuhalten, wie du mir befohlen hast, aber es war, als sähe er mich nicht. Sein Gesicht war verzerrt, wie eine Fratze. Und er lachte. Er lachte die ganze Zeit. Es war furchterregend, Fain."

„Aber du hast gesehen, in welche Richtung er gelaufen ist?"

„Nein, ich ..."

Er schlug mit der Faust gegen die Wand. Also war es nutzlos ... sinnlos ... er hatte versagt. Der Änderling war ihm entwischt, und ohne Scorpios Hilfe bei der Jagd würde er ihn nicht wiederfinden. Das dünne Holz der Wand splitterte und brach unter der Gewalt seines Schlages. Seine Knöchel wurden taub. Er preßte sie an die Lippen und schmeckte Blut. Jetzt war die Hand vielleicht auch noch hin. Genauso wie Scorpio. Durch seine eigene Dummheit. Durch seine Blindheit angesichts dessen, was offensichtlich hätte sein müssen.

Joane ergriff seinen Ärmel. „Fain, er ist nicht entkommen. Warum läßt du mich nicht ausreden? Ich habe Kish hinterhergeschickt. Kish hat gesehen, wie er hinauslief und ist ihm gefolgt."

Fain ließ die Hand sinken. Er achtete nicht auf den Schmerz, der immer stärker wurde. „Wo ... wo ist er hingelaufen?"

Sie schüttelte den Kopf. „Das weiß ich nicht. Er wird einen Boten schicken, wenn er kann. Du kannst warten, oder nicht?"

Fain wußte, daß er nicht warten konnte. Er wollte es ihr erklären, aber in diesem Augenblick trat ein Junge in die Küche. Er sah

Joane an, dann Fain, und mit weit aufgerissenen Augen wollte er zurückweichen. Fain griff nach ihm, packte ihn und hielt ihn fest.

„Kish hat dich geschickt. Von wo? Wo steckt Kish jetzt?"

Der Junge wand sich unter dem Griff von Fains unverletzter Hand; er stammelte und brachte kein klares Wort heraus. Fain schüttelte ihn heftig, aber immer noch wollte der Junge nichts sagen. Joane berührte Fains Arm. „Laß mich mit ihm sprechen", sagte sie.

Fain nickte und ließ den Jungen los.

Joane hockte sich nieder. Aus einer Tasche in ihrem Gewand zog sie drei Goldmünzen und legte sie dem Jungen in die Hand. „Ich bin Joane", sagte sie. „Hat Kish dich gebeten, mit mir zu sprechen?"

Der Junge nickte und warf einen angstvollen Blick auf Fain. „Kish wartet bei der Halle der Tagras. Ich soll Euch sagen, daß der, den Ihr sucht, dort ist. Die Doubluths versammeln sich. Kish wartet draußen."

Fain schüttelte den Kopf. Der Änderling verschwendete keine Zeit - aber warum sollte er auch? Änderlinge trauerten nicht um ihre Opfer. „Wo ist diese Halle der Tagras?" fragte er den Jungen.

„Du kannst es ihm ruhig sagen", drängte Joane, als der Junge zögerte.

Der Junge begann zu reden, aber Fain verstand ihn nicht. Selbst nach so vielen Tagen waren die Straßen von Kalic für ihn ein reines Labyrinth. Er vermißte Skallon ... und Scorpio.

„Ich kann dich hinführen", sagte Joane.

„Nein. Das kann der Junge tun. Ich glaube, du solltest hinuntergehen. Skallon ist noch da. Er ist gefesselt. Er ... er kann dir erzählen, was geschehen ist." Fain zögerte, denn es war ihm etwas eingefallen. Er war nicht der einzige, der jemanden zu betrauern hatte. Der Änderling hatte auch Danon getötet. Joane würde es erfahren müssen.

Sie nickte und sprach sanft auf den Jungen ein; sie versprach ihm weitere Münzen, wenn er Fain zu Kish führte. Dann erhob sie sich und trat zu Fain. „Aber zuerst laß mich deine Gewänder ordnen und reinigen. Deine Hand muß verbunden werden. Du hast diesen

Jungen erschreckt, Fain. Du kannst in diesem Zustand nicht auf die Straße gehen."

Er nickte. Er wußte, daß sie recht hatte. Er hatte vor, den Änderling zu töten, aber würde ihr das helfen? Danon war tot. Fain wußte, daß er daran ebensoviel Schuld trug wie der Änderling. Würde er ihr das je erklären können?

„Jetzt siehst du besser aus", sagte sie und schob ihn zurück. „Du gehst zu Kish, und ich werde zu Skallon gehen."

In den Straßen herrschte jetzt ein noch größeres Gedränge als sonst. Fain und der Junge schoben und zwängten sich hindurch und hatten alle Mühe, schnell voranzukommen. Nirgends sah man offene Gewalttätigkeiten, und auch laute Reden waren nicht zu hören. Aber er fühlte den Haß. Er hing in der Luft wie die harte, orangegelbe Sonne am Himmel. Kalic war ein Pulverfaß. Offenbar hatte der Änderling die Absicht, die letzte Zündschnur anzulegen.

Kish wartete vor einem flachen, einstöckigen Holzgebäude. Als er Fain sah, trat er aus dem Schatten. „Wer ist dieser Verrückte, der sich unter meinem Hause verborgen hat, Fain?"

„Ist er da drin?" fragte Fain.

„Ich habe ihn mit eigenen Augen hineingehen sehen, und es gibt keinen anderen Ausgang. Ist es Euer Feind, Fain? Der, den Ihr Änderling nennt?"

Fain sah keinen Grund zum Lügen. „Ja." Er trat dicht an das Gebäude heran und spähte durch ein beschlagenes Fenster. Drinnen saßen etwa zwei Dutzend Doubluths auf ihren Stühlen. Vor ihnen stand ein alter Mann - der neue Senior - und redete zu ihnen. „Welcher ist es?"

Kish beugte sich über Fains Schulter und lachte. „Erwartet Ihr, daß ich das weiß? Sie alle haben pupurne Roben an, Fain. Ich bin dem Gewand gefolgt."

„Habt Ihr sein Gesicht nicht gesehen?"

„Nein, nicht deutlich. Er hat die ganze Zeit gelacht, als er an mir vorbeirannte - ein Verrückter -, aber vielleicht hat er jetzt aufgehört. Joane hat ihn besser gesehen. Soll ich sie herbringen?"

Fain schüttelte langsam den Kopf. Dafür wäre die Zeit zu knapp, vor allem, wenn Joane zu Skallon hinuntergegangen war. Er wußte, wenn er handeln wollte, dann mußte er unverzüglich etwas unternehmen. Wenn die Versammlung erst einmal zu Ende war und die Doubluths auseinandergingen, würde er nicht dreißig Männern zugleich folgen können. Und wenn nur einer herauskäme und fortginge, würde er sich auch nicht erlauben können, ihn zu verfolgen. Der Änderling konnte dann immer noch in der Halle sein.

„Ich gehe hinein", sagte Fain.

Achselzuckend wies Kish auf die Tür. „Man wird Euch nicht aufhalten. Ihr seid ein Doubluth. Ihr gehört zur Hohen Kaste. Ich bin bloß ein Gastwirt."

Fain nahm keine Notiz von Kishs Neid – oder war es Sarkasmus? Er dachte an Scorpio und an das Brandloch in seiner Flanke. Er sagte: „Wartet hier. Ich bin gleich wieder draußen."

Dann betrat er die Halle der Tagras. Niemand sah auf oder kümmerte sich um ihn. Der Senior unterbrach seine Rede nicht. Er beschimpfte die Erde als hinterhältige Macht. Er beschuldigte das Konsortium, die Seuchen absichtlich verbreitet zu haben. Fain entdeckte eine Stelle am hinteren Ende der Halle, von der aus er alle Versammelten überblicken konnte. Der Senior hatte vielleicht nicht ganz unrecht. Fain kannte das Erdenkonsortium gut. Es hatte nichts gegen das Chaos als solches, es war nur gegen das Änderling-Chaos.

Natürlich konnte der Redner auch selber der Änderling sein.

Er ... oder einer der anderen. Der sogar für alveanische Verhältnisse monströs fette Mann in der ersten Reihe. Oder der glattgesichtige junge Doubluth in der Mitte der Halle. Oder der Kahlköpfige neben ihm. Oder der runzlige Alte. Jener, der so fest schlief.

Der Änderling konnte jeder der dreißig Männer sein, die in dieser Halle versammelt waren.

Und Fain wußte, daß er keine Möglichkeit hatte, mit Sicherheit festzustellen, welcher es war.

Das war der Witz. Er hatte den Änderling in der Falle. Er hatte ihn festgesetzt. Er hatte ihn gestellt. Und er konnte nichts tun.

Fain wandte sich zum Gehen. Was konnte er sonst tun? Als er

auf die Tür zuging, bemerkte er plötzlich eine kurze Bewegung. Er sah zu Boden und fand ein langgestrecktes, haariges Insekt - irgendeine einheimische Tausendfüßlerart -, das an seinem Fuß vorbeihuschte. Automatisch hob er seinen Stiefel. Rasch trat er mit dem Absatz zu und zerquetschte das Ungeziefer. Es war nichts von Bedeutung, es war ein instinktiver, beinahe unbewußter Akt. Aber als er es tat - in dem Augenblick, da das Krabbeltier starb -, wurde für Fain alles verblüffend, erschreckend, überdeutlich klar. Der kalte, leere, klare Punkt im Kern seines Wesens öffnete sich plötzlich und zeigte ihm, was er war.

Fain lachte laut auf.

Er stand wie erstarrt in der Halle auf Alvea, aber er sah viel weiter.

... das hohle Brüllen eines Flammenwerfers hatte das Haus erfüllt, und sein Tosen hatte alles verschlungen, während der Mann sein Gesicht mit zuckenden Händen bedeckte und rückwärts wankte, mit schrillem, hohem Schrei, als die Flammen ihn umspülten, ihn ein letztes Mal reinigten, ihn bereitmachten für ... und dann der gepeinigte Blick, der Ruf, der zwischen ihnen hing wie ein Speer und ihn erstarren ließ, als sein Vater schrie, verzweifelt versuchte, ein letztes Wort zu formen, ein unnötiges Wort, jetzt, da Fain verstand, während er spürte, wie das zertretene Insekt sich wand und wie seine brennenden Insektensäfte aus ihm hervorquollen, und Fain fühlte deutlich, wie sein Kern sich spaltete, an die Oberfläche drang, und die beiden letzten, sich schwärzenden Augenblicke verschmolzen miteinander, so daß Fain sah, jenseits aller Tatsachen, daß nichts wirklich und wichtig war als das Fließen durch die schwellende Folge von Ereignissen, nichts als der ewige, wogende Rhythmus der Sekunden, Augenblicke, Tage, sah, daß er tun sollte, was seiner Natur entsprach, was sein Leben ihm befahl, daß er handeln sollte, wie es der wahre, dunkle Geist Fains diktierte, daß er sich gegen den Gestaltwandler stellen und ihm ein Ende machen sollte, und das Wissen um das, was er tun mußte, war plötzlich schrecklich und tröstlich zugleich, denn in diesem fließenden Augenblick lag alle Freude, aller Schmerz, lachend, fließend ...

Seine Hand fuhr an die Hüfte. Er sah, daß er laut geschrien haben mußte, denn die versammelten Alveaner fuhren erschrokken herum. Er zog seine Waffe. Seine Hand zitterte so, daß er den Griff mit beiden Händen umklammern mußte, und er stand da mit gespreizten Beinen und ausgestreckten, aber geschmeidig federnden Armen. Er blinzelte, seine Augen waren naß, und er schaltete auf automatisches Feuer. Jemand schrie. Ein Mann kam auf ihn zugerannt. Der Änderling? Vielleicht. Ein gähnender Augenblick ...

Fain feuerte. Ein orangegelber Strahl, so hell wie ein Stern.

Er schnitt den Mann mittendurch. Und schwenkte die Waffe gleichmäßig herum.

Schreie, furchtbare Schreie.

Schneidend, brennend. Beißender, wallender Qualm.

Kreischen. Und ein Wimmern, beendet durch brüllende, scharfe Flammen.

Männer starben. Dreißig Alveaner, bei lebendigem Leibe verbrannt. Dreißig - und ein Änderling. Fain schwenkte die Waffe einmal durch die Halle, dann noch einmal. Er wollte sichergehen, daß niemand unnötige Qualen erlitt.

Fain, der Gnädige.

Fain, der Bewahrer.

Fain, der Vernichter.

Gab es da irgendeinen Unterschied?

Leckende, schnappende Flammen.

Fain ließ den Strahler fallen. Der Gestank des verkohlten Fleisches verursachte ihm Übelkeit.

Er beugte sich vor und übergab sich zwischen seine Füße. *Scorpio,* dachte er besinnungslos, *du bist gerächt.*

Und aus seinem inneren Kern verbreitete sich ein kaltes Vakuum nach außen, und seine Zehen und Finger wurden taub.

Fain wandte sich um und wankte zur Tür hinaus.

Insekt und Vater und Gestaltwandler, alles war jetzt gleich.

Fünfter Teil

1

Skallon rannte durch die Straßen von Kalic, so schnell er es wagen konnte. Die sanfte Luft, schwer von Feuchtigkeit und dem treibenden, würzigen Rauch der Kochstellen, brannte in seiner Kehle. Vermummte Gestalten drehten sich nach ihm um, Leute schauten einander murmelnd an, aber er hetzte weiter. Er wußte, daß er ohnehin Interesse erregen würde, wenn er schneller als gewöhnlich ginge - also konnte er ebensogut gleich rennen und so vielleicht jeden Verdächtigen hinter sich lassen.

Er mußte Fain finden. Jetzt, da Scorpio tot war, befanden sie sich in einer verzweifelten Lage. Gemeinsam konnten sie den Änderling vielleicht noch rechtzeitig finden, aber einzeln würden sie ohne Zweifel sterben. Der Änderling hatte seine Karten auf den Tisch gelegt. Das Ding war weit gerissener, als Skallon es für möglich gehalten hatte. Wie konnte der Glaube an das Chaos einem Wesen solche Macht verleihen?

Schweiß rann ihm in die Augen. Vor sich erkannte er eine durchbrochene Mauer, elegant drapiert mit rotem Tuch. Die Halle der Tagras. In ihrem Schatten hockte eine Menschenmenge in der Hoffnung auf Hilfe oder Almosen. Jungen boten frische Beeren vom Lande feil. Eine Frau lehnte schluchzend an einer verfallenen Steinmauer. Dann bemerkte er noch etwas anderes.

Das Tosen drang aus den Fenstern der Halle heraus. Es klang wie die hohle Stimme eines Schmelzofens. Für einen langen Moment schien es, als wollte es nicht mehr aufhören, und Skallon, der im Vorhof der Halle zum Stehen kam, begriff plötzlich, daß er eine mit höchster Kapazität arbeitende Flammenwaffe hörte.

Blinzelnd und keuchend stand er da. Das große Portal öffnete sich langsam, und Fain kam heraus. Er schob einen Handstrahler in seinen Gürtel.

„Was ... was hast du ...“ begann Skallon.

„Ich habe ihn erwischt“, sagte Fain mit schwerer Zunge. Er versuchte, sich an Skallon vorbeizuschieben.

„Erwischt? Den Änderling? Wie denn?“

„Sieh's dir an.“

Fain blieb keuchend stehen, während Skallon auf die hohe Tür zuging und sie mit der Schulter aufschob. Gestalten drängten sich am Rande des Vorhofes, tuschelten miteinander, aber niemand wagte näher zu kommen.

Skallon stand eine ganze Weile da und schaute sich in der Halle um. Sie war voller Blut, und in den Wänden waren tiefe Brandlöcher. Ruhig und mit klarem Kopf dachte er an den Aufruhr und an das, was er in seinem Drogenrausch getan hatte. Es war schlimm gewesen. Genau gesagt, es war ein destabilisierender Zwischenfall. Er brauchte keine soziometrische Studie von Kalic, um zu wissen, was die Anwesenheit von Erdlern, von getarnten Erdlern, hier bewirkt hatte.

Die Auswirkungen hätten sich jedoch dämpfen lassen. Mit behutsamen, sorgfältigen Justierungen hätte er den Riß, den er verursacht hatte, beheben können.

Aber das hier ...

Jetzt gab es keine Lösung mehr. Alvea würde in eine neue soziometrische Phase überkippen. Die Kasten würden vielleicht überleben, die groben Umrisse dessen, was einmal die alveanische Kultur gewesen war ... aber die Vernichtung der gesamten Führung einer Kaste würde alles verändern. Die Erde konnte Alvea jetzt nicht mehr zurechtflicken.

Irgendwo in diesem Brei von aufgerissenen Leibern lag der Änderling. Fain hatte es geschafft, ja. Aber der Änderling hatte gewonnen. In Kalic würde eine rasende Wut entflammen, ein Chaos, das sich über das ganze Land verbreiten würde. Weder er noch Fain konnten jetzt noch etwas tun, um es aufzuhalten.

„Komm jetzt“, sagte Fain über Skallons Schulter. „Gehen wir zurück zum Hotel.“

„Nein“, erwiderte Skallon. Er wandte sich um, schob mit einem

Achselzucken die Hand des Mannes von seiner Schulter und verschwand zwischen den wimmelnden, vermummten Menschen in den gähnenden Straßen von Kalic.

Skallon merkte, daß er ziellos umherwanderte. Er ließ sich durch die weitverzweigten Außenbezirke von Kalic treiben. Grunzend erklomm er einen Hügel und fiel schmerzhaft aufs Knie. Von dem abschüssigen Hang aus konnte man den Stadtrand sehen. Bilder glitten wahllos durch seine Gedanken. Joane, Fain, die verschwommenen, flackernden Gesichter einer Reihe von Alveanern, der Aufruhr, ein heißer, spröder Hauch von Weihrauch und Öl, ein mattes, rubinrotes Licht. Seine Gedanken wirbelten in ihrem Vakuum.

Er hörte ein fernes Stampfen. Er hastete den Berg hinauf und fand eine Frau, die auf einem Bett lag. Es war ein Messingbett, und Laken, Bezüge und Decken waren sorgfältig geglättet und festgestopft. Die Frau lag da und schaute zum Himmel. Neben ihr sah er ein kleines Mädchen, dessen Augen das helle Blau des Himmels spiegelten. Keine der beiden bewegte sich oder nahm Notiz von seinen knirschenden Schritten. Sie wirkten, als ob sie ganz ruhig warteten. Er sah, wie sie atmeten, in langen, flachen Zügen.

Plötzlich erhob sich am Rande des Abhangs ein Junge aus dem Boden.

„Woher kommst du?“ Skallons Stimme klang heiser.

„Aus der Erde“, antwortete der Junge, glücklich über sein Geheimnis.

„Das habe ich gesehen.“

„Meine Mutter und meine Schwester warten darauf, daß wir den ersten Raum ausgraben.“

Der Junge trat einen Schritt zurück, Steine fielen von ihm ab, und er zeigte ihm die Kante eines Loches. Es war eine Höhle. Aus ihrem Innern drang das Stampfen, das Skallon gehört hatte.

Ein Mann kam herausgekrochen. Er zog einen mit Erde und Steinen gefüllten Eimer hinter sich her. Der Mann sah Skallon wortlos an. „Unser Heim“, sagte der Junge stolz.

„Aber ... warum eine Höhle graben? Die Seuchen ... es gibt viele verlassene Häuser in der Stadt. Ihr könntet ...“

„Sie sind verseucht."

„Das macht doch nichts. Wenige dieser Krankheiten sind ansteckend."

„Ach", sagte der Mann verächtlich.

„Nein, wirklich."

„Wer könnte da sicher sein?" fragte der Mann mit schneidender Stimme. Er funkelte Skallon wütend an. Verlegen wich Skallon einen Schritt zurück.

„Nicht völlig sicher natürlich, nein. Aber es sind doch zweifellos zum größten Teil genetische Defekte ..."

„Wir leben hier. Halten uns fern von den Häusern der Toten."

Der Junge nickte. „So wie es die Alten taten. *Vor* alldem", sagte er mit seiner hellen Stimme. „Unter der Erde. Geschützt."

Skallon sah wie betäubt zu. Der Mann zog den Eimer mit seinen knotigen Armen heraus und kippte das Gestein den Abhang hinunter. Ein brauner Streifen zog sich den Hang hinab.

„Einen Raum. Und dann noch einen."

Skallon sah, daß der Mann keine Beine hatte. Es waren nur Stümpfe. Eine Amputation, um eine Krankheit aufzuhalten.

Der Mann kroch zurück in die Mündung der Höhle, und der Junge folgte ihm. Skallon beobachtete die Frau und das Mädchen. Eine stumme, erschöpfte Geduld, älter als die Jahrhunderte.

Es begann zu regnen; das erste Mal, daß Skallon auf Alvea Regen sah. Die Gestalten auf dem Bett blieben regungslos liegen und ließen den Regen wie ein weiches, dauerhaftes Laken auf sich herabfallen. Das Stampfen unter der Erde begann wieder.

Jetzt, da der Änderling nicht mehr da war, gestattete Skallon seinen Gedanken, seine Bilder noch einmal heraufzubeschwören. Seine raschelnden, knirschenden Bewegungen. Das Stöhnen, als sein Fleisch sich verschob und verformte. Sein furchtbares, wissendes Lächeln. Skallons Lächeln.

Das Wesen war tödlich und angsteinflößend, und zwar weit mehr als er befürchtet hatte. Aber es war auch faszinierend. Eine Sekunde lang hatte Skallon einen Schimmer dessen gesehen, was das Ding fühlte, er hatte gespürt, wie es die Welt sah.

Stirnrunzelnd ging er weiter und versuchte, sich an die zarten Impressionen zu erinnern. Was er von dem Änderling empfangen hatte, waren nicht Ideen, sondern Gefühle, Empfindungen, Emotionen. Etwas vom Tanzen, vom leicht Dahinleben, vom Gleiten durch die Zeit wie ein Schiff auf ruhiger See. Und von der Unsterblichkeit. Daß Gommerset am Ende doch etwas bedeutete. Es gab eine entfernte Verwandtschaft zwischen dem Änderling und Alvea, dessen war er sich sicher.

Gleichviel - das Wesen, so menschenähnlich in vieler Hinsicht, und doch so fundamental anders, hatte versucht, die alte Kultur von Alvea zu zerstören. Er *hatte* Alvea zerstört. Es war ein abstoßendes und dennoch faszinierendes Ding, dieser Änderling. Skallon schauderte. Vielleicht konnte er Fain keinen wirklichen Vorwurf machen, weil dieser ihn getötet hatte. Die ganze Zeit über war Danon der Änderling gewesen. Das Ding hatte in ihm gesteckt, voller Hohn. Auf dem Platz, bei den langen Versammlungen, während der Verfolgungsjagd durch die Straßen von Kalic. Immer lachend. Immer da. Und am Ende, noch im Tode, hatte er gesiegt.

Der Änderling war nicht tot.

Joseph Fain saß auf dem Bett in seiner Kammer im Hotel und starrte auf den dunklen Flecken am Boden neben seinem Fuß, während der Lärm des Chaos von der Straße heraufwogte. Soeben hatte er einen Käfer mit dem Stiefel zerquetscht, und zum zweiten Mal in seinem Leben verstand er alles.

Der Änderling war nicht unter denen gewesen, die in der Halle gestorben waren. Dessen war er so sicher, wie er jemals einer Sache sicher gewesen war.

Um etwas zu töten, mußte man es kennen. Der Änderling kannte Fain. Und aus dieser Kenntnis heraus hätte er es niemals zugelassen, daß er sich ihm unbemerkt näherte.

Fain begriff, was der Änderling beabsichtigt hatte. Er hatte die Existenz von Fains kühlem Mittelpunkt gespürt, instinktiv hatte er die Quelle seiner Kraft erfaßt, und er hatte sich darangemacht, diesen Kern zu zerstören.

Dies hatte das Ende sein sollen: Die Erkenntnis, daß er eine

Versammlung von Unschuldigen niedergemetztelt hatte, sollte ihn in den Abgrund stoßen.

Fain lächelte gepreßt. Ein toter Käfer hatte ihn gerettet. Er fühlte nichts - nur noch absoluten, totalen, überwältigenden Frieden. Kein Bedauern. Keine Scham. Keine Schuld.

Der Änderling war allzu erfolgreich gewesen. Indem er den kühlen Kern in seinem Innern ausgelöscht hatte, hatte er das Wissen freigesetzt, das ihn befreite, das jede Sorge um Leben und Tod absurd und sinnlos machte.

Jetzt endlich verstand Fain den Änderling wirklich.

Und er konnte ihn töten.

Wenn er ihn fände.

Und er wußte, das würde bald sein.

Mit leichtem Kopf und unbestimmten Gedanken ließ Skallon sich durch die verstopften Straßen von Kalic treiben. Der Mißklang, den er vorausgeahnt hatte, erhob sich jetzt überall wie eine Antwort auf ein unhörbares Pulsieren. Banden von kleinen Jungen bekämpften einander mit Knüppeln und Lehmklumpen. Männer rannten in atemloser Hektik irgendwelchen Besorgungen nach. Karren schoben sich durch die staubigen Straßen, hoch beladen mit ärmlichem Hausrat, und ihre Besitzer waren bemüht, die Stadt noch vor Einbruch der Nacht zu verlassen. Die Stadt grollte leise, zweifelnd und verwirrt.

Durch Nebenstraßen erreichte er das Hotel, neugierigen Blicken aus dem Weg gehend. Er hatte Fain einiges zu sagen, aber das konnte warten. Er brauchte Ruhe und Zeit zum Nachdenken. Er schlüpfte durch den Hintereingang und schlich durch den trüben Gang zu seinem Zimmer.

Joane lag auf dem Bett. „Du bist in Sicherheit!“

Skallon nickte. „Fain ... er ist zurückgekommen ... er sagt, das Ding ist tot.“

„Die Rache für das Tier, für den Hund. Und für Danon“, sagte sie einfach.

„Ja, vermutlich.“

Sie saßen eine Weile auf dem Bett, ohne sich zu berühren.

Skallon fragte sich, wie sich bei Alveanern Trauer äußern mochte. Soweit er es in dem schwachen Licht erkennen konnte, zogen sich keine Tränenspuren durch Joanes Gesicht. Sie saß da, faltete müßig die Hände ineinander und löste sie wieder. Es war ganz still zwischen ihnen.

„Fain ... er sagt, er mußte viele töten ..." Joane schien nach irgend etwas zu suchen, was sie sagen konnte. Smalltalk. Fain würde das hassen.

Skallon nickte. „Was hat er dir erzählt? Hat er gesagt, es sei sein Job? Er habe es nicht gern getan, aber er habe es tun müssen?"

„Er ... so etwas Ähnliches."

Skallon verspürte eine überwältigende Mattigkeit. „Ja. So ist es."

„Ihr ... ihr werdet jetzt fortgehen?"

„Fain hat wahrscheinlich schon den Orbiter gerufen."

„Morgen also?"

„Nein. Nicht morgen. Überhaupt nicht. Ich gehe nicht zurück."

Ihre Augen weiteten sich. „Warum nicht?"

„Wenn ich zurückginge, würde man mich irgendwo in eine Unterkunft stecken. Man würde mich für einen neuen Planeten trainieren und mich mit seiner Kultur vollstopfen. Das will ich nicht. Ich kenne Alvea. Zum Teufel, ich kenne es wahrscheinlich besser als die Erde. Von der Erde bekommt man heutzutage nicht mehr viel zu sehen. Lauter Farmland und Reservationen. Man kann sich kaum noch bewegen."

„Aber hierbleiben ... nach allem, was du mir gesagt hast ..."

„Habe ich es dir erzählt? Ja, wahrscheinlich. Erdler haben hier keine normale Lebenserwartung. Das unterscheidet dich von mir. Deine Gene sind zurechtgestutzt."

„Du wirst sterben?"

„Nicht sofort. Ich werde mich nur nicht ganz erholen, falls ich einmal krank werde. Irgendeine verfluchte Adaptionslücke wird mich langsam auffressen."

„Wie ... furchtbar."

Skallon lächelte schmal. „Jemand muß versuchen, zu reparieren, was wir hier angerichtet haben. Und dann ist da noch diese Gommerset-Geschichte, der ich gern auf den Grund gehen möchte."

Joane runzelte die Stirn. „Du warst nicht verantwortlich für den … dafür, daß so viele umgekommen sind."

„Ich war ein Narr. Der Änderling hat mit uns gespielt wie mit Marionetten. Wir wußten nie, was vor sich ging. Ich hätte sehen müssen …"

„Aber der Tod dieser Leute kam aus der … der Unordnung."

„Nein, es war meine Schuld. Und Fains", fügte er scharf hinzu.

„Wenn etwas Böses geschieht, dann ist es ein Ausdruck des ganzen Universums. Und ebenso ist es, wenn etwas Gutes geschieht. Beides entspringt aus dem willkürlichen Wirken des … des Ganzen."

„Wie kannst du an Gommerset glauben, wenn du … Na ja, vielleicht steckt in Alvea mehr, als ich dachte."

„Was du für das Gute und das Böse hältst, sind nicht deine *Ideen.* Sie sind, was sie *sind."*

„Und?" sagte Skallon nachdenklich.

„Du solltest dich ihnen fügen. Versuche nicht, sie irgendwie zu ändern."

„Alles, was du sagst, macht mich nur noch sicherer, daß ich das Richtige tue. Ich will Alvea *kennen.* Ich will wirklich verstehen, was du sagst. Begreifst du das, Joane?"

Er konnte ihren Gesichtsausdruck nicht erkennen. Draußen sank die Dämmerung herab, und im Zimmer war es dunkel geworden. Skallon war müde, seine Gelenke schmerzten, und seine Kehle war eng und trocken.

„Ich weiß nicht … Willst du …?" Sie ließ sich zurücksinken, reckte die Hüften hoch und zog den Saum ihres langen Kleides zurück. „Ich werde dich aufnehmen."

„Aber … nein, nein, ich … bin müde." Skallon war bestürzt über ihre Direktheit. Noch während er sprach, sah er, wie ihre schattendunklen, fleischigen Schenkel sich teilten, und er dachte an die Erleichterung, die er dort finden würde. Aber nein, er war eigentlich nicht in der richtigen Stimmung. „Ich glaube, ich werde mich ausruhen. Später vielleicht."

Sie nickte und erhob sich mit ruckhaften Bewegungen. „Ich werde zurückkommen."

Als Skallon sich zurücklehnte und die Stiefel von den Füßen zog, dachte er an sie und versuchte, ihre Stimmung in den letzten paar Minuten zu interpretieren. Sie war anders, verändert, eine Frau mit tiefen, wandelvollen Strömungen, eine Frau, die ebenso komplex war wie Alvea, auf eine Weise, wie die Erde es für ihn niemals sein würde. Die Erde, auf der alles geplant und kontrolliert war, hatte ihr Bild in Jahrhunderten kaum noch verändert, und sie würde für alle Zeit so bleiben. Die Erde - ein Netz, dessen Knoten die Menschen waren, die wohlgeordnet und bekannt in einer Schachtel lebten, genau begrenzt in dem, was sie tun und wissen und lieben konnten. Niemand blutete auf der Erde, und niemand starb. Eines Tages war man da, und am nächsten nicht mehr - *zip,* und das war alles. Niemand grub sich schutzsuchend in die Erde - zum Teufel, sie lebten ja schon unterirdisch, und die gesamte Oberfläche war für Pflanzungen und Schutzgebiete reserviert -, niemand hatte Seuchen oder einen langsam schleichenden Tod zu fürchten, niemand *lebte* wirklich, nicht so wie die Alveaner lebten. Es waren die Leute auf dem Hügel, denen Skallon helfen, die er kennenlernen wollte. In dem Chaos, das jetzt kommen sollte, würden sie hilflos treiben, wenn sie den Halt der Kasten nicht mehr hätten, sie würden wie kleine Vögel vor dem aufziehenden Sturm zu Boden stürzen. Er mußte ihnen helfen.

Das Gesicht in das zerknüllte Kissen gepreßt, fiel er in einen unruhigen Schlaf.

Er erwachte mit sandigen Augen und ausgedörrter Kehle. Aber mehr als nach Wasser oder Ruhe verlangte es ihn nach Joane. Er mußte reden über das, was jetzt kommen würde. Er würde es Fain sagen müssen. Wahrscheinlich würden sie Kalic verlassen müssen, er und Joane. Ganz gewiß würde sie nicht mehr bei Kish bleiben können - sie hatten nichts miteinander gemein. Sie würden auf dem Lande Schutz suchen. Ein ganz neues Leben mußte beginnen.

Er stolperte zur Küche hinunter, und seine Doubluth-Gewänder verfingen sich an den Wänden der Korridore. Joane war nicht da. Kish war damit beschäftigt, Gemüse zu putzen. Er sah auf, nickte und widmete sich wieder seiner Arbeit. Offensichtlich wollte er sich nicht unterhalten.

Skallon wanderte durch die unteren Räume des Hotels und suchte nach Joane. Das Hotel war wie ausgestorben. Draußen in der Maraban Lane wimmelte und lärmte der Verkehr. Menschen hasteten ziellos hin und her, sie schleppten Taschen und Pakete, und ihre Gesichter waren gespannt und feindselig. Eine vorüberziehende Gruppe von Frauen begann einen hoffnungsvollen Gesang, aber schon bald gerieten sie aus dem Takt, und der Gesang versickerte. Der von vielen Füßen aufgewirbelte Staub hing schwer in der Luft.

Skallon wandte sich von den beschlagenen Fenstern ab. Also gut, er würde zu Fain gehen. Er mußte sich diesem Augenblick stellen.

Auf sein Klopfen folgte eine Pause, ein Schweigen, das von innen herausdrang. Plötzlich wurde die Tür aufgerissen. Fain stand seitlich dahinter, den Rücken gegen die Wand gepreßt und den Hitzestrahler auf die Türöffnung gerichtet.

Skallon runzelte die Stirn. „Was machst ...“

Dann sah er die Gestalt auf dem Bett.

Joane.

Etwas Braunes rann über ihre Schenkel und drang durch den Stoff ihres Kleides.

Die Augen verdreht, weiß.

Ein qualmendes Loch in ihrem Bauch, das sich jetzt langsam mit Rot füllte.

Hölzern drehte Skallon sich um. „Du ...“

Er schlug nach Fain. Mit der Handkante hieb er nach dem Arm, der die Waffe hielt. Fain wandte sich um. Der Schlag ging ins Leere, und Skallon verlor das Gleichgewicht. Er taumelte gegen die Wand, stieß sich ab und zog das Knie hoch, um nach Fain zu treten. Fain wich tänzelnd zurück.

„Du ... Mörder ... wahnsinnig ...“ stieß Skallon mit zusammengebissenen Zähnen hervor. Er fand sein Gleichgewicht wieder und suchte nach einer Öffnung in Fains Deckung.

Er warf sich vorwärts. Fain trat beiseite. Skallon stolperte über

Fains ausgestreckten Stiefel, und Fain schlug ihn sauber auf den Hinterkopf. Skallon stürzte zu Boden, und die Welt wurde dunkel, dunkel und gesprenkelt mit summenden weißen Flecken. „Warum … ich …“, begann er.

„Ich habe nicht Joane getötet“, sagte Fain keuchend. „Das ist der Änderling.“

2

Joseph Fain hielt die Frau in den Armen und preßte sie an sich.

Irgend etwas stimmte nicht.

Er zog sie auf das Bett hinunter. Sie war nur halb bekleidet. Er küßte sie.

Irgend etwas fehlte. Ein Verlangen, ein Bedürfnis.

Früher hatte Joane nach außen hin berechnend, sogar gelassen gewirkt. Aber ihre Berührung war warm und weich gewesen. Es war, als hätten seine Hände vibriert, wenn sie über sie hinwegglitten. Da war etwas in ihrer Haut gewesen, das eine ganz eigentümliche Strahlung abgab. Ihr Bedürfnis, geliebt zu werden - geliebt von diesen Erdlern, von diesen fremden, exotischen Männern von den Sternen -, war durchgedrungen.

Aber jetzt war irgend etwas anders. Hatten die Todesfälle ihr Innerstes vereisen lassen? Hatte Kish schließlich doch eine Grenze gezogen und seinen männlichen Stolz hervorgekehrt?

Er verschob seinen Griff. Sie umklammerte ihn fest, und dennoch lag in dieser Umarmung eine gewisse Zurückhaltung. Sie war hart, unnachgiebig. Ihre Zunge schob sich in seinen Mund. Ihre Faust, fest zusammengepreßt, lag zwischen seinen Beinen. Es war alles da, genauso wie früher, aber etwas in ihr hatte sich verändert.

Fain bewegte sich mechanisch, er verdrängte die Verwirrung, die durch seine Gedanken schwärmte, und versuchte, sich auf sie zu konzentrieren. Er dachte daran, wie sie zu ihm gekommen war. Als er von der Straße hereingekommen war, zerschlagen noch von den an die Oberfläche dringenden Bildern seines Vaters, den Gedanken an Scorpio und an Tage, die jetzt tot waren, war er an ihrem Zimmer vorbeigegangen, um ihr zu sagen, daß der Änderling tot war. Ihr von Falten durchzogenes Gesicht war voll mit dem Tode Danons, und er ging fort. In seinem eigenen Zimmer angekommen, hatte er erschöpft seine Gewänder abgestreift und ein Signal zum Orbiter gesandt, um ihre Rückkehr vorzubereiten. Morgen. Das wäre früh genug. Er beabsichtigte, den Rest des Tages auszuruhen und zu versuchen, in dem ringsumher wirbelnden Chaos wenigstens ein gewisses Maß an echtem Triumph zu finden. Und dabei hätte sie es belassen können. Sie hätte in ihrem Zimmer bleiben können, bis er fort wäre. Wenn sie das getan hätte, hätte er es niemals erfahren. War es, weil sie (er) ihren (seinen) Triumph ebenfalls brauchte?

Sie hatte gesagt: „Skallon hat mich gebeten, dir zu sagen, daß er wieder da ist."

„Wo?" Er lag auf dem Bett und blickte zu ihr auf. Sie wirkte seltsam groß und verlängert, aber das lag nur an seinem Blickwinkel.

„Er ist in sein Zimmer gegangen."

„Ohne mit mir zu sprechen?"

„Ich glaube, er haßt dich, Fain. Er sagt, er will auf Alvea bleiben."

„Bei dir, nehme ich an."

„So will er es."

„Ich werde es nicht zulassen."

„Es wäre auch dumm."

„Er würde sterben."

„Ich weiß."

Dann legte sie ein paar ihrer Kleidungsstücke ab. Fain streifte ab, was er noch am Leibe hatte. Sie umarmten sich. Küßten sich. Irgend etwas stimmte nicht, war nicht da – und dann hatte er es gewußt.

Fain nahm seine Lippen von den ihren und rollte zur Seite. Er zwang sich, ruhig zu bleiben und seinen Abscheu zu beherrschen. Der Geschmack von diesem Ding hing wie fauliger Moschus auf seinen Lippen. Er fühlte sich zu betäubt, zu abgestorben, als daß es ihm wirklich etwas ausgemacht hätte. Mit normaler Stimme sagte er: „Ich glaube, ich habe draußen etwas gehört."

Sie lachte und versuchte, ihn wieder an sich zu ziehen. „Das ist nur Kish.“

„Nein.“ Er wich ihr aus und flüsterte: „Vielleicht ist es Skallon. Es kann sein, daß er durchdreht. Bleib hier.“ Er nahm seinen Hitzestrahler und öffnete die Tür. Er hätte sie in diesem Moment töten können, aber er mußte sichergehen. Er hatte sich schon einmal geirrt. Wegen dieses Irrtums hatte er eine Versammlung von unschuldigen Männern massakriert. Der Korridor war leer. Er hörte, wie sie sich nervös auf dem Bett bewegte, und drückte die Vertilinjektion in seiner Handfläche rasch in den straffen Muskel seines Unterarms. Es geschah jetzt alles, ohne daß er noch eigentlich dachte. Er handelte instinktiv. Ein Saal voll verbrannter Männer. Eine halbnackte Frau auf seinem Bett. Ein Änderling. Nein, er wollte an nichts davon denken.

Schwer atmend trat er ins Zimmer zurück und schloß die Tür. „Ich glaube, ich habe Wahnvorstellungen.“ Er ging zum Bett und beugte sich über sie. Sie richtete sich auf und kam seinen Lippen entgegen. Er wich zurück, bevor sie sie berührte. „Stell dich auf den Kopf und klatsch in die Hände“, sagte er. Gleichzeitig hob er, verdeckt hinter seinem Schenkel, wo sie ihn nicht sehen konnte, den Hitzestrahler.

Sie lachte und schüttelte den Kopf, und ihr langes Haar flatterte wie Sporen im Wind. „Fain, du bist immer verrückt.“

„Tatsächlich?“

Und er tötete sie - ihn - mit einem Schuß in den Bauch.

3

Drei

... der Strahl reißt sengend brennend in mein oh Gott ich umschließe ihn versuche dem Druck zu entgehen mich loszureißen als das Feuer in mich hineinfährt und nimmt und packt und brennt mein Blut meine Galle oh es hört nicht auf ich kann nicht ... ich ... und die rauschende Finsternis kommt auf mich zu und sagt mir noch einmal, daß dieser Teil zu Ende ist ... ich kam zu nah im Tanz ... ich war so dicht vor einer vollkommenen Gestalt, einem prachtvollen Höhepunkt ... aber der Hochmut ... eine Blase von Blut zerplatzt in meinem Mund, und Flüssigkeiten verdunsten aus meinen Eingeweiden, züngelnd heiß, meine Gedärme quellen hervor, so sehr ich auch versuche, sie mit den Händen zurückzudrängen ... schleimige, verknotete Schläuche dringen zwischen meinen gekrümmten Fingern heraus ... Schleim und Brühe ... stechende, wilde Schmerzen ... der Boden ist besudelt ... ich sinke nach vorn ... ein dumpfes Ziehen, eine Taubheit verbreitet sich in meiner Brust ... ich war eine Frau, ein Mann, wollte zuviel, wollte alles sein und verzehren, durch alles hindurchgleiten ... mein Selbst, zuckend wie Würmer, auf dem Boden, kopflos ... die Dunkelheit ... ich bescheiße mich in meiner Qual ... die Dunkelheit strömt rauschend durch meine Beine herauf ... sie ... Enge ... wieder gehe ich an jenen Ort ... wieder ein Tanz ... Gefäße platzen ... der Boden hebt sich und rauschende Dunkelheit ... stechender Schmerz ... Flammen ... Schatten ... ich ...

4

Skallon schluchzte tonlos, seine Brust bebte, und Fain wußte, daß er jetzt nicht aufhören würde. Also redete er. Fain hatte es stets gehaßt, wenn Leute redeten, weil ihnen nichts anderes einfiel - und jetzt gehörte er selbst zu diesen Leuten.

„Schau mal", sagte er, „das ist nicht Joane. Weißt du noch, wie ich dem Änderling nachgejagt bin, unter der Erde, wie ein Idiot? Als er Scorpio tötete und dann in der Küche wieder heraufkam? Da muß er wohl mehr Zeit gehabt haben, als wir glaubten. Er muß Joane getötet und den Leichnam versteckt haben. Er hat ihre Identität angenommen. Hat einen Teil seiner Körpermasse abgestoßen, irgendwie. Sich geformt. Sich aus einem Mann in eine Frau verwandelt. Himmel, ich weiß doch nicht ..." Sein Mund hing offen, und dann fing er sich wieder. „Irgendwie. Irgendwie. Als ich dann endlich oben ankam, war das Ding fertig. Der Änderling schickte Kish hinter irgendeinem unschuldigen Doubluth her und ließ mich den beiden nachlaufen. Er wußte ... was ich tun würde. Er hat mich an der Nase herumgeführt. Er hat mich dazu gebracht, die Hohe Kaste zu massakrieren, und er hat die ganze Zeit gelacht. In seinen Augen ist das Leben ein Witz. Danon. Joane. Du und ich. Das ganze verfluchte Universum. Aber die Änderlinge irren sich, Skallon. Es hat ...

Aber Skallon hörte nicht zu. Er stand über der Leiche des Änderlings und weinte. Skallons Problem war, daß ihm die Dinge nicht gleichgültig waren. Dem Änderling waren sie gleichgültig. Fain waren sie gleichgültig. Aber ihm nicht. Und wer war jetzt besser dran?

Fain legte Skallon sanft eine Hand auf die Schulter, und er dachte dabei an Flammen und Wahnsinn. „Morgen reisen wir nach Hause", sagte er.

5

Zwei Männer in purpurnen Roben standen auf einer einsamen Wiese am Rande von Kalic. Sie spähten zum Himmel. Einer der beiden hielt ein Signalgerät in der Hand. Er sagte zu seinem Begleiter: „Das Schiff ist für alle Notfälle gut programmiert. Es schickt einfach eine kleinere Kapsel herunter, eine, die ich allein fliegen kann."

„Dann gibt's kein Problem", sagte Skallon.

„Eigentlich nicht", meinte Fain. „Aber ich finde, du solltest dir trotzdem verdammt sicher sein. Wenn ich einmal weg bin, kannst du nicht mehr zurück. Und wenn du hierbleibst, wirst du sterben, Skallon."

„Ich weiß." Skallon zuckte gleichgültig die Achseln. „Aber wann? In fünf Erdenjahren? In zehn? Wer weiß das? Es kann gut sein, daß ich noch einmal ein Neues Jahr, ein Fest, erlebe."

„Ich hoffe, daß du deine Verkleidung beibehältst. Es wäre

dumm, wenn du ihnen beispielsweise erzählen wolltest, daß du von der Erde kommst. Sie reißen dich in Stücke."

Skallon schüttelte den Kopf. „Ich will nicht noch einmal eine Lüge leben."

„Würdest du lieber sterben?"

„Das muß ich doch sowieso, oder nicht?"

„Ja, ja, wahrscheinlich." Fain lauschte dem Piepsen des Signalgerätes in seiner Hand. In dem stetigen Rhythmus lag etwas Sauberes und Reines – etwas Tröstendes und Beruhigendes: *piep piep piep ...*

„Weißt du, Fain", sagte Skallon, „es ist ja nicht so, daß ich überhaupt nicht darüber nachgedacht hätte. Ich werde nicht in Kalic bleiben. Ich wäre hiergeblieben, aber Joane ist tot, und so gibt es dafür keinen Grund mehr. Ich werde mir etwas anderes suchen, ein kleines Dorf, in dem man mich so akzeptiert, wie ich bin. Und dann werde ich arbeiten. Ich werde leben. Ich werde schreiben. Ich werde studieren. Was würde ich denn auf der Erde tun? Das gleiche. Aber hier kann ich wenigstens frei sein."

„Und allein. Sie werden dich nicht mögen, Skallon – du wirst nie zu ihnen gehören. Es ist nicht leicht, so allein zu sein. Es tut weh, und noch viel schlimmer: Es wird bald so weh tun, daß du irgendwann überhaupt keinen Schmerz mehr empfinden kannst."

„Das gilt für dich, Fain – nicht für mich."

„Hoffentlich. Aber du hast sie geliebt, nicht wahr? Joane?"

„Ich habe mit ihr geschlafen, wenn du das meinst."

„Du weißt, daß ich das nicht meine."

„Was meinst du dann? Daß du ebenfalls mit ihr geschlafen hast? Das weiß ich ... ich wußte es die ganze Zeit."

„Da irrst du dich. Joane hat niemals mit mir geschlafen."

„Das glaube ich nicht."

„Ich hab's versucht – klar hab ich's versucht, ich bin auch nur ein Mensch. Sie hat mich abgewiesen, ob du es glaubst oder nicht. Sie wollte dich nicht belügen."

„Was weißt du denn davon?" Aber der Zorn war aus Skallons Stimme verschwunden, die schwelende Bitterkeit war fort. Vielleicht glaubte er Fain tatsächlich. „Du könntest auch hierbleiben, Fain."

Fain fing an zu lachen, aber Skallon machte keine Witze. Diesen Gedanken hatte er noch nie in Betracht gezogen. Hierbleiben? Unter diesen Pseudos? Klar, und dann? Arbeiten? Heiraten? Ausruhen? Leben? „Das ist eine entzückende Idee, Skallon, aber nicht für mich. Dies ist deine Welt, aber meine ist da oben - die alte, blaue Erde. Außerdem, wenn wir beide verschwinden, wird jemand sich Gedanken machen. Ich kann zurückgehen und dich decken. Ich kann die erforderlichen Lügengeschichten verbreiten."

„Und was willst du dann tun? Wieder Änderlinge jagen?"

Daran hatte er noch nicht gedacht. Langsam schüttelte Fain den Kopf. „Ich glaube nicht. Ich glaube, damit bin ich fertig. Vielleicht setze ich mich einfach zur Ruhe, wenn ich zurückkomme."

„Wenn sie das zulassen."

„Sicher, aber ... he, Moment mal, Skallon. Ich will dir etwas erzählen. Es ist unglaublich, aber ... ja, ich wußte es bis gestern nicht. Ich wußte es, aber ich wußte nicht, daß ich es wußte. Ich habe einen Käfer getötet. Mit dem Fuß zerquetscht. Ich weiß nicht, wieso ausgerechnet *das* der Auslöser war. Vielleicht, weil ich ein so bedeutungsloses Wesen tot daliegen sah und wußte, daß es genauso wichtig, genauso vollständig war wie jeder Mensch. Es war ein Leben, eine Seele, und ich hatte es getötet."

Fain hielt inne. Er wußte, daß er sinnloses Zeug redete, und in seiner Verwirrung tastete er instinktiv in seinem Innern nach dem Mittelpunkt, den er dort immer gefühlt hatte. Er war fort. Der beruhigende, kühle Druck, dessen Anwesenheit er tief in sich immer gespürt hatte, war jetzt nicht mehr da. Das ruhige, gelassene Zentrum hatte sich aufgelöst, es war zerplatzt und hatte seinen Inhalt in das Bewußtsein ergossen.

Fain schüttelte den Kopf. Die Moschusluft von Alvea umspielte seine Nase und brachte seine Aufmerksamkeit wieder zu Skallon und zu der fremdartigen Landschaft ringsumher zurück. „Ich hatte einmal einen Vater. Er war VIP in der Forschung des Konsortiums."

„Ist er enttäuscht von dem, was aus dir geworden ist?"

„Wahrscheinlich wäre er's, wenn er könnte, aber er ist tot. Sie haben ihn umgebracht. Davon will ich dir ja erzählen. Er war

Genetiker, und zwar ein verdammt guter. Er entdeckte etwas. Auch er glaubte an das Gleichgewicht des Konsortiums. Als er auf dieses Resultat stieß, ging er deshalb gleich zu seinen Vorgesetzten und berichtete ihnen darüber. Er erwartete Lob, Beförderung, all das. Statt dessen behaupteten sie, er habe sich geirrt. Sie behaupteten, er habe nicht gut genug gearbeitet. Ein spezieller wissenschaftlicher Ausschuß wies es ihm nach. Er bekam einen leichten Klaps auf die Finger, und sie schickten ihn nach Hause."

„Ich verstehe."

„Damit war es nicht zu Ende. Er hörte nicht auf, wie sie es ihm befohlen hatten. Er überprüfte seine Zahlen. Wiederholte seine Experimente. Und er hatte recht. Er war ganz sicher, daß er recht hatte. Und er sagte es ihnen noch einmal."

„Sagte ihnen was?"

„Einmal konnten sie es tolerieren. Einmal ist es ein Fehler, zweimal ist es Verrat. So nannten sie ihn - einen Verräter. Er bekam niemals eine zweite Verhandlung, keinen zweiten Ausschuß - nichts. Sie verbrannten ihn vor meinen Augen. Sie verschmorten ihn. Und als ich ihn sterben sah, wußte ich, warum."

„Aber dich haben sie nicht getötet."

„Sie dachten nicht, daß ich es wußte. Und sie wissen es immer noch nicht. Die ganze Information wurde fest verschnürt, als ich in einer massiven Psychotherapie war, um mich davon zu erholen, daß ich meinen Vater hatte sterben gesehen. Sie vernichteten seine Aufzeichnungen, seine Papiere, seine Comlogex-Akten, so daß es sich nicht beweisen läßt. Um ihr Image in der Öffentlichkeit zu schützen, nahmen sie den überlebenden Jungen und bezahlten dafür, daß man ihn wieder zurechtrückte. Später gaben sie ihm Arbeit. Die Information wurde so tief vergraben, daß gewöhnliche Untersuchungen sie nicht zutage förderten. Irgendein Spezialist hat mir einen großen Gefallen getan, als er sie so tief nach unten drückte. Er muß gewußt haben, daß ich nur so würde überleben können. Deswegen nahm er den Druck, den Wissen hervorbringt, und verwandelte ihn in etwas, das mich beschützte und mich befähigte, wie eine Maschine zu denken, wenn es sein mußte - in etwas, das mich am Leben erhalten würde."

„Und Leben ist so wichtig für dich, Fain." Verachtung zog sich wie ein dünner Faden durch Skallons Stimme.

„Du mißverstehst mich. Leben hat nicht die geringste Bedeutung für mich. Als Scorpio starb, begannen die alten Mauern in mir zu bröckeln, und als ich den Käfer zertrat, stürzten sie ein. Das Wissen trieb aus meinen Eingeweiden herauf in meinen Kopf. Ich fand heraus, daß ich dieses Wissen die ganze Zeit benutzt hatte. Jetzt weiß ich, *warum* ich glaubte. Ich wußte immer - und ich weiß jetzt -, daß Leben und Tod völlig bedeutungslose Phänomene sind. Ich weiß, was mein Vater entdeckt und bewiesen hat. Er hat all die alten Daten überprüft. Er hat eigene Berechnungen angestellt. Er hat mit Mathematik und Genetik gearbeitet, und er hat Daten herausbekommen, nach denen zu suchen niemandem jemals in den Sinn gekommen war. Er fand heraus, daß der verrückte alte Gommerset recht hatte. Deshalb wurde mein Vater verbrannt, und er wußte, daß es nichts bedeutete. Und ich weiß das auch. Wenn ein Mensch stirbt, wird er wiedergeboren. Das ist gewiß."

„Fain, du kannst nicht ..." Skallon packte Fains Gewand, als wollte er die Wahrheit aus ihm herauszerren.

Sanft stieß Fain ihn zurück. „Es ist die Wahrheit, Skallon. Glaube es. Glaube mir."

„Dann mußt du es anderen sagen. Die Menschen müssen es *wissen.* Du und ich, wir können ... Ich habe es auch gefühlt. Wir müssen es sagen."

„Nein." Fain betrachtete die Farben ringsumher. Er fühlte sich seltsam ruhig und ausgelaugt. „Niemand verdient es, davon zu wissen. Sieh mich an. Sieh diesen Planeten an. Wenn man erst weiß, was wir wissen, ist nichts anderes mehr wichtig. Nichts. Es hat keine Bedeutung für dich. Du bleibst hier." Er sah Skallon geradeheraus ins Gesicht. „Und du wirst sterben. Was die anderen betrifft ... nun, werden sie es nicht früh genug selbst herausfinden?"

Die schwere Moschusluft ließ die Falten an Fains Augen weicher erscheinen. Die Welt war wie ein dünner Film, der über einer einzigen, ungeheuerlichen Tatsache hing. Es war eigentlich verblüffend, daß die Menschen mit solcher Sicherheit über diese dünne Schicht hinweggleiten konnten. Sie brachen nur selten durch, entdeckten nur selten den Abgrund von Gewißheit, der unter all dem Lärm und den Ablenkungen lag. Und vielleicht war es das, was der willkürliche Tanz des Änderlings bedeutete. Das üppige Chaos der Welt zu genießen und darin zu wirbeln und zu kreisen. Denn darunter lag eine Gewißheit, die all die schrecklichen Illusionen fortwischte. Die Änderlinge erinnerten sich, und so konnten nur die Änderlinge den köstlichen Tod mit offenen Armen empfangen.

Fain lachte hohl. Noch einmal gab er Skallon einen freundschaftlichen Stoß. „Du gehst jetzt besser."

Er sah nach oben. Ein langgestrecktes Geschoß brach durch die reifen, knotigen Wolken. Es schimmerte. Mutter war pünktlich.

Nachwort

Nach *Schiwas feuriger Atem* (Band 3557) und *Der Bernsteinmensch* (Band 3573) ist dies der dritte Roman von Gregory Benford, der in der Reihe Moewig Science Fiction erscheint. Wie bei *Der Bernsteinmensch* (Originaltitel: *If the Stars Are Gods)* entstand auch der vorliegende Roman in Zusammenarbeit mit Gordon Eklund, während Benford bei *Schiwas feuriger Atem* mit William Rotsler als Ko-Autor zusammenarbeitete. Für eine deutsche Veröffentlichung bei Moewig werden außerdem vorbereitet: *The stars in Shroud* und Benfords berühmtestes Werk, der preisgekrönte Roman *Timescape.*

Gregory Albert Benford wurde 1941 in Mobile, Alabama, geboren, lebte als Sohn eines Armeeoffiziers einige Jahre in Gießen und Frankfurt und erwarb 1967 seinen Ph. D. in theoretischer Physik an der University of California in San Diego. Benford publizierte zahlreiche Aufsätze in wissenschaftlichen Zeitschriften und ist inzwischen außerordentlicher Professor an der University of California. Seine erste SF-Story erschien 1965 unter dem Titel „Stand-In" - sie war zweiter Preisträger bei einem Story-Wettbewerb von *The Magazine of Fantasy and Science Fiction.* 1970 erschien Benfords erster Roman *Deeper Than Darkness,* 1975 kam das SF-Jugendbuch *Jupiter Project* hinzu. Seinen ersten großen Erfolg errang er mit der Erzählung „If the Stars Are Gods" (Ko-Autor: Gordon Eklund), die die Grundlage für den späteren Roman gleichen Titels (bei uns: *Der Bernsteinmensch)* abgab. Mit dieser Erzählung gewannen die beiden Autoren den *Nebula.* In der Folge erschienen von Benford die Romane *In the Ocean of Night* (1977), *The Stars in Shroud* (eine Neubearbeitung des Erstlings *Deeper Than Darkness,* 1978), *Find the Changeling* (1980, *Die Masken des Alien), Shiva Descending* (1980, *Schiwas feuriger Atem)* und schließlich *Timescape* (1980).

Mit *Timescape* gewann Benford eine Reihe von Preisen, darunter den *Nebula* für den besten Roman des Jahres 1980. Gregory Benford gilt heute als einer der wichtigsten SF-Autoren überhaupt. Nach dem Urteil des *Reclam Science Fiction Führers* gehört er „zu den wenigen, die wissenschaftliche Kompetenz und literarische Fertigkeiten vereinigen, und vor allem *Timescape* muß als beispielloser SF-literarischer Einblick in die Welt der Naturwissenschaftler hervorgehoben werden".

Gordon Eklund wurde 1945 in Seattle, Ohio, geboren und diente nach der Schulzeit bei der amerikanischen Luftwaffe. 1970 erschien seine erste SF-Story, „Dear Aunt Annie", in *Fantastic,* und ab 1971 veröffentlichte Eklund auch Romane. Inzwischen hat er zehn Romane verfaßt und gilt als Autor guter und spannender SF-Unterhaltung, der gelegentlich über sich selbst hinauswächst. Unter seinen Romanen ragen *The Eclipse of Dawn* (1971), *All Times Possible* (1974), *The Garden of Winter* (1980) und *Find the Changeling* (1980) heraus, aber der ganz große Durchbruch ist ihm als Autor bislang noch nicht geglückt. Sein größter Erfolg war die schon erwähnte *Nebula*-Trophäe für die von ihm und Benford gemeinsam verfaßte Erzählung „If the Stars Are Gods".

Hans Joachim Alpers

MOEWIG
...weitere Titel aus der Reihe SCIENCE FICTION erscheinen monatlich im MOEWIG Verlag...
MOEWIG
SCIENCE FICTION
H. J. Alpers
SCIENCE FICTION ALMANACH 1982
3555 DM 7,80
MOEWIG
SCIENCE FICTION
Gregory Benford
William Rotsler
SCHIWAS FEURIGER ATEM
3557 DM 8,80
MOEWIG
SCIENCE FICTION
Greg Bear
DIE OBELISKEN VON HEGIRA
3554 DM 5,80
MOEWIG
SCIENCE FICTION
Cherry Wilder
DAS GLÜCK VON BRINS FÜNF
3558 DM 6,80
Science Fiction-Literatur bildet im MOEWIG Taschenbuch-Programm einen Schwerpunkt. Alle großen Themen der Science Fiction- und Fantasy-Literatur in meisterlicher Darstellung klassischer und neuer Science Fiction-Autoren erscheinen in dieser Reihe, die von Hans J. Alpers herausgegeben wird.
MOEWIG TASCHENBÜCHER
MOEWIG
SCIENCE FICTION
Jo Clayton
MAEVE
3560 DM 6,80